CW00816141

In neun Studien untersucht W. G. Sebald den Themenkomplex Heimat und Exil, der für die österreichische Literatur des 19. und 20. Jahrhunderts so charakteristisch ist. Ist schon sein erster Essayband »Die Beschreibung des Unglücks«, der sich mit der eigentümlichen Schwermut in der österreichischen Literatur befaßt, aus einem persönlichen Blickwinkel geschrieben, trifft dies auch auf die zweite Sammlung zu. Gerade weil Sebald, der selbst ein Grenzgänger ist, sich auf vertrautem Terrain bewegt, erschließen sich seinem sensiblen Verständnis Zusammenhänge, deren Aktualität nicht zuletzt durch die immer wieder neu gestellte Frage nach der Identität des einst so großen und mächtigen Österreich sowie durch die wechselvolle Assimilationsgeschichte der Juden bewiesen wird.
Sebalds Arbeiten setzen im frühen 19. Jahrhundert ein bei dem nur wenig bekannten Charles Sealsfield und schlagen den Bogen über die gleichfalls vernachlässigten Schtetlgeschichten Leopold Komperts und Karl Emil Franzos', über den Wiener Fin-de-siècle-Literaten Peter Altenberg, über Franz Kafka, Hermann Broch und Joseph Roth bis hinein in die Gegenwart, die durch Jean Améry, Gerhard Roth und Peter Handke vertreten ist. All diesen Autoren ist gemeinsam, daß sie an der »Unheimlichkeit der Heimat« gelitten haben bzw. noch immer leiden. Behutsam macht Sebald deutlich, wie oft dieses Leiden an der Heimat sowie die vage Sehnsucht nach ihr für österreichische Autoren zum Thema, wenn nicht sogar zum Anlaß des Schreibens geworden sind.

W. G. Sebald, geboren 1944 in Wertach, lebte seit 1970 als Dozent in Norwich. Er starb am 14. Dezember 2001 bei einem Autounfall.
Im Fischer Taschenbuch Verlag liegen vor: ›Die Beschreibung des Unglücks‹ (Bd. 12151), ›Luftkrieg und Literatur‹ (Bd. 14863), ›Logis in einem Landhaus‹ (Bd. 14862), sein Elementargedicht ›Nach der Natur‹ (Bd. 12055) und die Prosabände ›Schwindel. Gefühle‹ (Bd. 12054), ›Die Ausgewanderten‹ (Bd. 12056), ›Die Ringe des Saturn‹ (Bd. 13655) und ›Austerlitz‹ (Bd. 14864). Sebalds Werke wurden mit mehreren Preisen ausgezeichnet, u. a. mit dem Mörike-Preis, dem Heinrich-Böll-Preis, dem Heinrich-Heine-Preis und dem Joseph-Breitbach-Preis.

Unsere Adresse im Internet: www.fischerverlage.de

W. G. SEBALD

Unheimliche Heimat

Essays zur
österreichischen
Literatur

Fischer Taschenbuch Verlag

3. Auflage: April 2004

Veröffentlicht im Fischer Taschenbuch Verlag,
einem Unternehmen der S. Fischer Verlag GmbH,
Frankfurt am Main, Januar 1995

Lizenzausgabe mit freundlicher Genehmigung
des Residenz Verlags GmbH

Druck und Bindung: Clausen & Bosse, Leck
Printed in Germany
ISBN 3-596-12150-7

Inhalt

Vorwort

Die vorliegende Essaysammlung ist das Ergebnis meiner fortgesetzten Beschäftigung mit einer Schreibtradition, an der mir viel gelegen ist. Doch soll hier ein etwas anderer Zusammenhang beleuchtet werden als in den Studien, die vor fünf Jahren unter dem Titel *Die Beschreibung des Unglücks* im selben Verlag erschienen sind. Standen damals die psychischen Determinanten des Schreibens mehr im Vordergrund, so geht es diesmal eher um die gesellschaftliche Bedingtheit der literarischen Weltsicht, obschon natürlich das eine vom anderen nicht ohne weiteres zu trennen ist. Die Arbeit an diesem Projekt wurde durch verschiedene Zuwendungen des Bundesministeriums für Wissenschaft und Forschung, der University of East Anglia in Norwich sowie der British Academy gefördert, für die ich an dieser Stelle gerne meinen Dank abstatte.

W. G. Sebald
Norwich, Norfolk
Im Jänner 1990

Einleitung

Aufgrund der besonderen, vielfach traumatischen Entwicklung, die Österreich von dem weit ausgedehnten Habsburger-Imperium zur diminutiven Alpenrepublik und von dieser über den Ständestaat und den Anschluß an das unselige Großdeutschland bis zur Neubegründung in den Nachkriegsjahren durchlaufen hat, nimmt der mit Begriffen wie Heimat, Provinz, Grenzland, Ausland, Fremde und Exil umrissene Themenbereich in der österreichischen Literatur des 19. und 20. Jahrhunderts eine auffallend prävalente Stellung ein. Es ließe sich die Auffassung vertreten, daß die Beschäftigung mit der Heimat über alle historischen Einbrüche hinweg geradezu eine der charakteristischen Konstanten der ansonsten schwer definierbaren österreichischen Literatur ausmacht, auch wenn, wie es bei der Vielfalt der ethnischen und politischen Denominationen anders gar nicht sein kann, die Vorstellung von dem, was Heimat einmal war, ist oder sein könnte, bis auf den heutigen Tag in einer Weise schwankt, daß eine systematische Vermessung dieses Geländes auf erhebliche Schwierigkeiten stoßen würde. Allenfalls ist es möglich — und um mehr soll es hier nicht gehen —, von bestimmten Aussichtspunkten, wie die Werke verschiedener Autoren sie bieten, ein wenig Umschau zu halten auf das, was da jeweils Heimat heißt. Ich bin mir dabei der Tatsache vollauf bewußt, daß ein solches Verfahren ebensoviel, ja weit mehr außer acht läßt, als es einschließt. Vieles von dem, was unter dem Titel dieses Bandes hätte behandelt werden können, bleibt darum unerörtert; andererseits aber hoffe ich doch, daß die notgedrungene Lückenhaftigkeit aufgewogen wird von Durchblicken, wie sie in einer systematischeren, weniger auf die Textqualitäten selbst ausgerichteten Behandlung sich vielleicht nicht eröffnet hätten.

Der Heimatbegriff ist verhältnismäßig neuen Datums. Er prägte sich in eben dem Grad aus, in dem in der Heimat kein Verweilen mehr war, in dem einzelne und ganze gesell-

schaftliche Gruppen sich gezwungen sahen, ihr den Rücken zu kehren und auszuwandern. Der Begriff steht somit, wie das ja nicht selten der Fall ist, in reziprokem Verhältnis zu dem, worauf er sich bezieht. Je mehr von der Heimat die Rede ist, desto weniger gibt es sie. Die Neue Welt, die im Exotismus der Sealsfieldschen Landschaftsschilderungen erstmals im deutschen Sprachbereich aufscheint, verdeutlicht durch ihre schwindelerregende Weite, daß die Erfahrung des Heimatverlusts nie wieder gutzumachen ist. Doch zeigt es sich auch zu Hause, wie in der Prosa Stifters allenthalben nachzuweisen wäre, daß das Verhältnis der Menschen zu ihrer angestammten Heimat gebrochen ist von dem Augenblick an, da diese ein literarisches Thema wird. Als Fremde und Ausländer ziehen die Stifterschen Protagonisten durch die ihnen doch bis ins kleinste vertraute Gegend; wie die Bergkristallkinder überzeugt, auf dem rechten Weg zu sein, gehen sie längst schon in die Irre, und das Vaterhaus, das in der Erzählung *Der Hochwald* die ganze Zeit her aus dem blaugezackten Saum des Horizonts hervorragte, ist beim nächsten Blick durchs Fernrohr bereits verwandelt in eine rauchende Ruine. Die Stifter als Heimatschriftsteller reklamierten, übersahen, wie unheimlich ihm die Heimat geworden war. Überall herrscht die größte Kälte, in den Verhältnissen zwischen den Menschen sowohl als in der in ihrem Bewußtsein auf einmal als ›das andere‹ aufgegangenen Natur. Das Werk Stifters, entstanden im Zeitalter des anhebenden Hochkapitalismus, liest sich über weite Strecken wie die Geschichte einer zweiten Vertreibung. Wenn Stifter, trotz dieser Einschlägigkeit, im vorliegenden Band nicht in Betracht gezogen wird, so liegt das hauptsächlich daran, daß ich mich mit seinem Weltbild in früheren Arbeiten schon auseinandergesetzt habe und Rekapitulationen zu vermeiden suchte.[1]
Das Thema Heimat tritt in der österreichischen Literatur des 19. und 20. Jahrhunderts nicht zuletzt deshalb so sehr in den Vordergrund, weil es für die Schriftsteller jüdischer Provenienz während des gesamten Zeitalters der Assimilation und Westwanderung tatsächlich von übergeordneter Bedeutung gewesen ist. Wie aus den Schriften von Leopold Kompert und Karl Emil Franzos hervorgeht, stellte sich für die

aus dem Ghetto Entlassenen zumindest seit der Mitte des 19. Jahrhunderts die Frage, ob man mit der Ankunft in Wien endlich zu Hause angelangt war oder ob man die wahre Heimat nicht vielleicht doch mit dem Stedtl aufgegeben hatte. Die Auseinandersetzung mit dieser Problematik in den deutschsprachigen Ghettogeschichten des 19. Jahrhunderts ist voller Ambivalenzen und erfährt auch später, in der Literatur des *Fin de siècle,* keine Lösung. Was sich von Schnitzler und Altenberg bis zu Broch und Joseph Roth mehr und mehr abzeichnet, ist ein komplexer Illusionismus, der sich der eigenen Unhaltbarkeit völlig bewußt gewesen ist und der, indem er noch an der Vorstellung eines Heimatlandes arbeitete, sich zugleich bereits als Einübung ins Exil verstand.

Wenn die Juden in der Diaspora immer dazu tendierten, mit ihrem Gastland sich zu identifizieren, so war ihr Attachement an Österreich doch ein Phänomen besonderer Art. Theodor Herzl schwelgte bekanntlich eine Zeitlang in der Vision von Wien als einem neuen Jerusalem, und er wäre, sofern es sich hätte arrangieren lassen, bereit gewesen, die gesamte Wiener Judenschaft zur Einleitung einer jüdisch-christlichen Staatsutopie in den Stephansdom zur Taufe zu führen. Wäre dieser extravagante Versöhnungsplan, den Herzl dem Papst zu unterbreiten beabsichtigte, verwirklicht worden, so hätte das sozusagen die Umwandlung Österreichs ins heilige Land zur Folge gehabt. Die Realisierung des Traumkonzepts eines neuen apostolischen Reichs deutsch-jüdischer Nation war — von allen realpolitischen Erwägungen einmal ganz abgesehen — in erster Linie deshalb von vornherein zum Scheitern verurteilt, weil es im Grunde nur eine Funktion des Antisemitismus war, den es aus der Welt schaffen wollte. In Anbetracht dieser Vorgeschichte erscheint die Idee des Zionismus, die Herzl bald darauf propagierte, geradezu als pragmatischer Kompromiß zwischen einem romantisch-utopistischen Szenarium und den tatsächlichen politischen Gegebenheiten der Zeit. Eigenartigerweise tat das Wunschdenken, das in der Vorgeschichte des Zionismus zum Ausdruck kam und das nicht nur für Herzl bezeichnend gewesen ist, der kritischen

Scharfsichtigkeit der jüdisch-österreichischen Autoren keinerlei Abbruch. Das stimmt nicht nur für Karl Kraus, dem ›das österreichische Antlitz‹ wohl als einem der ersten als eine Allegorie des Schreckens erschien, sondern ebensosehr für Schriftsteller wie Altenberg und Joseph Roth, die gelegentlich der Glorifizierung oder Sentimentalisierung Österreichs bezichtigt worden sind. Kritik und Treue halten einander in den Werken der jüdisch-österreichischen Autoren auf das genaueste die Waage, und man ginge gewiß nicht fehl, bezeichnete man dieses Gleichgewicht als eines der Inspirationszentren der österreichischen Literatur in ihrer produktivsten Zeit. An der Sehnsucht nach einer Synthese änderte sich bis in die komatöse Phase der I. Republik hinein nur wenig. Die Bindung an Österreich war auch nach dessen zweifelhafter Mutation in einen christlichen Ständestaat kaum zu durchbrechen. Das hat niemand genauer und früher beschrieben als Kafka in der im Schloßroman als Paradigma von der Exilierung entwickelten Geschichte der Familie des Barnabas, wo die Unterdrückten gleichfalls dem Regime hörig bleiben. Broch hingegen, der sich in seinem Bergroman ähnliches vorgenommen hatte, verstrickte sich so tief in die Mythisierung der Heimat, daß er darüber kaum wahrnahm, daß man ihm das Wohnrecht bereits aufgekündigt hatte.

Die Ideologisierung der Heimat, die in Österreich in den dreißiger Jahren sich durchgesetzt hatte, lief letztlich auf ihre Zerstörung hinaus. Heimat, das war nun, wie Gerhard Roth das in einem Interview einmal ausgedrückt hat, der Zustand, in dem jeder von jedem und alles von allem vereinnahmt wird.[2] Was man damals zu bewerkstelligen suchte, war die Abschaffung jeglicher Differenz, die Erhebung der Engstirnigkeit zum Programm und des Verrats zur öffentlichen Moral. Die Holzwegliteratur hatte einen zentralen Anteil an dieser Umwertung sämtlicher Werte, in deren Zusammenhang auch die Pervertierung der Heimat gehört. So gründlich wurde dieses Geschäft besorgt, daß deren Rehabilitierung in der seriösen Literatur lange Zeit ganz und gar ausgeschlossen schien. Namen wie Weinheber und Waggerl belegen zur Genüge, welche Art von Heimatbegriff bis weit

in die sechziger Jahre hinein im Umlauf gewesen ist. Erst durch die Arbeit der Wiener Gruppe, mit Artmanns ›gedichta r aus bradnsee‹, und später, auf breiterer Basis, durch den inzwischen schon legendären Auszug der Grazer gelang so etwas wie eine Rekonstitution der Heimat im Rahmen einer nicht kompromittierten Literatur.
Für einen Autor wie Jean Améry, der, nach eigenem Zeugnis, den Heimatverlust nicht hatte verschmerzen können, kam diese korrektive Entwicklung allerdings um einige entscheidende Jahre zu spät. Daß der Prozeß der Rehabilitierung nur sehr langsam vonstatten ging, ist andererseits nicht verwunderlich. Es bedurfte eines Generationenwechsels und es bedurfte einer beträchtlichen Anzahl ethisch und ästhetisch gleichermaßen engagierter Bücher, um die Hinterlassenschaft des Faschismus auszugleichen und aufzuwiegen. Solche Bücher sind nun und werden weiterhin geschrieben. In der Berichterstattung darüber, was an der Heimat, in der die gegenwärtige Schriftstellergeneration großgezogen wurde, falsch war und unerträglich, haben sie ihre Legitimierung. Das in der neuen österreichischen Literatur so auffällige, gewissermaßen ethnopoetische Interesse an den tiefgreifenden Schädigungen, welche von den Instanzen des fortwirkenden alltäglichen Faschismus in einer in ihren unteren Schichten weitgehend unmündigen Provinzbevölkerung angerichtet wurden, dieses Interesse wies den neuen österreichischen Autoren, von denen eine weit überproportionale Zahl diesem geschädigten Milieu entstammt, den Weg zur Überwindung der eigenen Namenlosigkeit. Als die Wortführer der in der zeitgenössischen österreichischen Literatur dokumentierten radikalen Kritik der falschen Heimat sind diese Autoren, von denen nicht wenige in einer grundsätzlichen Opposition zu ihrer gesellschaftlichen Umgebung stehen, selbst potentielle Heimatlose und Exilanten. Die von manchen als paranoid empfundene Haltung Thomas Bernhards spiegelte das ebenso wie die Befürchtungen und Zustände, über die Peter Handke in seinen Notaten Auskunft gibt. Es ist offenbar immer noch nicht leicht, sich in Österreich zu Hause zu fühlen, insbesondere wenn einem, wie in den letzten Jahren nicht selten, die Unheimlichkeit der Hei-

mat durch das verschiedentliche Auftreten von Wiedergängern und Vergangenheitsgespenstern öfter als lieb ins Bewußtsein gerufen wird.
Was darüber hinaus in den repräsentativen Werken der neuen österreichischen Literatur von Thomas Bernhard über Peter Handke, Gerhard Roth und Peter Rosei bis zu Christoph Ransmayr ablesbar wird, das ist die in der angst- und ahnungsvollen Aufzeichnung der Veränderung des Lichts, der Landschaft und des Wetters allmählich aufdämmernde Erkenntnis der im weitesten Umraum sich vollziehenden Dissolution und Zerrüttung der natürlichen Heimat des Menschen. Lag die Restaurierung der gesellschaftlichen Heimat kraft des rechten Wortes immerhin noch im Bereich des Möglichen, so scheint es in zunehmendem Maße fraglich, ob solche Kunst hinreichen wird, das zu erretten, was wir, über alles, als unsere wahre Heimat begreifen müßten.

Ansichten aus der Neuen Welt
Über Charles Sealsfield

> Farewell, my native land!
> Farewell trees!
>
> *The Indian Chief*

Das Werk des 1793 in Poppitz in Böhmisch Mähren geborenen Karl Postl, pseud. Charles Sealsfield, galt in der liberalen Kritik der vierziger Jahre des letzten Jahrhunderts als die Glanzleistung deutschsprachiger Prosaschriftstellerei.[1] Auf eine geradezu exemplarische Weise schien die Großzügigkeit seiner National- und Weltromane die Höhe der Zeit zu markieren. Wohl aufgrund seiner unmittelbaren Verbundenheit mit dem expansionistischen Geist der Ära vermochte aber Sealsfields Werk den normativen Vorstellungen der in den nächsten Jahrzehnten heraufkommenden realistischen Schule nicht zu entsprechen, und es geriet, wie so vieles, was der Vormärz hervorgebracht hatte, in Vergessenheit oder doch zumindest in Mißachtung. An der Relegierung aus dem Kanon der ernstzunehmenden Literatur hat sich im Prinzip bis auf den heutigen Tag nichts geändert. An Rettungsversuchen hat es zwar nicht gemangelt, doch da diese zumeist politisch inspiriert waren, erwiesen sie der literarischen Rehabilitierung eher einen Bärendienst. So wurde Sealsfield in der ersten österreichischen Republik einerseits als freisinniger Volksschriftsteller reklamiert, andererseits paßte »der ausgeprägte Germanismus«[2] seines Werks auch in die Ideologie des immer weiter nach rechts abtreibenden Deutschösterreichertums. Vollends wurde dann im Großdeutschen Reich viel Wesen um einen Autor gemacht, dessen völkerpsychologische und geopolitische Exkurse einem Ethnographen wie Josef Nadler als Beispiele wahrer epischer Kunst ohne weiteres einleuchteten.[3] Dazu paßt es auch, daß die Grundlagen der Sealsfield-Forschung im Dritten Reich gelegt wurden. Die Biographie Eduard Castles, die auf umfangreichen Recherchen beruht, war bereits 1944 fertiggestellt, konnte jedoch am Ende des Krieges nicht mehr erscheinen. Ihre Publikation im Jahr 1952 stand gleichfalls unter einem politischen Aspekt, der neuerlichen Betonung der deutsch- beziehungsweise österreichisch-amerikanischen Zusammengehörigkeit. Dem Werk Sealsfields hat all das, wie gesagt, kaum einen Zutrag gebracht. Es blieb weiterhin so gut wie unzugänglich und fand Verbreitung nur in mehr oder weniger zugerichteten Einzeleditionen für Jugendliche. Die aus reprographischen Nachdrukken zusammengesetzte Ausgabe der sämtlichen Werke Sealsfields, die Anfang der siebziger Jahre zu erscheinen begann,[4] steht allenfalls in Fachbibliotheken. Daß die Schriften Sealsfields einer weiteren Leserschaft verschlossen blieben, ist also nicht verwunderlich. Erstaunlicher ist es schon, daß auch die Literaturwissenschaft, von wenigen Ausnahmen abgesehen,[5] mit Sealsfield sich nicht einlassen mag — ein Defizit, das der Tatsache zuzuschreiben sein dürfte, daß das literarische Werk des aus der österreichischen Provinz entlaufenen Ordensgeistlichen die Widersprüche der angehenden hochkapitalistischen Zeit gewissermaßen in Reinkultur reproduzierte. Diese Widersprüche sind, wie zu zeigen sein wird, sowohl ethischer als auch ästhetischer Art. Ihre Unverbrämtheit erschwert bis heute das Geschäft der beschreibenden Klassifikation, die mit unlösbaren Gegensätzen nichts Rechtes anzufangen weiß. Einzig ein dezidiert kritischer Ansatz wird also so etwas wie eine Antwort auf die immer noch ungeklärte Frage geben können, ob Sealsfield ein aufrechter Mann oder ein Schwindler, ein Genie oder bloß ein Schmierer gewesen ist.

Karl Postl war dreißig, als er 1823 Österreich verließ. Was ihn zu diesem Schritt bewog, läßt sich mit Gewißheit nicht mehr sagen. Postl war im Alter von fünfzehn Jahren als Konventstudent im Prager Kreuzherrenstift aufgenommen worden. Fünf Jahre später trat er als Novize in den Orden ein. Nach weiteren drei Jahren wurde er zum Priester geweiht, und bald darauf schon war er zum jüngsten Sekretär des Ordens avanciert, was eine beträchtliche Verantwortung in geschäftlichen Angelegenheiten mit sich brachte. Es spricht im Grunde alles dafür, daß Postl über diese für einen Weinhauersohn nicht unebene Karriere einige Genugtuung verspürte. Auf seinen Reisen in Sachen des Ordens kam er viel in Kontakt mit den Fürsten des Landes, ein Aspekt seiner Arbeit, der für ihn, dem zeitlebens der Sinn nach höheren Konnexionen stand, nicht unbedeutend gewesen sein dürfte. Um in seinem persönlichen Habitus nicht hinter seinen gesellschaftlichen Aspirationen zurückzubleiben, lernte Postl Englisch, Französisch, Klavierspielen und Reiten. Sämtliche verfügbaren biographischen Informationen weisen ihn, auch für die spätere Zeit, als einen in erster Linie auf die eigenen Interessen bedachten Menschen aus. Es ist also wenig wahrscheinlich, daß der ehrgeizige junge Ordensherr, dem der Posten des General-Großmeisters bereits ins Auge stechen mochte, seine glänzenden Aussichten leichthin aufs Spiel setzte, um sich auf ein ungesichertes und unstetes Leben einzulassen. Auch hatte Friedrich Sengle sicher recht, als er meinte, Postls Flucht nach Amerika sei individualpsychologisch, etwa als Auflehnung gegen das Zölibat oder die Ordensdisziplin, nicht zu erklären und stünde vielmehr mit der Restauration von 1819/1820 in einem direkten, objektiven Zusammenhang.[6]

Die Zwangspensionierung seines liberaltheologischen Lehrers Bolzano wird Postl als Zeichen gewertet haben, daß seine eigenen Aktien in dem sich ausbreitenden Klima des Illiberalismus im Sinken begriffen waren, eine Annahme, die sich ihm vermutlich bestätigte, als er, versehen mit einer Empfehlung eines seiner Gönner,[7] aber ohne Wissen seiner Ordensoberen im Sommer 1823 nach Wien fuhr, um beim Grafen Franz Josef Saurau vorzusprechen, in der Hoffnung auf eine Anstellung bei der Studienhofkommission. Es ist nicht ausgeschlossen, daß gerade diese Unterredung mit Saurau, der zu den gefürchtetsten Exponenten der damaligen Reaktion gehörte, Postl vollends davon überzeugte, daß er seine Hoffnungen in Österreich nicht würde realisieren können. Jedenfalls brachte die Konstellation, unter der Postls Entfernung aus seiner Heimat sich vollzog, das Gerücht auf, Postl sei ein bedingungslos freisinniger, ja revolutionärer Geist gewesen, den es in Österreich nicht mehr litt, während ihm in Wirklichkeit wahrscheinlich nur die Akkommodierung mit einem erzreaktionären Regime mißlang.

Wie immer, Postls Lage war nun im höchsten Maße prekär. Eine Rückkehr ins Kloster hätte nach seinem irregulären Abschied mit Gewißheit eine Reduktion seines Status nach sich gezogen, und da ein entlaufener Geistlicher im damaligen Österreich ein rechtloses Subjekt war, blieb Postl keine andere Wahl, als endgültig sich abzusetzen. Sein Fluchtweg führte ihn noch im selben Sommer über Stuttgart, Zürich und Le Havre nach New Orleans,[8] während in Wien »zur womöglichen Zustandbringung Postls« eine Personalbeschreibung an sämtliche Kreisämter, Badeinspektionen und Polizeidirektionen der deutschen Provinzen ausgegeben wurde, weil, wie es in einem Memorandum der Polizeihofstelle vom 27. Juni 1823 an den Grafen Kolowrat heißt, »die Entweichung des Priesters und Secretärs des Ordens der Kreuzherren mit dem rothen Stern zu Prag, Carl Postl ... auf dem hiesigen Platz einen höchst unangenehmen Eindruck gemacht (hatte)«[9], ein recht ominöser Vermerk, der vermuten läßt, daß Postl gut daran tat, das Weite zu suchen.
Es gehört zu den Charaktereigenschaften des Schriftstellers Sealsfield, daß er von den Gefühlen, die Karl Postl beim Verlassen der Heimat oder beim ersten Anblick des amerikanischen Kontinents bewegt haben dürften, nichts laut werden läßt. Doch es muß wohl für jemanden, der die ersten dreißig Jahre seines Lebens über Böhmen und Mähren nicht hinausgekommen war, die Wüstenei des Mississippideltas, nicht anders als für die verbannten Liebenden am Ende von Prévosts *Manon Lescaut,* ein überwältigend negativer Eindruck gewesen sein, eine These, für die einzelne Passagen der Romane Sealsfields einstehen könnten. Als »grausenerregend« werden im ersten Kapitel des *Cajütenbuchs,* in einem Textstück, auf das später noch zurückzukommen ist, die Mündungen des Mississippi beschrieben,[10] und auch zu Beginn des 7. Kapitels von Sealsfields erstem Roman, dem zunächst in englischer Sprache veröffentlichten *Indian Chief,* wird dieser Eindruck hervorgerufen. »The endless waste of waters rolling towards the gulf«, dieser trostlose graue Prospekt muß Postl wahrhaftig wie die Einfahrt ins Exil vorgekommen sein. »No habitation of man«, heißt es an der zitierten Stelle weiter, »no herb, no bird is to be seen. The wind, sigh-

ing mournfully through the cane, the hoarse cry of the pilot, or the hissing of the steam-boat, are the only sounds that interrupt the oppressive dreariness.«[11] Ob sich aus derlei Textstellen auf die subjektive Verfassung Karl Postls im Spätsommer 1823 irgendwelche Rückschlüsse ziehen lassen, muß dahingestellt bleiben, wie überhaupt die bereits 1826 beendete erste amerikanische Tour, was die Person Postls selbst betrifft, weitgehend im dunkeln liegt. Zwar demonstriert Postls erstes Buch, *Die Vereinigten Staaten von Amerika*[12], ein eindrucksvolles topographisches und ethnographisches Detailwissen, doch verzeichnet der geflissentlich ans Faktische sich haltende Text kaum je die Erfahrung der Fremdheit, die Postl auf seiner großen Reise von New Orleans nach Kittaning in Pennsylvania, die größtenteils mit den auf dem Mississippi und Ohio verkehrenden Dampfbooten erfolgte, gemacht haben muß. Daß Postl, der inzwischen einen vom Staat Louisiana ausgestellten und auf den Namen Charles Sealsfield lautenden Paß besaß, im Sommer 1826 wieder nach Europa zurückging, wird jedoch als ein Zeichen gewertet werden können, daß es ihm weder wirtschaftlich noch emotional gelang, in Amerika sich einzurichten. Darauf deuten auch die eher verzweifelten Aktionen hin, vermittels derer der Zurückgekehrte versuchte, mit seinem aufgegebenen Heimatland wieder in eine Art von Einvernehmen zu kommen.

Es gehört zu den erstaunlichsten Wendungen in Postls Biographie, daß der zumindest indirekt von der österreichischen Restaurationspolitik zum Ausländer gemachte vormalige Ordenssekretär im August 1826 von Frankfurt aus einen Brief an den auf Schloß Johannisberg am Rhein weilenden Kanzler Metternich richtet, um diesem konterrevolutionäre Agentendienste anzubieten.[13] Der in einem etwas unebenen und an ein, zwei Stellen fehlerhaften Englisch abgefaßte Brief[14] verweist auf aufrührerische, angeblich von englischer Seite dirigierte Umtriebe in Ungarn, über welche der Unterfertigte nähere Angaben zu machen imstande sei. Daß aus diesem Anerbieten nichts wurde, weil Postl in dieser unseligen Geschichte offensichtlich eine allzu amateurmäßige Figur abgab,[15] ist weniger bedeutsam als der Versuch des Exilierten, mit Österreich wieder ins Geschäft zu kommen und sei es gleich unter Hintansetzung aller vertretbaren Prinzipien. Es ist kaum von der Hand zu weisen, daß von hier aus auf den von Sealsfield selbst später immer wieder betonten Republikanismus ein langer Schatten fällt. Die Art, wie der allem Anschein nach progressive Literat sich anschickte, seine politische Seele zu verkaufen, verweist bereits auf die in der Geschichte der bürgerlichen Literatur weit verbreitete, aber kaum noch ausgeleuchtete *trahison des clercs*, die ihren Beweggrund nicht zuletzt in der Furcht vor der Brotlosigkeit und Deklassierung hatte. Daß Postl darüber hinaus auch an einer tieferliegenden Sehnsucht nach Assoziation mit der Macht laborierte, dafür gibt es in seiner Lebens- und Werkgeschichte verschiedentliche Hinweise. Immer wieder rühmte er sich, selbst in seinen späteren Schweizer Jahren, als er sich mit der Feder bereits ein recht ansehnliches Vermögen zusammengeschrieben hatte, der hohen politischen Konnexionen, die ihn in den Vereinigten Staaten mit der Partei Jacksons verbanden. Gelegentlich ließ er auch durchblicken, daß seine Rolle nicht eigentlich in der Literatur, sondern vielmehr im Weißen Haus liege,[16] ein unerfüllter Wunschtraum, an den Sealsfield zuletzt selbst geglaubt haben mag, obschon der Brief, den er am 8. Oktober 1836 aus New York an den Staatssekretär Poinsett im Weißen Haus richtete, um der amerikanischen Regierung als europäischer Agent sich anzubieten, nie irgendwelche konkreten Folgen gezeitigt hat. Sealsfield erklärt in diesem Brief, er sei im Begriff, nach Europa abzureisen, und willens, von dort, wo er mit führenden Persönlichkeiten in Kontakt stehe und, in Wien und Berlin, Zutritt zu den wichtigsten Koterien habe, »genauere Winke zu geben über die geheimen Beweggründe und die politischen Bewegungen, als vielleicht selbst irgendein gut bezahlter Gesandter es tun könnte«[17]. Zu dergleichen eher zweifelhaften Ambitionen Postls paßt auch, daß er zumindest eine Zeitlang in einer halboffiziellen Funktion im Dienste der Napoleoniden stand. In den Jahren 1829 und 1830 redigierte er in New York den *Courier des Etats-Unis,* den der inzwischen als Graf Survillier in New Jersey lebende Exkönig Joseph von Spanien nach der Julirevolution gekauft hatte, um sich ein Organ für die Vertretung der bonapartistischen Interessen zu schaffen. Nach seiner Übersiedlung in die Schweiz stand Postl mit der Königin Hortense und dem Prinzen Louis Napoleon, die in Arenenberg auf eine günstigere Wendung der Dinge warteten, in näherer Beziehung. Wieweit er tatsächlich in die bonapartistischen Umtriebe eingeweiht war, läßt sich jedoch, wie Castle schon bemerkte, nicht mehr eruieren.[18] Deutlich wird jedoch aus diesen Episoden, daß Postls Verhältnis zur Macht ausgesprochen ambivalent war, sei es aufgrund seines persönlichen Charakters, sei es aufgrund einer professionellen Deformation, die er als ambitiöser junger Kleriker sich eingehandelt hatte. Einfache Trennungslinien lassen sich jedenfalls nicht ziehen, denn nicht einmal in der Zeit des Vormärz schlossen eine liberale Ideologie und eine reaktionäre politische Praxis einander unbedingt aus.

Wenige Monate nach den beiden von Cotta in Stuttgart verlegten Bänden *Die Vereinigten Staaten von Nordamerika* erschien in London, im Dezember 1827,[19] Sealsfields Schrift *Austria as it is,* die in deutscher Sprache erstmals 1919 in Wien publiziert wurde. Der Verfasser weist sich seiner englischen Leserschaft im Vorwort als ein »geborener Österreicher« aus, der nach fünfjähriger Abwesenheit wieder »in seine Heimat zurückgekehrt sei«[20], womit er in allem, was er auf den nachfolgenden Seiten erzählt, den Anspruch authentischer Berichterstattung erhebt. In Wirklichkeit war Postl im Jahr 1826 nicht in Österreich gewesen und schöpfte seinen Kommentar also weniger aus der Aktualität als aus der Erinnerung. Daß das auf möglichste Immobilität bedachte System der heiligen Allianz jede Entwicklung unterband, mag dieser an sich nicht allzu gravierenden Hochstapelei zugute gekommen sein. Sealsfield schrieb *Austria as it is* wahrscheinlich in erster Linie, um seiner miserablen finanziellen Lage abzuhelfen.[21] Ein Angriff auf den »empörenden Despotismus« in Österreich, wie er im Vorwort apostrophiert wird, war durchaus nicht die primäre Absicht des Autors. Was ihn zu solchen Aussagen veranlaßte, waren weniger seine eigenen politischen Anschauungen oder persönlichen Ressentiments als, wie schon die französische Übersetzung des Werks (1828) hier und da anmerkt, die Tatsache, daß Sealsfield die Neigungen seiner englischen Leser im Auge hatte. Sealsfields vielberufene freiheitliche Gesinnung tritt darum in der Schrift eher sporadisch zutage. Alles in allem handelt es sich um eine journalistische Klitterung, die zwischen pittoresker Reisebeschreibung und politischem Pamphlet ein einigermaßen unterhaltsames Gleichgewicht hält.

Was die Beschreibung der Reise betrifft, die Sealsfield von Le Havre über Frankfurt, Dresden und Prag nach Wien gemacht haben will, so ist das Verfahren zunächst äußerst kursorisch. Von der Wegstrecke Frankfurt—Leipzig heißt es beispielsweise lediglich, sie sei »bis auf das Fichtelgebirge und die Residenzen der kleinen sächsischen Fürsten nur wenig abwechslungsreich«[22]. Ausführlich wird der Text erst, als Sealsfield die böhmischen und mährischen Provinzen beschreibt, fast könnte man sagen, wie ein verlorenes Paradies. Die Revokation des »schöne(n) Böhmerland(s), bedeckt mit Ruinen, Schlössern, Städten und Dörfern«, von denen viele »förmlich begraben (liegen) in Wäldern von Obstbäumen«[23], scheint in Sealsfield, der angestrengt bemüht ist, sich nichts anmerken zu lassen, die Gefühlswellen des Heimwehs ausgelöst zu haben. Bezeichnend dafür ist ein gewisser Überschwang in der Phrasierung. »40 Meilen weit führt die Straße von Teplitz nach Karlsbad ununterbrochen durch wohlbestelltes Ackerland«[24], die Liegenschaften der Fürsten stehen denen des hohen englischen Adels an Schönheit und Reichtum in nichts nach, der Veitsdom ist »die anmutigste gotische Kirche auf dem europäischen Festland«[25], und die Umgegend von Znaim, Postls eigentliche Heimat, »eine ununterbrochene Folge von Weingärten, die sich dem leicht gewellten Gelände anschmiegen«[26], erscheint geradezu als vollendetes Beispiel sehnsuchtsvoller Idyllik. »In die tiefer gelegenen Stellen (dieser Landschaft) sind Obstgärten und Weizenfelder gebettet«[26], die Dörfer sind wohlständig, niemand braucht auszuwandern von hier wie die deutschen Bauern, die »an den holländischen Küsten umher(irren), ein neues Vaterland zu suchen«[27]. Selbst ein Weinhauerhaus wird beschrieben mit einem Vorgarten hinter grünem und

gelbem Lattenzaun und, nicht genug damit, auch noch das Prunkzimmer dieses Hauses, wo auf dem mit einem Tiroler Teppich bedeckten Tisch zwei Flaschen und eine Anzahl Gläser bereitstehen,[28] ganz so, als könnte der verlorene Sohn jeden Augenblick wieder hereintreten bei der Tür. Was Postl in solchen Textstellen an Gefühlen vielleicht sogar vor Sealsfield verbarg, wird seinen englischen Lesern natürlich nicht aufgegangen sein; die Beschreibung der Wiener Verhältnisse hingegen dürfte ihr unmittelbares Interesse geweckt haben. Hierher gehört auch das äußerst kritische Charakterbild, das Sealsfield von Metternich entwirft, dem er erst ein paar Monate zuvor seine devote briefliche Aufwartung gemacht hatte. Metternichs intrigante Natur wird mit diversen Anekdoten illustriert und schließlich zusammengefaßt in der Bemerkung, daß er zwar als Diplomat keinen Rivalen habe, als Staatsmann jedoch unbedeutend sei.[29] Das Porträt des Kaisers Franz selbst verdeutlicht, wie gerade die Biederkeit und Leutseligkeit dieses Herrschers zu seinen gefährlichsten Zügen gehörten, weil der anscheinend so umgängliche Herr im abgetragenen Kaputrock einen, wenn man sich's nicht versieht, auf dem kürzesten Weg »in die Kerker von Munkács, Komorn oder auf den Spielberg bringen kann«[30]. Sealsfield beweist in seinen Marginalien zum obskurantischen Herrschaftssystem des Kaisers Franz, zu der, wie er schreibt, jede Vorstellung übersteigenden Verzweigung der Geheimpolizei[31] und zum bürokratischen Vampirismus des Staatswesens durchaus einen Scharfblick, der es mit den kritischsten Geistern der Epoche hätte aufnehmen können, wäre er selbst unbeeinflußt geblieben von den Verlockungen der Macht.
War Postls Verhältnis zur politischen Reaktion in der nachnapoleonischen Ära ambivalent, so war es seine Einstellung zu den revolutionären Bewegungen des Vormärz und den Ereignissen des Jahres 1848 nicht minder. Für jemand, der rückblickend von sich behauptete, er habe »die Grundsätze des Republikanismus als sein Hauptbanner sein Leben hindurch verfochten«[32], ist der seltsame Konservativismus, den Postl Mitte der vierziger Jahre an den Tag legt, nicht eben ein Ausweis politischer Gradlinigkeit. Zu einer Zeit, da sich

in Zürich so namhafte Protagonisten der revolutionären Bewegung wie Herwegh, Herzen und Bakunin aufhielten, war Sealsfield vorab auf Distanz von den ihn offensichtlich irritierenden »Züricher Zuständen« bedacht.[33] Und als die 48er-Revolution schließlich ausbricht, hält er sie, nicht anders als Metternich, für nicht vom Volk ausgehend und für das Resultat einer schwachen und nachsichtigen Innenpolitik. Vor allem, was die Lage in Wien betrifft, spart er nicht mit kaustischer Kritik. »Diese Wiener und Wiener Studenten«, schreibt er am 1. Juni an Ehrhard,[34] »scheinen alle paar Wochen ein paar Mal von einem revolutionären Sonnenstich getroffen zu werden. Dümmer konnten unmöglich die Wiener verfahren. Sie arbeiten planmäßig an der Zersetzung des Staates — spielen so offenbar Franzosen und Russen in die Hände — und ruinieren die Zukunft ihrer Stadt so augenscheinlich, daß, wenn nicht ein *deus ex machina* in der Person irgendeines charakterfesten Ministers oder Generals, der ein paar Hundert zusammenschießen läßt, bald kommt, in kurzer Zeit das mächtige Österreich ein bloßes Schattenreich sein wird und muß.«[35] In der Darstellung Castles nimmt sich Sealsfields Kommentar wie ein Beweis seiner politischen Weitsichtigkeit aus, denn nach dem in Wien, so Castle, »durch volksfremde Emissäre angezettelten Pöbelexzeß vom 6. Oktober«, in welchem der Kriegsminister Latour, so wiederum Castle, »als Blutopfer gefallen« war, fand sich in der Tat in Windischgrätz der charakterfeste General, »der nach der Einnahme von Wien am 31. Oktober ein paar hundert zusammenschießen ließ«[36]. Es wäre denkbar, daß Sealsfields undifferenzierte Einstellung zu den Ereignissen des Revolutionsjahrs, ähnlich wie die Grillparzers, in der frühen Prägung durch die Prinzipien eines aufgeklärten Absolutismus, insbesondere durch die josephinische Tradition ihre Ursache hatte. Der Widerwille, den »die Auflösung des organisch gegliederten Volks in pöbelhaft sich bewegende Massen«[37] in ihm wie in Grillparzer hervorrief, wäre dann einfach ein Zeichen seiner Unzeitgemäßheit und als solches zumindest entschuldbar. Andererseits aber ist Postls Kommentar zur Schlußphase der Wiener Erhebung bereits ein Beispiel für die sich eben erst herausbildende

neue bürgerliche Vernunft, eine Vernunft, deren spezifische Fähigkeit es ist, die extremsten Äußerungsformen konterrevolutionären Terrors als der Logik der geschichtlichen Abläufe entsprechend antizipieren und billigen zu können. Zu dieser neuen Vernunft gehörte es auch, daß das Interesse an der politischen Independenz in zunehmendem Maß verdrängt wurde von der Sorge um Geld und Besitz. Sealsfield machte in dieser Hinsicht keine Ausnahme. Seine Romane brachten in dem Jahrzehnt zwischen 1835 und 1848 gute Honorare ein, und das setzte ihn in den Stand, sich wie so viele seiner bürgerlichen Zeitgenossen über die möglicherweise gar nicht so ungern verlorenen politischen Hoffnungen hinwegzutrösten, indem er sich dem Erwerb von Eisenbahnaktien und ähnlichen konkreten und täglich nachmeßbaren Werten zuwandte.
Doch kann die Frage, ob und inwieweit sich ein Autor wie Sealsfield der Strömung des Zeitgeists entgegenzusetzen vermochte, nicht allein anhand seiner bewußten und expliziten Dispositionen entschieden werden. Die ideologische Infrastruktur des Werks, die sich der bewußten Manipulation eher entzieht, ist da in aller Regel der zuverlässigere Maßstab, wie sich auch an Sealsfields Behandlung des in seinen Romanen vielfach zentralen Themas der ›Rasse‹ aufzeigen läßt. Daß Sealsfield die Sklavenhaltung im Prinzip für eine gute Sache hielt, ist unumstritten. Er wußte zur Unterstützung dieser Ansicht, mit der er in der Schweiz oft helles Entsetzen hervorrief, eine ganze Reihe guter humanitärer und wirtschaftlicher Gründe anzuführen, wie etwa den, daß die Neger, aufgrund ihres hohen Marktpreises, sich im allgemeinen größerer Rücksichtnahme durch ihre Brotherren erfreuten als weiße Tagelöhner.[38] Diese sozusagen noch realpolitische Auffassung wird in der Beschreibung einer patriarchalischen Idylle gegen Ende des *Cajütenbuchs* zur Ideologie. »Das Negerdorf«, heißt es da, »war ein reizender Zug in diesem südlichen Gemälde ... Es bestand aus zwei Reihen von Hütten; jede dieser Hütten hatte einen Chinabaum vor der Tür, in dessen Doppelgrün das Häuschen wie begraben lag. Die meisten hatten, so wie das Herrenhaus, kleinere Galerien, auf denen hie und da die Patriarchen des

schwarzen Völkchens saßen, ihren ›bacca‹ rauchend, während die Mütterchen, ihnen vorplappernd, Gemüse putzten oder sonstige leichte Arbeiten verrichteten.« »Man hat«, so expliziert Sealsfield auf der folgenden Seite, »im Norden keinen Begriff von der Liebe und Zärtlichkeit, mit der unsere Schwarzen an ihren Herren und Frauen, diese wieder an ihren Angehörigen hängen; es ist wohl das liebevollste Band, das Abhängige und Unabhängige heut zu Tage umschließt, denn es ist von Kindheit an in die Naturen eingewoben.«[39]

Der sentimentalische Patriarchalismus, dessen Sealsfield sich hier befleißigt, ist die säkularisierte Variante der aus Chateaubriands *Atala* und Beecher-Stowes *Uncle Tom's Cabin* bekannten Strategie zur Errettung der dunklen Seelen. Erscheint das tote Indianermädchen Atala, dessen Wangen, wie Chateaubriand eigens hervorhebt, von einer wundervollen Blässe überzogen sind,[40] wie eine allegorische Figur der Jungfräulichkeit,[41] so gipfelt die Sterbeszene des zu Tode geprügelten Onkel Tom in dem denkwürdigen Satz »O, Mas'r George! what a thing 't is to be a Christian!«[42] Im einen Fall wie im anderen repräsentiert die ans Ende eines langen Leidenswegs gestellte Sterbeszene den »triomphe du Christianisme sur la vie sauvage«[43]. Das Leben der armen Atala, die den Erzähler Chactas aufgrund einer ›natürlichen‹ christlichen Regung vom Marterpfahl gerettet hat, gleicht innerhalb dieses Konzepts einer Pilgerreise, die die edle Wilde aus der Tiefe der Wälder heraus und einen hohen Berg bis zur Behausung des christlichen Eremiten hinanführt. Den Liebenden Chactas und Atala voraus geht auf dieser beschwerlichen Tour der getreue Hund des Einsiedlers, »en portant au bout d'un bâton la lanterne éteinte«[44], ein recht eigenartiges Detail, das mir im Rückblick auf diese das bürgerliche Herz ergreifende Genreszene so etwas wie das erloschene Ewige Licht oder die erloschene Leuchte der Vernunft zu repräsentierten scheint. Gerade nämlich in ihrer schönen Rührseligkeit haben diese Bekehrungsgeschichten einen unguten Zug, der letzten Endes rechtfertigt, was den Schwarzen und den Indianern im Namen der sich ausbreitenden Zivilisation angetan wird.

Sealsfields erstes literarisches Werk, *The Indian Chief or Tokeah and The White Rose*, weist eine vergleichbare, christlich inspirierte Konstellation auf. Das bei den Oconees aufgewachsene weiße Mädchen, die zweite Titelfigur des Texts, gelangt zur Befriedigung der Leserschaft letztlich in die zivilisierte Gesellschaft zurück, und zwar ohne daß ihr ein größeres Opfer abverlangt würde, wohingegen Canondah, die leibliche Tochter ihres Ziehvaters, des Häuptlings Tokeah, den Konflikt zwischen indianischer Stammestreue und der Liebe zu ihrer weißen Schwester nur als Märtyrerin überwinden kann. Trotz dieser im Textverlauf zentralen Episode ist das christliche Lösungsmodell für Sealsfields Behandlung des indianischen Schicksals durchaus nicht charakteristisch, denn der Roman enthält auch Passagen, in denen der Autor, wie sonst nur wenige seiner Zeitgenossen, einen empathetischen Begriff gibt von dem, was Vertreibung und Verfolgung für die Indianer selbst bedeuteten. So weist die Klage Tokeahs mit ihrem biblischen Anklang über die in der Literatur von James Fennimore Cooper bis Karl May übliche stereotype Indianersprache hinaus. Tokeah berichtet, wie seine Stammesbrüder, nachdem die Weißen ihr Land überzogen hatten und so zahlreich geworden waren wie die Büffel in den Jagdgründen der Komantschen, sich erhoben hatten und gebrochen und niedergemacht worden sind. Und er fährt fort: »Their white bones ... are now covered with earth, and their blood is no longer to be seen. Their lands are no more their own, the canoes of the white men paddle on their rivers, their horses run on broad roads through the country, their traders have overrun it ... Tokeah has seen the holy ground, and the burnt villages of his people.«[45]
Der emotionale Identifikationspunkt, der es Sealsfield erlaubt, dem Häuptling der Oconees aus der Seele zu sprechen, ist, scheint mir, die Erfahrung des Exils, die Tokeah am Ende seines Lebens in einer Art Ansprache an die verlorene Welt seiner Vorfahren noch einmal hervorhebt. Er sei, so sagt er, geboren worden als das Haupt eines großen Volks und als Herr über unübersehbare Wälder. Nun aber stünde er, ein Flüchtiger, an der letzten Grenze. Als Flüchtling wandere er jetzt in der Wildnis, und sieben Sommer sei

es her, daß er dem Land seiner Väter den Rücken gekehrt habe,[46] etwa dieselbe Zeitspanne also wie die, die verstrichen war zwischen Postls Flucht aus Österreich und der Niederschrift dieser Zeilen. Die affektive Verbindung zwischen Erzähler und Erzählfigur liegt auf der Hand.
Wäre Sealsfield im weiteren Verlauf seiner schriftstellerischen Entwicklung tatsächlich zum Fürsprecher der mit unerhörter Rücksichtslosigkeit immer weiter reduzierten Indianer geworden, er hätte in der Literatur des 19. Jahrhunderts eine einzigartige Stellung eingenommen. Als überzeugter Sohn der josephinischen Aufklärung und als politischer und privater Agent des angehenden hochkapitalistischen Zeitalters ist er jedoch von der inhärenten Logik der sich vollziehenden historischen Tragödie überzeugt. Unter dem Aspekt der Notwendigkeit dessen, was geschieht, kommen ethische und moralische Fragen nicht auf. Darwin stellte die Prognose, daß »in irgendeiner zukünftigen Zeit, welche nach Jahrhunderten gemessen gar nicht einmal sehr entfernt ist« — wie unterschätzt dieser Fingerzeig nicht die Geschwindigkeit der Entwicklung — »die civilisierten Rassen der Menschheit beinahe mit Bestimmtheit auf der ganzen Erde die wilden Rassen ausgerottet und ersetzt haben (werden)«[47]. Diese die Tatsache der Ausrottung ohne jedes Anzeichen der Empörung antizipierende Vorhersage ist das Produkt eines Ideensystems, das es, wie Sternberger anmerkte, ermöglichte, über die stets unübersehbarer werdenden Leichenfelder hinwegzudenken, den manifesten Unsinn der allgemeinen Vernichtung durch den präsumtiven Sinn der Ausbildung immer vollkommenerer überlebender Arten zu ersetzen.[48] Diesem Modell entsprechend stand auch für Sealsfield, der an einer Stelle des *Indian Chief* die Melancholie im Blick der Indianer ihrer Einsicht in die Überlegenheit ihrer Unterdrücker zuschreibt,[49] der ›höhere Sinn‹ der Vernichtung der Wilden außerhalb jedes Zweifels. In einem für das ausgehende 19. Jahrhundert bezeichnenden Kommentar beschreibt Gottschall, gleichfalls ohne die geringste Irritation, Sealsfields widersprüchliche Auffassung des Indianerschicksals wie folgt: »Die Elegie einer dem Tode geweihten Rasse findet in diesem von Haus aus düsteren und

dumpfen Menschenschlage den ergreifendsten Ausdruck; die Klage des einfachen Natur- und Heimatgefühls tönt zusammen mit der Klage, welche die unerbittlich in der Völkergeschichte waltende Notwendigkeit der sinnigen Betrachtung aufdrängt.«[50] Ob der sinnige Betrachter wirklich »mit Trauer über die unrettbaren Opfer des fortschreitenden Weltgeistes erfüllt«[51] war, wird wohl fraglich bleiben, da doch zumeist in einem Atemzug mit der Trauer der »Triumph des fortschreitenden Geistes«[52] annonciert wird. Die verheerenden Auswirkungen solcher Ambivalenz, die das nach innen moralistische, nach außen amoralische bürgerliche Denken im Grunde bis heute bestimmt, lassen sich an einigen Stellen der Sealsfield-Biographie Castles ablesen. Sealsfield habe, schreibt Castle, im Gegensatz zu Cooper, der Indianer nur als Dekorationsmaterial verwendete, das Rassenproblem richtig erfaßt: »das mit gehäuftem Unrecht erzwungene, doch naturnotwendige Zurückweichen der Rothäute vor den Weißen, der primitiven legitimen Besitzer des Landes vor den mit der höheren Zivilisation, der besseren staatlichen Organisation ausgerüsteten Eindringlingen.«[53] Bedenkt man, daß Castle diese Zeilen über die Naturnotwendigkeit der Ausrottung wahrscheinlich 1944 in Wien zu Papier brachte, als die Vernichtung des jüdischen Volkes in vollem Gange war, so begreift man wahrhaft etwas vom Walten des sogenannten Weltgeists. Castle erklärt auch, weshalb Sealsfield, trotz seiner augenscheinlichen Sympathie für die Indianer, die Auffassung vertreten kann, daß ihre Ausrottung unvermeidlich sei. Der Grund liegt in ihrem Mangel an Anpassungsfähigkeit, darin, daß sie nicht sich angleichen und kultivieren wollen, wie Castle in völligem Einverständnis mit Sealsfield notiert.[54] Da sich aber Toleranz nur auf diejenigen erstreckt, die sich der bürgerlichen Verbesserung als fähig erweisen, müssen die Indianer, in denen sich das bedrohliche ›andere‹ konstituiert, zwangsläufig ausgemerzt werden. Das wiederum heißt nicht, daß sie nicht zuvor noch ›aufgenommen‹ werden können vom ethnographischen Blick, den nichts brennender interessiert als eine im Aussterben begriffene Spezies. Die »warm beleuchteten Genrebilder des indianischen Lebens«, die Gottschall in

Sealsfields Werken aufgefallen sind,[55] sind Beispiel jener Technik der »literarischen Photographie, die lange bevor die chemische erfunden wurde«[56], nicht nur das vom Tod Bedrohte noch einmal festhalten will, sondern es als solches oft erst identifiziert.

Sealsfields keineswegs exzentrischer, sondern vielmehr zeittypischer Rassismus zeigt sich auch daran, daß er Völker und Nationen nach dem Grad ihrer angeblichen Lebenstüchtigkeit und ihres Zukunftspotentials in ein hierarchisches System einordnet. Auf der alleruntersten Stufe stehen die wirklich Wilden und Unzivilisierten, sodann kommen die halbdomestizierten Neger und Kreolen und nicht um vieles darüber die Mexikaner. Oberst Morse, der im *Cajütenbuch* den Platz des Erzählers einnimmt, beschreibt sie als »zwergartige, spindelbeinige Kerlchen … mit furchtbaren Backen- und Knebel- und Zwickel- und allen Arten von Bärten, auch gräulichen Runzeln«, kaum »größer als unsere zwölf- und vierzehnjährigen Jungen«, inferiore Gestalten also, »die ich mir«, so Morse, »mit einer Reitpeitsche alle davon zu jagen getraut hätte«[57]. Den Spaniern mit ihren olivgrünen Gesichtern vermag Sealsfield gleichfalls keinen Kredit einzuräumen, die Franzosen befinden sich auch bereits auf dem absteigenden Ast, und die Engländer sind dabei, ihre große Vergangenheit an einen schäbigen Eigennutz zu verraten. An oberster Stelle in dieser nationalpsychologischen und physiologischen Taxonomie rangieren die Deutschen beziehungsweise die deutschstämmigen Amerikaner. Sengle hat bemerkt, daß die Deutschen im Habsburgerstaat für Sealsfield nicht einfach irgendein Volk sind, »sondern die berufenen Träger eines heiligen Reichs«[58]. Wie so viele andere Vertreter des zeitgenössischen Germanismus war auch Sealsfield davon überzeugt, daß die Stunde des Deutschtums nun endlich geschlagen habe. Kaum verwundert es darum, wenn sich an die in seinem Werk überall manifesten Bezüge auf die neue Heilslehre zum Teil recht absonderliche Spekulationen knüpfen. In den noch zu Lebzeiten Sealsfields erschienenen *Vorlesungen über die moderne Literatur der Deutschen* referiert beispielsweise der Sealsfield-Verehrer Dr. Alexander Jung die These, die Werke des großen Unbekannten Sealsfield seien »einer Schule gebildeter Deutscher zuzuschreiben, Deutscher, die in der großen Welt-Zerstreuung leben — freilich im tragischen Sinne des Wortes —, so daß eben diese Schule zerstreuter Germaniden Sealsfields Werke, welche die Welt in Erstaunen setzen, verfaßt hätte«[59]. Die Vorstellung von einer deutschen, zum Höchsten berufenen Diaspora ging im Zuge der im 19. Jahrhundert einsetzenden Auswanderungswellen aus Deutschland in eins mit dem Gedanken an Amerika als die neue Heimat der Zerstreuten. In Kürnbergers Roman *Der Amerikamüde* erklärt der Schullehrer Benthal, Veteran des Hambacher Fests, wie im Verlauf der großen Migration das gedrückte und auch in Amerika zunächst arg verachtete deutsche Volk das auserwählte Volk werden soll, dem fortan die Weltmission obliegt, eine Phantasie, zu deren Extrapolierung er das deutsche Volk zum jüdischen in Analogie bringt. Verächtlich seien sie zwar jetzt noch, die Deutschen, und nicht anders als die Juden bedroht nicht allein von Verfolgungen, sondern auch von einem Hang zur Selbstzerstörung, die ihnen jedoch nicht gelinge, weil »sie immer wieder lebendig vom Boden aufstehen, auf den sie tot hinabgesunken«. Vorerst seien sie freilich ein bloßer »Menschenhaufen, der noch gar keine Nation ist«, aber es härte sich, so Benthal, in ihm zusehends, wie in einem »zehnfachen Feuer, die Überzeugung: es gibt nur einen Gott, und die Deutschen sind sein auserwähltes Volk!«[60] Während Kürnberger die Ansichten Benthals nicht unbedingt unterschreibt, ist es Sealsfield mit seiner Philosophie eindeutig ernst. Noch in den vierziger Jahren läßt er sich in der Schweiz Zschokke gegenüber darüber aus, wie Amerika »die Zitadelle (sei), die den Hafen verteidigt, in dessen Busen die Reichtümer der ganzen Welt in Sicherheit liegen können«, und daß dort, in Amerika, »der Focus (sei), wo sich die Strahlen vereinigen und von wo sie wieder ausgehen«[61] — Amerika also das gelobte Land der von ihrer eigenen Geschichte enttäuschten Deutschen. Die damit umrissenen Gedankengänge bestimmten in der Folge das Weltbild des reaktionären Republikanismus, der sich bei Sealsfield in seinen Grundzügen schon absehen läßt. Europa ist von einer zunehmenden

Asiatisierung bedroht, Amerika hingegen wird erstrahlen im Licht der Freiheit, der Wissenschaft und der Kunst.[62]
Texas, *God's Own Country,* war das Territorium, auf welchem die Doktrin der deutsch-angelsächsischen Überlegenheit zur Grundlage einer ebenso rücksichtslosen wie selbstgerechten politischen Praxis wurde,[63] ein Territorium, wo sich, wie es im Vorwort zum *Cajütenbuch* heißt, durch die »Gründung eines neuen anglo-amerikanischen Staates auf mexikanischem Grund und Boden ... die germanische Race ... abermals, auf Unkosten der gemischten romanischen, Bahn gebrochen (hat)«[64]. Eine der bedenklichsten Facetten der reaktionären Tendenzen des *Cajütenbuchs* ist vielleicht die mit deutlicher Zustimmung Sealsfields gemachte Bemerkung des Erzählers, daß der texanische Freiheitskampf unter anderem auch flüchtigen Mördern die Gelegenheit gegeben habe, »ihre Schuld und Last ... als Männer zu büßen, an den Mexikanern gut zu machen«[65]. Die Beschreibung der entscheidenden Schlacht, in der »binnen weniger denn zehn Minuten ... beinahe achthundert Feinde niedergeschossen, geschmettert und gestochen wurden«[66], ist eine überzeugende Illustration der von Sealsfield vertretenen Lehre, daß »Staaten und Reiche ... auf dem Schlachtfelde — durch offene brutale Gewalt gegründet (werden)«[67]. Die sophistische Rechtfertigung solcher Gewalt läuft darauf hinaus, daß das »Recht des Stärkeren bei allem Unrechte, das es in seinem Gefolge mit sich bringt, sehr viel gutes (zeitigt)«[68]. Als Beispiel hierfür wird angeführt, wie »die gewaltsame Besitzergreifung der Wildnisse von Massachusets (sic) und Virginien ... eines der größten Reiche der neuern Zeit gegründet (habe)«[69].
Der politische Expansionismus erscheint, wenn man das Argument etwas wendet, nur als ein Instrument in der viel grundlegenderen Auseinandersetzung des Menschen mit der Natur. Die Frontier-Ideologie entstand letztlich aus der Anwendung organisierter menschlicher Gewalt gegen die Natur. Zwar wird die unberührte Natur bei Sealsfield hie und da noch gepriesen als eine von der sündigen Menschenhand unbefleckte Gotteswelt, aber in solchen eher konventionellen Phrasen liegt nicht das Wirkungsgeheimnis der

Sealsfieldschen Naturbeschreibungen, auf deren Faszinationskraft so oft verwiesen wurde. Sealsfield erfaßt die Natur als das prinzipiell Fremde, als etwas, das gebrochen werden muß, will man nicht von ihm gebrochen werden. Als Exempel des antagonistischen Verhältnisses zwischen Mensch und Natur, dessen zerstörerische Dynamik durch die kapitalistische Warenwirtschaft erst wirklich virulent wurde, läßt sich auf eine bekannte Sequenz des *Cajütenbuchs* verweisen, in der der Erzähler in der grenzenlosen Schönheit der Prärie am Jacinto schier um sein Leben kommt. Dieser Sequenz unmittelbar voraus geht eine Beschreibung der brachialen Art, vermittels derer in Texas wilde Pferde gezähmt werden. Dem einmal eingefangenen Tier, heißt es da, werden

> die Augen verbunden, das furchtbare, pfundschwere Gebiß in den Mund gelegt, und dann wird es vom Reiter — die nicht minder furchtbaren, sechs Zoll langen Sporen an den Füßen — bestiegen und zum stärksten Galopp angetrieben. Versucht es, sich zu bäumen, so ist ein einziger ... Riß dieses Martergebisses hinreichend, dem Thiere den Mund in Fetzen zu zerreißen, das Blut in Strömen fließen zu machen. Ich habe mit diesem barbarischen Gebiß Zähne wie Zündhölzer zerbrechen gesehen. Das Thier wimmert, stöhnt vor Angst und Schmerzen, und so wimmernd, stöhnend, wird es ein oder mehrere Male aufs schärfste geritten, bis es auf dem Punkte ist, zusammenzubrechen. — Dann erst wird ihm eine Viertelstunde Zeit zum Ausschnaufen gegeben, worauf man es wieder dieselbe Strecke zurücksprengt. Sinkt oder bricht es während dem Ritte zusammen, so wird es als untauglich fortgejagt oder niedergestoßen, im entgegengesetzten Falle aber mit einem glühenden Eisen gezeichnet und dann auf die Prairie entlassen. Von nun an hat das Einfangen keine besonderen Schwierigkeiten mehr; die Wildheit des Pferdes ist gänzlich gebrochen, aber dafür eine Heimtücke, eine Bosheit eingekehrt, von der man sich unmöglich eine Vorstellung machen kann.[70]

Die Passage hat als Indiz für das Verhältnis von Mensch und Natur in der ersten Hälfte des 19. Jahrhunderts wohl nicht leicht ihresgleichen. Im Erzählvorgang hat sie die Funktion, die kopflose Jagd des Oberst Morse in die Prärie hinaus zu motivieren. Eines der heimtückischen Tiere hat ihn abgeworfen, und enragiert sprengt er nun auf einem anderen

Pferd hinter ihm her, ohne zu bedenken, daß er in der Prärie, die sich siebzig Meilen in jede Richtung erstreckt, ohne Orientierungshilfe so gut wie verloren ist. Umso gefährlicher ist dieses wahrhaft weite Feld, als es einen in seiner Schönheit verlockt, immer weiter in es vorzudringen. Ein einziger Blumenteppich dehnt sich um Morse aus, »der bunteste rothe, gelbe, violette, blaue Blumenteppich«, den er je geschaut, »Millionen der herrlichsten Prairierosen, Tuberrosen, Dahlien, Astern«, eine ganz und gar außerordentliche Pracht, »die in der Ferne erschien, als ob Regenbogen auf Regenbogen über die Wiese hingebreitet zitterten«[71]. Doch das Gefühl, das Morse bei diesem Anblick bewegt, ist kein freudiges, vielmehr »dem peinlicher Angst nahe verwandt«[72], befindet er sich doch in einer Falle der Natur, die, »ein wahres Eden, ... auch das mit dem Paradiese gemein hat, daß sie so leicht verführt«[73]. Verlockt und berauscht von der Natur kommen noch die gestandensten Männer vom rechten Weg ab und reiten wie Irre im Kreis, so lang, bis sie entkräftet aus dem Sattel sinken. Platens bekannter Vers ›Wer die Schönheit angeschaut mit Augen, ist dem Tode schon anheimgegeben‹ paßte als Leitspruch über diese Konstellation, in der der antiweibliche Reflex einer von Gewalttätigkeit bestimmten Männerwelt in die wie die Frauen als feindselig verstandene Natur projiziert wird. Man könnte etwas anders auch sagen, daß dem Menschen des 19. Jahrhunderts, dessen Prototyp Sealsfield in vieler Hinsicht repräsentiert, die Natur, aufgrund seiner eigenen rapide fortschreitenden Integration in die Gesellschaft, immer mehr zum Ausland wird, zum Exil. Wenn er also von etwas erlöst werden muß, so von ihr, der Natur, und damit nicht genug, muß auch die Natur noch erlöst werden von sich selbst, »redeemed«, wie es in einer seltsamen Wendung in *The Indian Chief* heißt, »from luxuriant wildness«[74]. Anders aber ist die Erlösung der Natur für das expansionistische Bewußtsein nicht zu bewerkstelligen als durch die Intervention von Gewalt. Einzig durch Gewalt wird das Chaos zur Ordnung, welche Transposition Gewalt legitimiert als quasi göttlichen Schöpfungsakt. Zu Beginn des *Cajütenbuchs* steht eine Beschreibung der Galveston Bay, auf die weiter oben bereits einmal verwiesen wurde. Jenseits dieser Bay dehnt sich das Land so flach, daß es »nur linienweise aus dem Meer gleichsam herausschwillt« und »hinter jeder noch so leichten Welle« wieder verschwindet. »Das wogende Grün der Gräser ähnelt den Wellen des gleichfalls grünen Küstenwassers so täuschend, daß wirklich ein scharfes Auge dazugehört, die einen von den anderen zu unterscheiden.«[75] Ist man einmal an Land, so kommt einem vor, man sei noch auf offener See. Nirgends gibt es eine Grenzlinie, einen Baum, einen Hügel, ein Haus, einen Hof. Es ist wie die Welt zu Anbeginn der Schöpfung, ungeschieden noch das Land und das Wasser. Wer hier einfährt, glaubt sich aufgerufen, das unvollendet scheinende Werk zu vollenden, indem er, und sei es gleich mit Gewalt, das Fremde zum Vertrauten macht. Die Bedeutung der Romane Sealsfields und ihrer Naturbeschreibungen besonders liegt nicht, wie die zeitgenössische und spätere Kritik immer wieder bemerkte, in der Genauigkeit der Repräsentation — damit ist es so weit gar nicht her —, sondern in der Tatsache, daß in ihnen, wie in dem ganzen aufblühenden Genre der Reiseliteratur, die fernsten und unberührtesten Naturgegenden und Wüsteneien eingebracht werden in die Phantasie des lesenden europäischen Publikums. Sealsfields Naturbeschreibungen entstanden auf dem entscheidenden Wendepunkt, an dem die Natur endgültig aufhörte, die natürliche Heimat des Menschen zu sein. Die kunstvoller werdenden Abbildungen gerade ihrer provokativen Schönheit und Unberührtheit ließen sich, in einem ganz ähnlichen Sinn wie Foucault das für den Diskurs um die Sexualität getan hat, bestimmen als das Mittel ihrer Unterwerfung und Exstirpation.

Postl, der vom Lauf der Zeit umgetriebene *déraciné par excellence,* fuhr 1853 von der Schweiz aus nochmals in die Vereinigten Staaten, weniger in der Absicht, in seiner ersten Wahlheimat seinen Lebensabend zu verbringen oder Material für weitere literarische Arbeiten zu sammeln, als aus Sorge um sein vor allem in amerikanischen Aktien angelegtes Kapital, das aufgrund der turbulenten politischen Entwicklung extremen Schwankungen ausgesetzt war. 1858 kehrte er, desillusioniert von den veränderten Verhältnissen in der Union, wieder in die Schweiz zurück, kaufte ein Haus in der Nähe von Solothurn und steuerte allmählich auf das Ende zu. Der heraufziehende amerikanische Bürgerkrieg steigerte Postls ohnehin schon extreme Angst um sein Vermögen zu einer geradezu fieberhaften Furcht vor Mangel,[76] und auch die österreichischen Niederlagen in Oberitalien scheinen zu einer zunehmend depressiven Stimmung beizutragen, was auf ein fortdauerndes emotionales Attachement an die so lange schon verlassene Heimat hindeutet. Daß Postl dennoch von der Schweiz nicht ein einziges Mal nach Hause zurückgekehrt ist, lag, wie Max Brod in seiner Schrift über den Prager Kreis bemerkte, in der Hauptsache wahrscheinlich daran, daß »ein österreichischer Ordensgeistlicher, der das Gelübde der Armut abgelegt hatte, nach österreichischem Zivilrecht nicht fähig (war), über sein Vermögen zu testieren«[77]. Postl hatte also zu wählen zwischen der endgültigen Aufgabe seiner Heimat und, im Falle daß seine Identität eruiert worden wäre, der möglichen Überschreibung seines Geldbesitzes an die ihm inzwischen zutiefst verhaßte katholische Kirche. Wie aus verschiedenen Reminiszenzen zu Postls Solothurner Jahren hervorgeht, waren auch die häuslichen Verhältnisse nicht angetan, dem inzwischen bald Siebzigjährigen das Leben zu erleichtern. Postl hatte zweimal in seinen späteren Jahren versucht, zu einer Frau zu kommen. Einmal warb er um ein junges Mädchen in Stein am Rhein, das ihm im Geschäft ihres Vaters Zigarren verkaufte, das andere Mal, während des letzten Aufenthalts in New York, um die Witwe eines deutschen Bankiers. Castle gibt einige Einblicke in die aus übersteigerten Versprechungen, Erpressungsversuchen, offenen Drohungen und Verwünschungen seltsam gemischte Strategie, derer sich Postl als Freier bediente.[78] Nicht verwunderlich also, daß er aus diesen anscheinend äußerst skurrilen Episoden einschichtig hervorging und zuletzt vorlieb nehmen mußte mit einer Schweizer Haushälterin, die auf seine sekkante Art offensichtlich mit nicht minderer Unleidlichkeit zu antworten wußte.

Daß Postl bis zuletzt an seinem Inkognito festhielt, lag, abgesehen von den von Max Brod ausgemachten Gründen, wahrscheinlich auch daran, daß er während der langen Jahre des Exils sich selbst zu einer Abstraktion geworden war und über die Chiffre ›Charles Sealsfield — Der große Unbekannte‹ hinaus keinen rechten Begriff mehr von sich und seiner wahren Identität hatte. Nach seinem Ableben fand sich fast nichts in seinem Haus, was irgend als persönliche Habe hätte bezeichnet werden können, keine Briefschaften, keine Manuskripte, kaum ein paar Bücher. Nur ein einziges von einem Solothurner Photographen 1863 aufgenommenes Bild existiert von ihm. Es zeigt einen ziemlich vierkantigen — niederösterreichischen, nicht slawischen, wie Castle eigens vermerkt[79] — Kopf. Der Gesichtsausdruck ist lebendig und verbittert zugleich. Am auffälligsten ist das riesige abstehende linke Ohr, ein tatsächlich unübersehbarer Defekt, an dem Postl sein Leben lang gelitten haben muß. Wir wissen, daß Postl während seiner letzten Jahre im Solothurner Museum über den Rand der Zeitung spionierend sich gern misanthropischen Betrachtungen überließ und bei einer solchen Gelegenheit einmal die Bemerkung machte: »Hüten Sie sich vor allen, welche Gott gezeichnet hat.«[80] Nicht ausgeschlossen, daß er damit auch sich selbst meinte und daß er aus einer Art von Selbsthaß heraus seine Existenz derart reduzierte. Wie immer, seine reale wie seine moralische Physiognomie bleibt indefinit, was natürlich auch nach seinem Tod zu fortgesetzten Mutmaßungen Anlaß gab. So setzte der ungarische Literat Kertbeny, dem Postl in seiner Solothurner Zeit gesprächsweise einiges eröffnete, in seinen *Erinnerungen an Sealsfield*[81] das Gerücht in Umlauf, Sealsfield sei ein österreichischer Jude gewesen. Gottschall meinte dazu, Kertbenys Motive seien gänzlich unhaltbar. Die abstruse These entbehrt aber doch insofern nicht einer gewissen Logik, als sie Karl Postl endgültig und unwiderruflich zum Exilierten machte.

Westwärts — Ostwärts: Aporien deutschsprachiger Ghettogeschichten

> Das Grauen bildet den durchweg unbemerkten Untergrund der Rührung, die sich am Genre labt.
>
> Dolf Sternberger, *Panorama oder Ansichten vom 19. Jahrhundert*

Im Bereich der österreichischen Kronländer ging die von den Toleranzedikten eingeleitete bürgerliche Emanzipation der Juden aufgrund der langsamen wirtschaftlichen Entfaltung nur sehr allmählich vonstatten. Bereits festgeschriebene Reformen wie das Recht, Grund und Boden zu kaufen, wurden in der Zeit des Vormärz und selbst nach 1848 verschiedentlich wieder aufgehoben beziehungsweise verkürzt.[1] Trotz derartiger Rückschläge und obschon es erst 1897 zu einer gänzlichen rechtlichen Gleichstellung der Juden kam, änderte sich im Verlauf dieser im allgemeinen von liberalem Optimismus geprägten Jahrzehnte in der äußeren und inneren Verfassung der Juden doch sehr vieles, was jahrhundertelang so gut wie unberührt von den Wechselfällen der Geschichte überdauert hatte. Insbesondere führte das Recht der Freizügigkeit, noch ehe aus den östlichen Provinzen des Reiches die große Bewegung westwärts begann, in den böhmischen Ländern bereits zu einer Binnenwanderung der Juden aus den Landgemeinden in die Städte, eine Entwicklung, die mit einer oftmals seit Generationen bestehenden Ortsansässigkeit brach und viel dazu beitrug, daß, motiviert von dem Blick, den der Ausziehende noch einmal über die Schulter zurückwirft, erstmals so etwas wie eine jüdische Heimatliteratur in deutscher Sprache entstand. Dieses Genre, von dem einige Aspekte im folgenden betrachtet werden sollen, ist, wie es anders nicht möglich war, geprägt von tiefgehenden Ambivalenzen. Die Sehnsucht nach dem neuen bürgerlichen Zuhause trägt in sich die Nachtrauer um die aufgegebene alte Welt und ein gewisses Unbehagen darüber,

daß mit der Öffnung des Ghettos, das so lange die einzige Wohnstatt hatte sein können, nun eine neue Zerstreuung sich anbahnt.
Zu den ersten Exponenten des neuen Genres gehörte Leopold Kompert, der 1822 in eine seit weit über hundert Jahren in Münchengrätz in Böhmen nachweisbare jüdische Familie geboren wurde. Gleich seinen Brüdern mußte Kompert, kaum halbwegs erwachsen, die heimische Gemeinde verlassen, da auf dem kleinen väterlichen Anwesen nicht für die gesamte Nachkommenschaft ein Auskommen zu finden war. Über Prag und Budapest gelangte er nach Wien, wo er sich vermittels einer ausgedehnten, wenn auch recht mediokren schriftstellerischen Produktion nach und nach eine durchaus bedeutende Stellung in dieser kulturell eher unbedeutenden Zeit erarbeitete. Kompert war, wie die meisten Repräsentanten der damaligen Fortschrittspartei, deutschnationaler Gesinnung, was er auch durch seine langjährige unermüdliche Tätigkeit in der Schillerstiftung zum Ausdruck brachte. Es sind aber weniger die mit dieser Gesinnung konkordanten und oft allzu sehr nach ideologischen und literarischen Schablonen gefertigten Stücke von Komperts Werk als seine frühesten schriftstellerischen Unternehmungen, die seit 1849 in loser Folge erschienenen und danach mehrfach versammelten Skizzen und Geschichten aus dem Ghetto, die Komperts literaturgeschichtliche Bedeutung ausmachen. In sie hat Kompert eingebracht, was ihn in erster Linie zum Schreiben veranlaßt haben mag, das schmerzliche Gefühl der Bindung an das, wovon man sich unwiderruflich schon abgetrennt weiß. Die Skizzen aus dem Ghetto sind darum nicht konzipiert zur Unterhaltung oder Instruktion derjenigen, die im Ghetto noch zu Hause sind und denen die literarische Abschilderung ihres Daseins wenig eingetragen hätte; vielmehr sind sie verfaßt für die, die so weit schon vom Ghetto entfernt sind, daß ein Erinnerungsbild an die gedrückte Herkunft einen bedeutenden sentimentalen Wert für sie besitzen mußte, weshalb die Skizzen und Geschichten ja auch als kleine prosaische Genrebildchen zunächst im *Jahrbuch für Israeliten* erschienen, einer, wie der Titel deutlich vermeldet, ausgesprochen bürgerlichen Einrichtung.

Daß Kompert, abgesehen von der pietätvollen Erinnerung an die verlorene Heimat, mit seinen Skizzen einen weiteren Zweck noch verfolgte, darauf verweisen die in die Texte eingelassenen Erläuterungen jüdischer Bräuche und Redensarten, die für selbst ziemlich weit von zu Hause bereits entfernte Juden unnötig gewesen wären. Das lesende Publikum, für das diese Anmerkungen gedacht sind, ist das nichtjüdische Bürgertum, dessen weitgehend von abstrusen Vorurteilen bestimmtes Bild des jüdischen Lebens durch diese quasi ethnographischen Texte korrigiert werden soll. Das 19. Jahrhundert hatte bekanntlich ein geradezu unstillbares Verlangen nach der Beschreibung all dessen, was als fremd- und ausländisch anziehend und abstoßend in einem erscheinen konnte. Die sogenannte ethnographische Novelle ist in diesem Zusammenhang hauptsächlich deshalb von Interesse, weil sie, indem sie geflissentlich das ›Charakteristische‹ herausarbeitet, zwischen der wissenschaftlichen Studie einerseits und der krassen Karikatur andrerseits ein suspektes Vermittlergeschäft betreibt. Kompert macht da mit seinen Ghettogeschichten keine Ausnahme, obgleich er sich zweifellos bis zu seinem Lebensende auf das ernsthafteste mit der Frage befaßt hat, ob »die Amalgamierung der Juden mit den Völkern, unter denen sie wohnen, durchgeführt werden kann und soll«[2].
Die schweren emotionalen Schwankungen, mit denen ein jüdischer Schriftsteller zu rechnen hat, der sich in den fast vergessenen jüdischen Alltag zurückbegibt, um Berichte davon an eine bürgerliche Leserschaft senden zu können, werden exemplarisch dargestellt in Komperts Geschichte *Der Dorfgeher*, in der der in Wien studierende Emanuel als Sabbatgast inkognito das vor Jahren verlassene Haus seiner Eltern aufsucht, wo er in seinem jüngeren Bruder seiner eigenen Vergangenheit ansichtig wird. Emanuel veranstaltet dieses in mancher Hinsicht grausame Experiment, weil er Klara, seiner bürgerlichen Liebe, einen möglichst naturgetreuen Bericht von den Verhältnissen, denen er entstammt, liefern will, vielleicht um ihr vorzuführen, was sie, die sich sozusagen von Haus aus auf der Höhe der Zivilisation befindet, für ihn, den jüdischen Aspiranten, bedeutet. Emanu-

el, dem das Ghetto von Wien aus schon in dämmernde Ferne versunken schien,[3] ist nach seiner Heimkehr, wie Kompert als Reflexion seines eigenen schriftstellerischen Unternehmens anmerkt, »so verwirrt durch den Zwiespalt seiner Seele geworden, daß er oft das natürliche Verhältnis zu seinem Vater vergaß und eine bloße fremde Person vor sich sah, deren geheimnisvolles Wesen er erforschen und durchwühlen mußte, um interessante Bemerkungen für seine Klara zu bereiten«[4]. Das fragwürdige Verfahren, mithilfe dessen dem einst familiären, jetzt aber fremden Angesicht sein Geheimnis entrissen werden soll, ist für Kompert das Indizium einer zwischen Zu- und Abneigung schwankenden Haltung, ohne daß er doch selbst über die damit angezeigte Problematik hinauskönnte. Zwar rührt sich die Sehnsucht, wahrhaft heimzukehren und »die Erinnerung alle Glocken der Kindheit läuten (zu lassen)«, gleichermaßen spürbar aber ist eine eigenartige Aversion, wie beispielsweise, wenn »die Regellosigkeit, das ungebundene, in aller Freiheit aufschreiende Gebet der Anwesenden« in der Synagoge die »Seele« Emanuels »verletzend« trifft.[5] Die Seele ist, wie wir inzwischen wissen, der Sitz der bürgerlichen Ordnungswaltung, und es gelingt Emanuel deshalb nur mit beträchtlichem argumentativem Aufwand, die Ungehemmtheit der jüdischen religiösen Praxis, »dieses atemlose, unmelodiöse Geplärre, dieses pagodenhafte Bücken und Beugen«[6] vor sich und seiner Klara zu rechtfertigen.
Als Gegenstück zu der von deutlichen Aversionen geprägten Darstellung bestimmter atavistischer Aspekte des jüdischen Lebens finden sich in den Ghettogeschichten immer wieder ausgesprochen sentimentale Verklärungen der jüdischen Familie, zumeist in Szenen, die sie am Sabbat um den Tisch des Hauses versammelt zeigen. Dabei geht es nicht, wie man zunächst annehmen möchte, um die Heiligkeit des Sabbat, sondern um den am Sabbat sich schließenden Kreis der Familie. Eindeutig sind es jene Aspekte der jüdischen Gesittung, die mit der bürgerlichen Ordnung ohne weiteres sich vereinbaren lassen, die in der Retrospektive von einem Goldrand umgeben scheinen. Eine besondere Schwierigkeit für einen Autor wie Kompert lag gewiß darin, daß eben die-

se mit dem bürgerlichen Vorbild vereinbaren Aspekte des jüdischen Lebens ethnographisch von geringerem Interesse waren als die unbegreiflicher und exzentrischer wirkenden Formen der jüdischen Orthodoxie und der Ghettoexistenz. Die Faszination geht aus vom Fremdartigen, das als Beispiel einer zum Verschwinden verurteilten Differenz vom Betrachter in aller Regel negativ besetzt wird. In Komperts Geschichte *Die Kinder des Randars* wird erzählt, wie Moschele, der als Sohn eines jüdischen Schankwirts in einem christlichen Dorf aufgewachsen ist und der nun als Gymnasiast ein Mietszimmer im Bunzlauer Ghetto bewohnt, seine Umgebung als ein dumpfes Grab empfindet. Die Ruhe des Heimatdorfes schwebt ihm wie eine Insel der Seligen vor, wenn er, von zu Hause zurückkehrend, wieder konfrontiert ist mit »dieser hastigen Beweglichkeit, diesem Schreien, Feilschen und Schachern ... Es waren Mißlaute in diesem Treiben des Ghettos, die für sein Ohr schrecklich klangen. Selbst der wüsteste Lärm in der Schankstube seines Vaters fiel ihm nicht so unangenehm auf. ›Diese Leute‹, sagte er zu sich, ›sind doch gewiß nicht betrunken, und doch kommt's mir zuweilen so vor.‹ Eine tiefe Bangigkeit befiel ihn immer dabei.«[7]

Reflexartig übernimmt gerade in solchen auf »ethnographische Objektivität« bedachten Passagen das vorgegebene Vokabular der Aversion die Kontrolle. Die »wirklichkeitsgetreuen« Aufnahmen, die von den obskuren Ghettobewohnern gemacht werden, geraten alle gleich. Susan Sontag hat die Photographie als modernes Äquivalent der künstlichen Ruinen beschrieben. Jede Photographie suggeriere, nicht anders als die künstlichen Ruinen der Romantik, eine Empfindung von Vergangenheit.[8] Diese bestechende Analogie paßt nicht minder auf die das photographische Verfahren vorwegnehmenden literarischen Genreskizzen. Indem die Welt des Ghettos abgebildet wird, wird sie, noch ehe ihre Auflösung wirklich in Gang gekommen ist, der Vergangenheit anheimgegeben.

Wie die soziale Wirklichkeit des Ghettos in den, sei es in dunklen, sei es in lichten Farben gehaltenen Erinnerungsbildern verschwindet, so wird die Vision von der zukünftigen

Heimat Jerusalem in Komperts Erzählungen zum Exempel vollendeter Irrealität. In der Schenke des Randars, von der schon die Rede war, taucht in größeren Abständen ein vor Jahren aus dem Wilnaer Ghetto aufgebrochener Schnorrer auf, der, ohne je über die böhmischen Dörfer hinauszugelangen, Mal für Mal Jerusalem als das Ziel seiner langwierigen Fahrt angibt. Diesem polnischen Luftmenschen, Reb Mendel, der am Tag nach seiner Hochzeit, noch in seinen Hochzeitskleidern, aus Wilna fortgezogen ist,[9] ist in der Erzählung die pittoreske Rolle eines zwar liebenswerten, aber obsoleten Originals zugewiesen. Niemand schenkt seinen begeisterten Geschichten von der in der Ferne schimmernden Stadt mehr den geringsten Glauben, bis auf den Knaben Moschele, der, nachdem er sich schweren Kinderherzens von seinen Eltern verabschiedet hat, eines Morgens mit Mendel hinauszieht durch die Felder vor dem Dorf in Richtung Jerusalem. Erst als Moschele nach einem guten Stück Wegs immer noch keine Anstalt macht, umzukehren, wird er von Reb Mendel zurückgeschickt. »Meinst du denn im Ernst«, sagt Mendel zu ihm, »ich kann dich nach Jerusalem mitnehmen? Du mußt dich noch oft jähren, bis dazu Zeit ist. Für jetzt tu mir das Herz nicht brechen und geh, Moschele! Vater und Mutter werden in Sorgen sein.«[10] Schön ist der Kommentar, den Kompert fürsorglich an diese für Moschele ebenso enttäuschende wie erlösende Abschiedsszene anschließt. »Kindern sagt es oft ein wunderbarer Instinkt, wo ihr seliger Wahn seine Grenzen hat; sie fühlen es dem Tone an, der ihr Kartenhaus umbläst, daß sie zu wünschen aufhören müssen. Noch wunderbarer ist die Fügsamkeit und der dumpfe Heldenmut, wenn sie bei den Trümmern ihres Glückes stehen.«[11] Das Glück, in dem keiner noch gewesen ist, die irreale Heimat aufgebend, wendet der Knabe sich um und macht sich auf den Weg nach Hause zurück. Als er wieder vor dem Dorf steht, das er vor gar nicht langer Zeit verlassen hat, überfällt ihn, wie einen, der aus der weitesten Ferne heimgekehrt ist, eine große Wehmut. Was Kompert in seinen tröstlichen Zeilen als wunderbaren Instinkt bezeichnet, die Fähigkeit, mit dem Wünschen aufhören und dem Glück entsagen zu können, das ist in Wahrheit nichts anderes als die nicht weniger wundervolle Wirksamkeit der von klein auf verinnerlichten bürgerlichen Vernunft, die wir an ihren Früchten, der Fügsamkeit und dem dumpfen Heldenmut, erkennen.

Besonders bedeutsam scheint mir die von Kompert entworfene Szene nicht zuletzt deshalb, weil eine ganz ähnliche später, in einem der frühesten, *Kinder auf der Landstraße* überschriebenen Prosastücke Franz Kafkas noch einmal auftaucht. Auch hier steht im Zentrum der Geschichte ein Knabe, der, in eine ländliche Umgebung nahezu versunken, hinausträumt in das ferne Gebirge oder die bloße Luft. Es ist ein Sommerabend, und einige Freunde verlocken ihn spät noch, das Haus zu verlassen zu einem Abenteuer auf der Landstraße. Von einer Wildbachbrücke aus, unter der das Wasser an die Steine schlägt, unermüdlich, als käme nicht bald schon die Nacht, sehen sie am Rand des Blickfelds einen Eisenbahnzug hinter Gebüschen herausfahren. »Alle Kupees waren beleuchtet, die Glasfenster sicher herabgelassen«[12] — ein Bild, das eine große Reise verspricht. Bewegt von all dem, trennt der fast noch kindliche Held sich von seinen Genossen. Er läuft den Weg zurück, biegt aber dann ab und strebt der Stadt im Süden zu, von der es im Dorf heißt, daß dort Leute leben, die nicht schlafen müssen. Was aus diesem Aufbruch wird, darüber gibt uns Kafkas Erzählung keinen Aufschluß. Nur soviel ist gewiß, daß der die Stadt im Süden suchende Knabe die hereinbrechende Dunkelheit der Nacht auf eine andere Weise verdrängen will, als nur indem er sich, wie alle Welt sonst, schlafen legt. Von Moschele wissen wir aber, daß er, der nach seiner Transformation durch bürgerliche Bildung den deutschen Namen Moritz annimmt, als »Arzt in einem stillen Ghetto Böhmens ... kranke Leiber und Seelen heilt«[13]. Mit dem Hinweis auf die kranken Seelen ist wohl gemeint, daß Moritz das Hineintragen des sogenannten Lichts der Vernunft in die Finsternis des sogenannten Aberglaubens mit zu seiner ärztlichen Arbeit rechnete, eine Auffassung, die Kafka sicher nicht mehr bedingungslos zu teilen vermocht hätte.

Das düstere Ghetto, in dem die Juden seit dem Mittelalter »die große Kunst erlernen mußten, ohne Grund und Boden, ohne Haus und Hof, ohne Recht und Freiheit, ohne Licht und Luft zu leben und zu existieren«[14], verwandelt sich, wie an dem Kompertschen Beispiel zu sehen ist, zuletzt unter dem lindernden Einfluß der bürgerlichen Vernunft in eine stille, nun offensichtlich nicht mehr von unerträglichen Mißklängen gestörte Idylle. Auch diese Beruhigung ist ein Zeichen der Auflösung. Bezeichnenderweise können in der von Max Hermann Friedländer etwa dreißig Jahre später verfaßten Denkschrift *Tiferet Jisrael,* der das letzte Zitat entnommen ist, die volkskundlichen Schilderungen aus dem inneren Leben der Juden nur noch im Imperfekt gegeben werden. Aktualität besitzen die Aufzeichnungen in ihrem Erscheinungsjahr offensichtlich nicht mehr. Sie dokumentieren eine im Verschwinden begriffene, wenn nicht schon verschwundene Identität beziehungsweise Differenz, die freilich in den östlicheren Provinzen des Reichs, wo sich derselbe Prozeß eine Generation später vollzog, durchaus noch Bestand hatte. So erscheint das Ghetto in den 1877 von Karl Emil Franzos unter dem Titel *Die Juden von Barnow* versammelten Geschichten nach wie vor als ein »abgeschiedener, verstoßener Stadttheil, der sich in den ungesunden Morästen des Flusses hindehnt. Dort bleibt es düster und traurig, mag die Sonne noch so glänzend leuchten, dort verpesten verderbliche Dünste die Luft, liegt auch sonst das Thal im Blütendufte des Frühlings.«[15] Wie bei Kompert, so wird auch hier die Verdrängung des über den Wohnstätten des Exils liegenden Dunkels zunächst thematisiert in der Evokation der Sabbatfeier, die »das düstere winkelige Ghetto ... im Glanz von tausend Kerzen und tausend frohen Menschenangesichten (erscheinen läßt). Wie ein gewöhnliches, natürliches Ereignis und doch zugleich wie eine geheimnisvolle, wonnige Offenbarung ist der Sabbath eingezogen in die Herzen und die Stuben und hat alles Dunkel und alle Ärmlichkeit der Wochentage aus ihnen verscheucht. Heute ist jede Kammer erleuchtet und jeder Tisch gedeckt und jedes Herz selig.«[16] Der sentimentalische Tonfall, in dem der Schein und Widerschein der Sabbatkerzen beschrieben wird und der in vergleichbaren jiddischen Texten derartig homiletisch zugestutzt nirgends vorkommt, läßt erahnen, wie fremd dem Au-

tor der Gegenstand seiner Beschreibung bereits geworden ist und daß es ihm weniger um die empathetische Revokation eines jahrtausendealten Rituals als um das profane Lichtwunder der Aufklärung zu tun ist. Darum wird ja auch die geheimnisvolle Offenbarung, die am Sabbat statt hat, einem ›gewöhnlichen, natürlichen Ereignis‹ verglichen, dem Tag eben, der im Westen schon geworden ist und vor dem man im Osten, wie Franzos mit einiger Verstimmung bemerkt, leider den Hut noch nicht höher rückt.[17] Das theologische Bild von der Erhellung der Finsternis wird dergestalt zur Metapher für den Anbruch des bürgerlichen Zeitalters, das sich als der Sabbat der Menschheitsgeschichte begreift.
Hieraus wäre zu schließen, daß die von Franzos erzählten, meist recht offen didaktischen Geschichten den im Dunkel der Ignoranz ausharrenden Ghettobewohnern, die der Erleuchtung am meisten bedürfen, zugedacht sind. Nun sagt aber Franzos ausdrücklich, daß er sie »für den Leser des Westens«[18] geschrieben hat, und das will heißen zu ihrer pietätvollen Erbauung nicht allein, sondern auch zur Warnung vor irgendwelchen sie anwandelnden regressiven Rührungen. Diesen letzteren Zweck dürfte Franzos umso eher erreicht haben, als seine bisweilen oft recht drastischen negativen Schilderungen an Überzeugungskraft dadurch gewinnen, daß sie sich von einem im allgemeinen ausgewogenen erzählerischen Hintergrund abheben, der Tapferkeit, Großmut und Wahrheitsliebe der Juden durchaus und nicht selten auf sehr eindrucksvolle Weise zur Darstellung bringt. Zudem kommt noch, daß Franzos, der seine Leistungen als Novellist selber bescheiden einschätzt, als Kulturschilderer beansprucht, daß man seinen Worten ohne Abstrich glaubt.[19] Wenn er also, unter solchen Voraussetzungen, den jüdischen (oder christlichen) Leser des Westens an der Hand durch »das Kotmeer des Städtchens« führt und ihm in »den dumpfigen Häusern ... die kaftanbekleideten, schmutzstarrenden Bewohner« zeigt, »in deren scharfgezeichneten Gesichtern asketische Schwärmerei oder listige Habgier ausgeprägt ist«[20], so wird diese in der Phrasierung ins Vorurteil ausgleitende Darstellung ihm, dem zuverlässigen Kulturschilderer, als unverstellter Tatsachenbericht abgenommen worden

sein. Einer besonders scharfen Kritik wird in den Erzählungen Franzos' all das unterzogen, was er als die Verstocktheit der Orthodoxie ansieht, und geradezu mit Bosheit verfolgt er die Repräsentanten der chassidischen Tradition, deren »verehrliche Versammlung« er seinen Lesern über »schmutzige Folianten« gebeugt vorführt, hin- und herschaukelnd und halblaut vor sich hin lesend oder »in gellender Diskussion die Dinge jener Welt« erörternd oder gar, wie es in solchen »Brutstätten des Müßiggangs« anders nicht sein kann, dem Branntwein zusprechend.[21] In dergleichen, eindeutig in pejorativer Absicht verfaßten Schilderungen versteht Franzos sich als Vorreiter der Aufklärung und dezidierter Gegner »der heftigsten Feinde des Lichts« und der »eifrigsten Verfechter des alten finsteren Glaubens«[22].
Der große Erfahrungs- und Weisheitsschatz der chassidischen Tradition, von dem Martin Buber dem unbedarften westlichen Leser später eine Vorstellung übermittelte, ist Franzos aufgrund seiner ideologischen Denomination schon um 1870 nicht mehr zugänglich gewesen. Der jüdischen Passion des Lernens aber bleibt er, auch wenn sie ihm in ihren orthodoxen beziehungsweise chassidischen Varianten einzig den Obskurantismus zu befördern scheint, dennoch verbunden. Stets von neuem kommt Franzos darauf zu sprechen, wie eine »ungeheure Sehnsucht nach dem Wissen«[23] den Aufbruch aus dem Ghetto beflügelt. Das Erlernen des Deutschen, des Mediums für den Wissenserwerb, und das Aufgeben — zumindest in der Öffentlichkeit — der jiddischen Sprache, die Franzos als ein pervertierter Jargon gilt, erschließt den Zugang zum Briefsteller und zum allgemeinen österreichischen Gesetzbuch und damit den Weg aus dem Kleinhandel in den wahren Kommerz. Vor allem dort aber macht die Passion des Lernens sich bemerkbar, wo es nicht nur um die Realien des Wissens, sondern um die Assimilation der westlichen und das heißt der deutschen Geisteskultur geht. Mit rastlosem Eifer wird aufgenommen, was nur zur Hand kommt — »Heines Reisebilder, Klopstocks Messiade, Kaiser Joseph von Louise Mühlbach, der neue Pitaval, Eichendorffs Gedichte und die Romane von Paul de Kock.« Das alles las sie, heißt es von Esther, der

Tochter des Shylock von Barnow, »wie ein hungriger Wolf ein Lamm verschlingt, im Laden, wenn der Vater ausging und dann nachts«[24]. In kürzester Zeit erreichen so, angetrieben von dem durch die jüdische Tradition legitimierten Ehrgeiz, möglichst bald den Lehrer zu übertreffen, die hingebungsvoll lesenden und lernenden Schüler — Kafka hat das im *Bericht an eine Akademie* nachgezeichnet — den Bildungsstand des durchschnittlichen Europäers.
Eine exemplarische Bedeutung kommt in diesem in rücksichtsloser Lernarbeit vorangetriebenen Übergang in eine andere Kultur dem Werk und der Gestalt Friedrich Schillers zu. In der Skizze *Schiller in Barnow* erzählt Franzos die Geschichte von Aaron Tulpenblüh, einem armen Schneiderssohn aus Brody, der sich aus großer Not und Entbehrung so weit hinaufstudiert hat, daß er in seinem dreißigsten Jahr als Arzt wieder in die Heimat zurückkehren kann. Die Melanie Feiglstock, mit der er bald darauf unterm Trauhimmel steht, erbittet sich als Hochzeitsgeschenk eine kleine Hausbibliothek — Schiller, Börne, Heine — und dazu noch, daß Aaron sich fortan Arthur nennen möge. Beides wird gewährt. Melanie hat jedoch bald keine Zeit mehr, außer der Illustrierten Frauenzeitschrift und der Neuen Freien Presse etwas zu lesen. Arthur hingegen nimmt sich in einer seiner wenigen Mußestunden einen Band Schiller vom Regal und beginnt sich darin zu vertiefen. Dabei wird ihm zumute, »als setze er, der sonst Kurzsichtige, eine Brille auf und könne nun an denselben Dingen, die ihm mit freiem Auge tot oder häßlich erschienen, eine Menge des Schönen und Lebendigen entdecken. Und in der Tat, wie Herrliches konnte er da gewahren, den Quell der Begeisterung sah er fließen und die Rosen der Liebe blühen und die schattige Laube einer stolzen Weltanschauung sich wölben.«[25] Die Gefühls- und Gedankenwelt des deutschen Idealismus als Laubhüttendach, unter dem man sich nach dem langen Zug durch die Wüste der Illusion hingeben konnte, zu Hause angelangt zu sein, das ist, in Anbetracht der schlechten Entlohnung, die solchem Zutrauen bald schon zuteil wurde, in der Tat ein bewegendes Bild. Wie weit die sozusagen festtägliche Identifikation der Juden mit den deutschen, von Schiller vertretenen Bildungs-

idealen ging, das zeigt noch Jahre später eine hübsche Vignette in einer von Leopold Sacher-Masochs Geschichten aus dem *Jüdischen Leben*.[26] Es wird da erzählt von einem armen Buchbinder, Simchak Kalimann, dessen ganze Liebe den Büchern und dem Lernen gehört und der, als er im Haus einer wohlständigen Kundschaft zum erstenmal das bekannte Bild sieht, das Schiller in Karlsbad auf einem Esel sitzend zeigt, in Tränen ausbricht. Der hohe Grad der emotionalen Identifikation mit diesem Vorreiter des idealistischen Wertsystems geht allerdings nicht allein darauf zurück, daß die Schillerschen Schriften ein pathetisches Versprechen der Freiheit und Gerechtigkeit enthielten, dem die damalige österreichische Literatur nichts Rechtes zur Seite zu stellen hatte, sondern es war vielmehr auch so, daß die Juden in den österreichischen Provinzen über die deutsche politische Praxis des Vormärz und der Jahre nach 1848 keinerlei Aufschluß erhielten, wohingegen sie natürlich den genauesten Begriff hatten von dem unsicheren »ewig wankenden Staatswesen«, das sie umgab, von dem »brutalen System Belcredi«, das das politische Klima nach 1848 bestimmte, sowie davon, daß »die Justiz in Galizien ... vielfach in trägen und korrupten Händen ruhte«[27]. In der Folge, resümiert Franzos in einer mit der österreichischen Reaktion sich auseinandersetzenden Schrift,[28] sind »die meisten von uns« — und damit meint er die 48er-Generation und deren Schüler — »gute deutsche geblieben«[29]. Daß Loyalitätserklärungen dieser Art die ohnehin komplizierte sozialpsychologische Lage der jüdischen Assimilanten in Österreich noch verwirrender machten, das erübrigt sich beinah zu sagen.
Wenn in den Geschichten, die vom Auszug aus dem Ghetto und vom Eintritt in die bürgerliche Welt handeln, der Liebesidee und Heiratspraxis ein beträchtlicher Stellenwert zukommt, ist das kaum verwunderlich. Als Ausgangspunkt bietet sich für Franzos die jüdische Sitte der Eheschließung ›ohne gegenseitige Neigung‹ an, die er strikt verurteilt und der er, beispielsweise in der Erzählung *Das höhere Gesetz*, die ›natürliche Regung‹ der Liebe entgegenstellt. Im Mittelpunkt dieser Geschichte, die von fein austarierten Gefühlen der Resignation durchzogen ist, steht Chane, eine junge jü-

dische Frau, die, obschon sie dem ihr angetrauten Nathan sehr zugetan ist, in Liebe, wie es heißt, zu dem im selben Haus logierenden Bezirksrichter von Negrusz entbrennt. Chane, die, um im Geschäft helfen zu können, deutsch lesen und schreiben gelernt hat und darum von ihrem Platz hinter dem Ladentisch schon ein wenig hineinschauen kann in die vielversprechende bürgerliche Welt, erblickt in dem absolut untadeligen Rechtswalter geradezu die Verkörperung dessen, wonach sie undeutlich sich sehnt. Die Geschichte ist vom selben Zuschnitt wie so viele bürgerliche Liebesdramen, in denen gezeigt wird, wie gegen wahre Liebe auch die Klassenschranken nichts vermögen, und wo die Liebenden immer, und sei es auch erst im Tod, zusammenfinden. Daß es sich in der von Franzos erzählten Geschichte nicht um die Barrieren zwischen Bürgertum und Adel, sondern um die zwischen Juden und christlichen Bürgern handelt, ändert an dem Sachverhalt wenig. Hier wie da geht es um die Emanzipation der Gefühle, um die öffentliche Zurschaustellung der Seele dessen, von dem man bislang kaum hätte glauben können, daß er eine Seele überhaupt besitzt. Vieles am Gestus der frühen bürgerlichen Liebesliteratur ist gedacht als Demonstration der bürgerlichen Liebes- und Leidensfähigkeit, ein Muster, das beim Übergang der Juden in die bürgerliche Gefühlswelt gute Dienste tun konnte. Nicht zu übersehen ist bei dem eigenartigen seelischen Wachstum, von dem hier die Rede ist, daß als Demonstrationsobjekt der Sensibilisierung immer eine Frau gewählt wird. Nur eine Frau nämlich ist, dem ›Naturrecht‹ der Liebe zufolge, imstande, den gesellschaftlichen Aufstieg oder die Assimilation vermittels der Liebe zu erreichen; Männer erlangen den Zutritt zur bürgerlichen Sozietät einzig über einen ihren Aspirationen entsprechenden Geld- und Besitznachweis. So gesehen nimmt die von Franzos befürwortete Verpflanzung der bürgerlichen Seele in die (weibliche) jüdische Brust sich doch ein wenig fragwürdig aus. Genauer gesagt: der Preis, den die jüdische Frau über die Arbeit an der Ausbildung schöner Gefühle hinaus zu hinterlegen hat, ist der ihres Körpers, der, wie aus fast allen Geschichten Franzos' zu ersehen ist, ganz bestimmten Vorstellungen zu genügen und nach ei-

ner stets wiederkehrenden Formel »von schlankem und doch üppigem Wuchs« zu sein hat.[30]
Seltsam berührt den genaueren Leser auch, daß der hohe Aufwand, den Franzos in der Geschichte von Chane Silberstein mit der Idee der Liebe treibt, vom Erzählverlauf nicht ganz gerechtfertigt wird. Von der Beschreibung der ›ohne Neigung‹ geschlossenen Ehe zwischen Chane und Nathan geht nämlich, unwillkürlich, wie mir vorkommt, um vieles mehr an Wärme aus, als von dem recht unterkühlt wirkenden ehelichen Verhältnis, in dem Chane, nachdem sie die Lehrjahre des Gefühls absolviert hat, an der Seite ihres Bezirksrichters als bürgerliche Christine von Negrusz erscheint. Dazu stimmt es dann, daß der wahre Held der Geschichte nicht die von edler Blässe umgebene Figur des Herrn von Negrusz ist, sondern der gewerbetreibende Nathan, der, hochsinnig wie sein berühmter Namensvetter, die arme Chane, die ihr bewegtes Herz nicht mehr zu bemeistern vermag, ohne Ressentiment aus der Ehe entläßt, eine Verzichtsleistung, die Franzos freilich auch als einen Liebesdienst versteht, zu dem Nathan erst fähig wird, als er sich zurückbesinnt auf seine Lektüre der Schillerschen Gedichte. In solchem Eingedenken geht Nathan auf, was bürgerliche Liebe wirklich ist — Entsagung.
Das gesellschaftliche Avancement, das für die weiblichen jüdischen Erzählfiguren über die Transaktion der Liebe möglich ist, läßt sich — wie bereits angedeutet — für den männlichen jüdischen Protagonisten in der Regel nicht auf die gleiche Weise bewerkstelligen. In der Erzählung *Das Christusbild* ist David Blum als junger Mensch aus dem Ghetto aufgebrochen und hat sich so weit in der Gesellschaft fortgebracht, daß er nach Ablauf von etwa einem Jahrzehnt als Friedrich Reimann in Baden-Baden eine Stellung als Kurarzt bekleidet. Die Liebe, die ihn und eine gleichfalls in Baden-Baden weilende Gräfin zueinander führt, scheitert daran, daß Jadwiga, als Friedrich ihr das Geheimnis seiner Herkunft beichtet, sich nicht überwinden kann, den Juden zu sich heraufzuholen. Friedrich Reimann zieht danach noch weiter in die Ferne, er geht nach Frankreich, England und Amerika, bis er zuletzt spürt, daß alles, was er erlebt

hat, ihn »auf die Heimat« zurückweist, »in die Mitte jener Menschen«, die er, der zu ihrem Lehrer bestimmte Sohn des Rabbi, vor zwölf Jahren verlassen hat.[31] Aus Amerikum, wie man im Ghetto sagt, zurück, legt er sein westliches Habit ab, tut die traditionelle Kleidung wieder an und betätigt sich als Krankenpfleger und Kräutersammler im engsten Umkreis seines Geburtsorts. Beschlossen in dieser Geschichte sind Anzeichen, daß der Fortschrittsoptimismus des Erzählers Franzos doch nicht ganz ungebrochen war und gelegentlich einer anderen Stimmung weichen konnte, in der nicht das deutsche Bürgertum, sondern die vor langem verlassene podolische Ebene als die wahre Heimat erschien. Manches an der Geschichte von David Blum gemahnt schon an den Schloßroman Kafkas, in dem der Landvermesser K., ein Kräuterkundiger wie Blum, an einen ihm ebenso fremden wie altvertrauten Ort zurückkommt. Die Rückkunft in die Heimat ist aber, wie der tief resignative Ton beider Texte veranschaulicht, eine Metapher des Todes. Die Heimat ist der gute Ort. Und der gute Ort ist der Friedhof der Juden, »wo der blaue Himmel freundlich auf das kleine Feld herablächelt, das ganz eingehüllt ist in frisches Grün und Frühlingsduft«[32]. Kompert bereits beklagt den geringen Natursinn der Juden, eine Eigenheit, die Lucien Goldmann auf die jahrhundertlange Ausgliederung der Juden aus der bäuerlichen Welt zurückgeführt hat.[33] Niemals, schreibt Franzos zu diesem Thema, »fällt ... dem Juden des Ostens ... ein, einen Baum zu pflanzen oder eine Blume zu säen, nur zwischen den Grabsteinen keimt frisches Grün, nur über den Toten weht Blumenduft«[34]. Darum ist auch die natürliche Gemeinde des Heimkehrers in Wahrheit diejenige der Toten. In Vorübung des Endes setzt David, nachdem er es weder in der Ghettogesellschaft noch in der Assimilationsmaschine hat aushalten können, sich zu den Kranken. Von dieser Warte aus gesehen verwandelt sich die profane Geschichte seines Volkes wieder in die biblische historia calamitatum, deren Chronik auf dem Judenfriedhof zu studieren ist, wo, wie Franzos berichtet, auffallend viele Gräber das gleiche Todesjahr tragen, jenes zum Beispiel, »da ein Czartoryski Juden jagte, weil sich so wenig anderes Wild vorfand«[35]. Aufgeführt in der Chronik des Friedhofs sind auch die drei gräßlichen Sommer, in denen »der Zorn Gottes, die Cholera, in den großen Ebenen wüthete. Das Gras setzte der Sense mehr Widerstand entgegen, als damals diese Menschen in ihren engen verpesteten Städten.«[36] Am bemerkenswertesten aber an dem Barnower Friedhof ist die für die geringe Gemeinde unverhältnismäßig große Anzahl der Gräber, von denen, wie Franzos erklärend anmerkt, keines je aufgelöst wird. Denn »wer hier Schlafstätte und Grabstein erhalten, der behält beide, sogar der Ärmste, für immer«[37]. Die Flexionen im Ausgang dieses Zitats sind sozusagen die Synkopen des emotionalen Gefälles, auf dem der Autor sich seinem verdrängten Heimweh überläßt. Der Judenfriedhof von Barnow, auf dem auch der Geringste ein ewiges Wohnrecht hat, ist auf einer Anhöhe gelegen, von der aus man weit in die Runde sieht.

> Wohl an die zehn Weiher glänzen dem Blick entgegen, einige Dorfschaften, welche mit ihren braunen Strohdächern dem Aug' wie ein wirrer Haufen von Bienenkörben erscheinen, endlich zu Füßen die Stadt, die hier grau, stattlich und ehrwürdig scheint und in Wahrheit so ein erbärmlich schmutziges Nest ist. Es ist herzbefreiend, wenn man den Blick so frei spielen lassen kann — weit, weit, bis er in den blauen Wellen der Luft ertrinkt. Denn gegen Ost, Nord und Süd ist keine andere Grenze als die Glocke des Himmels. An minder hellen Tagen auch gegen West. Aber wenn die Luft durchsichtig klar ist, sieht man dort eine graublaue, seltsam geformte Wolkenbank. Wer sie zum ersten Male sieht, kann glauben, daß sich dort ein Wetter balle und sachte aufziehe. Aber die Wolke wächst nicht und zerrinnt nicht; wohl zittern leise ihre Umrisse, aber sie steht ewig fest: es sind die Karpaten ...[38]

Franzos, der fast nirgends sonst eine Landschaftsschilderung versucht, beschwört hier, von seinem Aussichtspunkt auf dem Barnower Friedhof, das Bild einer ländlichen Heimat herauf, die gewiß alle, die in dem häßlichen Nest am Fuße der Anhöhe noch wohnten oder die auswandern mußten in die fernen Städte des Westens, gern als ihre eigene angesehen hätten.
Die 26 kleinen Geschichten aus dem *Jüdischen Leben*, die

Leopold von Sacher-Masoch 1892 in einem Mannheimer Verlag herausbrachte, sind ähnlich wie die Erzählungen von Kompert und Franzos für die Leser des Westens gedacht. Der mit zahlreichen Illustrationen versehene Band fand als eine Art Hausbuch für die bürgerlich-jüdische Familie nicht nur im deutschsprachigen Zentraleuropa, sondern auch in Frankreich, unter dem Titel *Contes Juifs*, weite Verbreitung. Leopold von Sacher-Masoch, der aufgrund seiner erotischen Phantasien über die Dame im Pelz zu seinen Lebzeiten schon ein etwas einseitiges Renommee erlangt hatte und der in der Tat ein äußerst bizarrer, in vielen Farben schillernder Charakter gewesen ist, hat immer wieder Anlaß zu den extravagantesten Spekulationen über seine Person gegeben. Sein Stammbaum läßt sich, wie er in einer autobiographischen Skizze ausführt,[39] zurückverfolgen bis auf einen Don Mathias Sacher, der als Reiterhauptmann unter Karl V. 1547 in der Schlacht von Mühlberg gefochten hat. Die Familie Sacher ist danach in Böhmen und später in den östlichen Provinzen des Reiches, in Lemberg, nachweisbar, wo Leopold am 27. Januar 1836, dem Geburtstag Mozarts, wie die autobiographischen Notizen mitteilen, geboren wird. Der Lebenslauf des Nachfahren des spanisch-österreichischen Ritters, auf den hier nicht weiter eingegangen werden kann, trägt allerhand quichottische Züge. Im Kopf das Bild seiner idealen Frau, befindet sich Sacher-Masoch viel auf Wanderschaft, ist in Österreich, in Deutschland, in Italien und Frankreich anzutreffen, ehe er unter der Obhut seiner Hulda, Edlen von Sacher-Masoch, in einem oberhessischen Dorf sich zur Ruhe setzt. So wenig paßte seine außergewöhnliche Gestalt in die Ordnung der spätbürgerlichen Welt, daß er, wie er selbst angibt, nicht nur für einen Deutschen, Österreicher, Spanier und Franzosen, sondern auch »für einen Juden, einen Ungarn, einen Böhmen und sogar für eine Frau gehalten wurde«[40]. Soviel war an diesen Mutmaßungen wohl richtig, daß Sacher-Masoch in einer Zeit, die im borniertesten Chauvinismus versank, allen Nationen seine Zuneigung entgegenbrachte, der jüdischen aber besonders.

Sacher-Masochs jüdische Geschichten werden geschrieben,

als in Wien und Berlin der politische Antisemitismus virulent zu werden beginnt, und stellen also eine bewußt unzeitgemäße Hommage dar. Nicht so sehr Sacher-Masochs eigener Internationalismus wird für diese Identifikation mit dem jüdischen Volk das Motiv gewesen sein, als vielmehr die Erinnerung an die ferne galizische Heimat, die er mit vielen der jetzt im Westen ansässigen Juden teilte. Ein spezifisches Moment in dem Gefühl der Verbundenheit mit dem jüdischen Volk mögen auch die frühen Eindrücke gewesen sein, die der Knabe Leopold empfing, wenn er an der Hand seines Großvaters, des Dr. Franz Masoch, der als erster christlicher Arzt die Juden in ihren Wohnstätten aufsuchte, durch das Lemberger Ghetto ging, denn bei diesen Exkursionen in eine andere Welt dürfte dem Enkelkind des gleich einem Propheten verehrten Arztes vieles an Zuneigung und Liebe bezeigt und damit der Grund gelegt worden sein für das spätere empathetische Interesse am Schicksal der Juden.[41] Eine jede von Sacher-Masochs Geschichten aus dem *Jüdischen Leben* spielt in einem anderen Land. Von Palästina über die Türkei und Rußland, über Polen, Rumänien, Ungarn und Deutschland kommen wir nach Schweden und Dänemark, nach Holland und England, nach Italien, in die Schweiz und nach Frankreich. Weil sie bestimmt sind für die westwärts wandernde Diaspora, in der oft schon »das alte jüdische Leben nur noch eine poetische Erinnerung (ist) wie die an das Ghetto«[42], sind sie teils als Devotionalien gestaltet, teils als literarische Konfirmationsurkunden, die den bürgerlichen Juden des Westens bestätigen, daß sie dort, wo sie jetzt wohnen, vielleicht mit besserem Recht sich zu Hause fühlen dürfen als in ihrer einstmaligen Heimat. Auch hier also durchgehende Ambivalenzen.

Wilhelm Goldmann hebt in seinem zeitgenössischen Kommentar zu den Geschichten aus dem *Jüdischen Leben* lobend hervor, wie frei Sacher-Masoch über seine Farben verfügt und wie leicht es ihm gelingt, die schönsten Landschaftsprospekte in seinen Texten aufzutun. Tatsächlich galt diese besondere Fertigkeit, obschon sie mit goldglänzenden Ährenfeldern, felsigen Bergen, jahrhundertealten Tannen und dergleichen mehr immer wieder gern dieselben Versatzstücke hervorholt,[43] bereits zu Beginn der schriftstellerischen Karriere Sacher-Masochs als das unverwechselbare Markenzeichen seiner Prosa. Ferdinand Kürnberger war von diesem Aspekt der ersten Novellen Sacher-Masochs[44] dermaßen beeindruckt, daß er sie den Werken Turgenjews, des »Shakespeare der Skizze«[45], verglich. Die Spekulation, die Kürnberger im selben Zusammenhang anstellt, macht allerdings klar, wie wenig die Idee einer Ökumene der Völker und Bekenntnisse, an der Sacher-Masoch so viel gelegen war, vereinbar sein konnte mit dem deutschnationalen Expansionismus seines literarischen Fürsprechers. »Wie wäre es«, schreibt Kürnberger voller Enthusiasmus, »wenn wir statt des Großrussen Turgenjew einen Kleinrussen, einen Ostgalizier, das heißt einen Österreicher, das heißt einen Deutschen hätten? Wie wäre es, wenn in diesem Österreich, welches seinen Germanisierungsberuf bisher so schlecht erfüllt hat, wenn in dieser Zeit, welche die Nationalitäten Österreichs im hellen Aufstande gegen das Deutschthum sieht, ein slavisch geborener Dichter von den Ufern des Pruth eine vortreffliche deutsche Novelle an die Borde des Main und des Neckar zu senden hätte, ... die deutsche Literatur ganz neue östliche Längengrade sich erobert, ... ganz neue frische Naturvölker sich annektiert hätte.«[46] Eine unselige Denkrichtung, und doch wird in ihr am deutlichsten umrissen, was sich gerade zuträgt. Denn auch die in deutscher Sprache verfaßte Ghettogeschichte ist ein Bestandteil des ideellen Germanisierungsprozesses, der im Verlauf des bürgerlichen Jahrhunderts im Osten Europas zum Leidwesen der zunehmenden Zahl der Geopolitiker so wenig politische Wirklichkeit geworden war, daß die Vision einige Generationen später mit Gewalt in die Praxis umgesetzt wurde.

Wilhelm Goldmann merkt in seinem Kommentar ferner an, daß Sacher-Masoch, trotz des unbestreitbaren Talents, mit dem er plastische und lebenswahre Figuren entwirft, die Hand ein wenig zittert, wenn es darum geht, »den Insassen des galizischen Ghettos nach der Natur« zu zeichnen.[47] Leicht, meint Goldmann, verschieben sich die Linien, so daß Sentimentales und, wenn auch ohne Absicht, einiges an

»Carricaturen« zustande kommt. Unsicher aber ist die Hand des Autors nicht deshalb, weil er, wie Goldmann schreibt, im Gegensatz zu anderen Verfassern von Ghettogeschichten wie Kompert, Bernstein und Mosenthal als Nichtjude seinem Gegenstand doch etwas ferner steht, sondern weil die Dichotomie von sentimentaler und karikaturistischer Repräsentation ein konstitutionelles Gebrechen der Genredarstellung ist. Vom Vorwurf der Sentimentalität ist Sacher-Masoch nicht ohne weiteres freizusprechen, denn wenn ihm auch gelegentlich so etwas wie der wahre Volkston gelingt, geht es in seinen Geschichten für den jüdischen Hausfreund im allgemeinen doch um einiges erbaulicher zu, als mit den Regeln der Kunst vereinbar ist. Was hingegen die Karikaturen betrifft, so unterläuft Sacher-Masoch davon weit weniger als selbst Kompert oder Franzos. Einzig in den Illustrationen, die sämtliche von jüdischen Künstlern beigesteuert wurden und die, wie Sacher-Masoch hofft, dem Text erst die richtige Lebenswärme geben werden,[48] zeigt sich die Kehrseite des sentimentalen Genres, der fatale Lapsus, das Umkippen in die Karikatur. Diese Illustrationen verwerten so ziemlich alles, was zu Ende des 19. Jahrhunderts an stilistischen Vorlagen greifbar war: romantische Nachtszenen, Biedermeierliches im Lampenschein, rustikalen Realismus, Vignetten à la Gartenlaube, Nazarenerhaftes und Jugendstilartiges. Als Konstante aber zieht sich durch die heterogenen Bilder der Kontrast zwischen der schönen jungen jüdischen Frau und den ziegenbärtigen alten Männern, die noch unterm bürgerlichen Zylinderhut ein grinsendes Affengesicht zur Schau stellen.[49] Die schönen jungen Frauen stehen natürlich für die verlorene Heimat, die häßlichen alten Männer jedoch für die Angst, daß man aller Bemühung zum Trotz noch lange nicht bürgerlich genug ist.
Eine Generation später, unmittelbar vor der Zerstörung der ostjüdischen Welt und der Vernichtung ihrer Bewohner durch die mit wahrem Biedersinn mordenden deutschen Heere, wirft der wie der Dr. Aaron Tulpenblüh aus Brody stammende Romancier Joseph Roth einen letzten Blick zurück auf seine galizische Heimat. Roth, der in den knappen zwei Jahrzehnten seiner schriftstellerischen Laufbahn seine

realpolitischen Hoffnungen Zug um Zug hatte aufgeben müssen und der inzwischen nur an die reine Illusion mehr glauben mochte, zeichnet in seiner ein Jahr vor dem Anschluß veröffentlichten Erzählung *Das falsche Gewicht* das Bild eines mit ungeheurer Langsamkeit seit jeher im Hinuntersinken begriffenen Landes. Von solcher Klarheit sind die mit einfachsten Worten aufs Papier gebrachten Konturen der Dinge und Gestalten in diesem Text, so wunderbar die Schattierungen der teilnahmslos kaum sich rührenden Natur, daß dergleichen sonst nur im Traumflug sichtbar wird, wo man manchmal Landstriche, die man seit ewiger Zeit oder überhaupt noch nicht gesehen hat, auf das schönste und schwindelerregendste unter sich ausgebreitet sieht. Schon auf der allerersten Seite der mit ›Es war einmal‹ märchenhaft anhebenden Geschichte vom falschen Gewicht erreicht Roth anscheinend ohne die geringste Anstrengung einen in der erzählenden Literatur ganz seltenen Grad der Konkretheit. Wir sehen den Eichmeister Anselm Eibenschütz durch den Bezirk Zlotogrod fahren in einem hurtigen goldgelben Wägelchen, das gezogen wird von einem am linken Aug erblindeten, aber sonst stattlichen ärarischen Schimmel. Neben Eibenschütz sitzt der Wachtmeister der Gendarmerie Wenzel Slama, dessen traurige Geschichte wir aus dem *Radetzkymarsch* kennen. »Auf seinem sandgelben Helm glänzten die goldene Pickel und der kaiserliche Doppeladler. Zwischen seinen Knien ragte das Gewehr mit dem aufgepflanzten Bajonett empor. Zügel und Peitsche hielt der Eichmeister in der Hand.«[50] So geht es dahin und fast wissen wir schon, zu welchen Häusern hinaus. Eibenschütz, der aus dem mährischen Städtchen Nikolsburg stammt und lange beim Heer gedient hat, ist mit seiner Frau, die er, wie viele dienstentlassene Unteroffiziere, sei es aus Irrtum, sei es aus Einsamkeit, sei es aus Liebe geehelicht hat, in dieses seltsam leere Land verschlagen worden, hinter dem, wie die Geschichte zuletzt uns klarmacht, das weite Feld des Jenseits beginnt. In Bewegung geraten die Dinge, als dem Eichmeister eines Tages mitgeteilt wird, daß seine Frau Regina, die im Lampenschein des Abends »in emsiger, gehässiger und erbitterter Demut« mit »zwei dräuenden Nadeln« an einem giftgrünen Strickzeug — dem Verhängnis des Eibenschütz! — arbeitet,[51] ihn mit dem Schreiber Josef Nowak hintergeht. Ein Ehebruch wie so viele schon zuvor in der bürgerlichen Literatur von Flaubert bis Tolstoi und Fontane. Nur daß dieser Teil der Geschichte hier kaum der Rede wert ist. Der Auflösung des bürgerlichen Liebestraums in der realistischen Literatur des 19. Jahrhunderts, die der Ideologie der Liebe weitgehend noch verhaftet ist, wird bei Roth die Geschichte einer aus allen Konventionen ausbrechenden männlichen Passion entgegengestellt. Der Brennpunkt der Leidenschaft, die den nun einschichtigen und vielleicht immer schon einschichtig gewesenen Eibenschütz bewegt, ist die bessarabische Zigeunerin Euphemia, die in der Grenzschenke weniger haus- als hofhält, an einem Ort also, von dem der Weg entweder in den Himmel oder aber in die Unterwelt führt. Sobald sie oben an der Treppe erscheint, hat die Euphemia ihre tiefblauen Augen auf den Eichmeister gerichtet. Ein Kleid trägt sie, »eine Art lebendiges Zauberzelt«, das »auf jedem Treppenabsatz ein zartes, sachtes Rad zu schlagen schien«[52] und unter dem die schmalen Schuhe hervorschauen. Von all dem geht ein Zwang aus, dem Anselm Eibenschütz, der in Euphemia die erste Frau überhaupt zu erkennen vermeint, weder widerstehen kann noch will. Als der brave Diener dieses Wunderwesens hilft er, der Eichmeister, der doch Maß und Gewicht prüfen soll, Euphemia bald hinter dem Ladentisch die Kunden bedienen. Und zuletzt liegt er wie ein armes Tier auf der Schwelle vor ihrer Kammer. Es ist aber nicht so, daß durch die leidenschaftliche Erniedrigung des Eibenschütz unter die Herrschaft einer Frau ein ungutes Licht auf diese geworfen wird. Vielmehr lernen wir langsam begreifen, daß es vormals, in anderer Zeit, ein anderes Regiment gegeben hat als das der Männer, ein Regiment, unter welchem die Männer in Bescheidenheit eine Frau sich teilten, so wie Eibenschütz mit dem Maronibrater Sameschkin es tut, der in der Winterzeit regelmäßig in Euphemias Haus einkehren darf. Zwar erblickt Eibenschütz in Sameschkin zunächst seinen Rivalen, doch mit der Zeit und wachsendem Verständnis beginnt er »ihn zu lieben, wie man einen Bruder liebt«[53].

In dem weit zurückliegenden Land, das dem Erzähler Roth vorschwebt, lösen sich die Herrschafts- und Besitzansprüche der Männer von selber auf; weniger ausschließlich sind die Tauschgeschäfte der Liebe, und auch sonst wird in dieser galizischen Heimat nichts gegeneinander aufgerechnet und wenig gekauft und verkauft, dafür aber vieles gegeben und mehr noch vergeben. Die armselige Ware aus dem Haushalt unserer Emotionen, von der in der bürgerlichen Literatur so viel hergemacht wurde, scheint in der Welt, von der Roth uns erzählt, eine geregelte Marktwirtschaft kaum zu verlohnen. Versinnbildlicht wird das in dem winzigen Kramladen des Mendel Singer, der von Eibenschütz und dem Gendarmen Piotrak nach einer Inspektion auf ein paar Monate gesperrt wird. Eibenschütz geht aus dieser, seiner letzten Amtshandlung mit dem Gefühl hervor, ein großes Unrecht getan zu haben, denn der von aller vernünftigen Wirtschaft meilenweit entfernte Handel der Singers, der bloß aus einigen wenigen Zwiebeln, getrockneten Feigen, Muskatnüssen und Rosinen von fragwürdiger Beschaffenheit bestand, dieser Handel war ja nur ein kaum nennenswerter Bestandteil einer ganz anderen Lebensform, nämlich der des Lernens, dem Mendel Singer in der engen Kammer hinter dem Laden Tag und Nacht zwischen den Betten am Boden kauernd obliegt. Das Lernen des Mendel Singer, das nicht auf ein besseres Fortkommen in dieser Welt, sondern höchstens auf ein gutes Fortkommen aus ihr bedacht ist, wird im Ausgang der von Roth erzählten Geschichte das Maß dafür, daß der von seiner Passion so weit schon erniedrigte Eichmeister noch nicht vollends ausgelernt hat. Als er zuletzt als Sterbender mit Stricken auf einen Schlitten gebunden durch die Winternacht geführt wird, sieht er sich selber verwandelt in einen Händler, der so viele falsche Gewichte hat, daß sie der Ladentisch gar nicht zu fassen vermag. »Und jeden Augenblick kann der Eichmeister kommen.«[54] Und wie der große Eichmeister eintritt, sieht er »ein bißchen aus wie der Jude Mendel Singer«[55]. Zum Zeichen, daß er erlöst ist, sagt der Eichmeister Singer zum Händler Eibenschütz, daß alle seine Gewichte falsch und dennoch richtig seien. Die aus einem frommen Wunsch entstandene Parabel von der menschli-

chen Großzügigkeit, die Roth damit beschließt, will sagen, daß durch den sogenannten Fortschritt der Zivilisation und die Zunahme von Recht und Ordnung weit größeres Unrecht und Unglück über uns kommt als das natürliche, an dem wir ohnehin leiden.
Anzufügen bleibt noch, daß die von Roth mit Sympathie, ja mit Ehrerbietung beschriebene Gestalt des Mendel Singer, der dem Eibenschütz die letzte Lehre erteilt, in keiner Weise an die ihre eigenen besseren Intentionen so oft kompromittierenden Genrezeichnungen des 19. Jahrhunderts gemahnt. Hier ruht ein anderes Auge auf der ostjüdischen Welt. Vergessen soll auch nicht werden, daß diese Welt zu der hier in Rede stehenden Zeit nicht bloß eine nostalgische Phantasie Joseph Roths gewesen ist, hatte sie doch, den Wellen der Auswanderung zum Trotz, bis in den Herbst des Jahres 1939 Bestand. Beleg dafür, nach ihrer völligen Zerstörung, sind die Photographien, die Roman Vishniak um akkurat dieselbe Zeit, in der Roth sich an seine verlassene Heimat zurückerinnert, in den Ghettos Osteuropas aufgenommen hat.[56] Unter den vielen in ihrer Tiefgründigkeit wahrhaft schönen Männergesichtern, die aus Vishniaks Bildern uns entgegensehen, ist auch das des Inhabers eines kleinen Ladens in Teresva in den ruthenischen Karpaten, der mit dem Hut auf dem Kopf vor einem schmalen Regal mit allerhand Dosen, Gläsern und Schachteln steht. Seine Lider sind leicht gesenkt, und darunter hervor blicken die Augen in eine indefinite Ferne, weit weg vom Geschäft, in dem es so gut wie gar nichts zu schaffen gibt. Auf dem Ladentisch, im Vordergrund am unteren Bildrand, steht eine einfache Küchenwaage mit messingnen Waagschalen, und in einer der beiden liegt das falsche Gewicht.
Roland Barthes hat in seiner letzten, den Geheimnissen der Photographie gewidmeten Arbeit die Vermutung geäußert, daß jede Photographie unabweisbar das Zeichen eines zukünftigen Todes in sich trägt.[57] Im Falle dieses Bildnisses eines Bruders von Mendel Singer, das gemacht wurde, kurz bevor die Deutschen in der dortigen Gegend aufmarschiert sind, ist Barthes' Konjektur doppelt wahr, denn wir wissen nicht, was aus dem Besitzer dieses Kramladens geworden,

nur daß er, mit Sicherheit fast, eines unzeitigen und gewaltsamen Todes gestorben ist.

Peter Altenberg — Le Paysan de Vienne

> In meiner Kindheit die Sonnenaufgänge auf dem Schneeberg, Kaiserstein. In meinem Alter die Sonnenaufgänge hinter der Lagune, Lido. Beides blutrot und leuchtender dampfender Nebel. Dazwischen mein ganzes kompliziertes Leben.
>
> Peter Altenberg, *Der Nachlaß*

Peter Altenberg galt bereits zu seiner Zeit als der Inbegriff des Stadtliteraten, aus Wien so wenig wegzudenken wie der Graben, auf dem er vazierte, oder das Café Central, wo er ansässig war. Den Hintergrund aber und die Inspiration seiner literarischen Musterkollektionen bildete weniger die kaiserliche Metropole als die ländlichen Gegenden, in denen er die einmal endlos scheinenden und dann doch zu Ende gegangenen Ferialmonate seiner Kindheit und Jugend verbracht hatte. Diese Gegenden werden in den Prosastücken des mit sechsunddreißig Jahren erst ins schriftstellerische Leben eintretenden und im bürgerlichen Sinn eigentlich schon gescheiterten Richard Engländer immer wieder heraufgerufen und bilden eine Art idealisches Österreich, zu dem nicht viel mehr gehört als der Traunsee und Gmunden, Bad Vöslau, der Semmering und das Donauufer oberhalb von Wien bei Altenberg, dem Ort eben, dem Engländer durch seine Umwandlung in den gleichnamigen Autor auf ewig die Treue zu halten verspricht. Das Gefühl der Zusammengehörigkeit mit diesem magischen zweiten Geburtsort ist derart stark, daß Altenberg, als er ihn gegen Ende seines Lebens nach langer Zeit noch einmal aufsucht, sich fragt, ob Altenberg so nach ihm oder er so nach Altenberg heißt.[1] Gleichviel, lautet die Antwort, die er selber sich gibt, denn die Union geht, von der jetzigen Warte des Schriftstellers aus gesehen, auf ein in unvordenklichen Tagen geschlossenes mythisches Bündnis zurück. Dieselbe weite Entfernung ist es, die Adorno in seiner Mahler-Monographie apostrophiert, wenn er schreibt, »daß in der Jugend unendlich vieles als Versprechen des Lebens, als antizipiertes Glück wahrge-

nommen wird, wovon dann der Alternde, durch die Erinnerung hindurch, erkennt, daß in Wahrheit die Augenblicke solchen Versprechens das Leben selbst gewesen sind. Die versäumte und verlorene Möglichkeit errettet«, so Adorno an dieser Stelle weiter, »der letzte Mahler, indem er durchs umgekehrte Opernglas die Kindheit betrachtet.«[2] Nicht anders evoziert der Ton, den der Prosaist Altenberg trifft, die wunderschöne Zeit, in der alles noch möglich gewesen wäre. Wie in die Mahlersche Musik hie und da gewissermaßen überösterreichische zeitlupenhafte Ländler hereinklingen,[3] so eröffnen sich in den Prosaetüden Altenbergs stets wieder perspektivische Durchblicke hinaus auf das Land. Milchblau liegt plötzlich der See da, das mare austriacum,[4] wie eine Luftspiegelung, oder Gmunden taucht auf »mit melancholischer Macht«, schreibt der fast Sechzigjährige, »in meiner verdüsterten Seele«, Gmunden, die »Ruhe-Idylle« und der Kontrapunkt zu dem ganzen »irren, ehrgeizigen, rastlos stupiden Weltgetümmel«[5]. Altenberg stellte sich gelegentlich die Frage, woher es komme, daß er »für jeden Sommer-Aufenthalt ›Heimatsgefühle‹ nachträglich habe«[6]. Impliziert ist die Antwort, daß Heimat umso mehr als Heimat erscheint, je weiter man abgekommen ist von ihr. So wird Gmunden im letzten Rückblick zum »Heimatlichsten auf dieser Welt«[7]; und überschattet schon vom Ende und bewegt von Verlassenheit wendet Altenberg sich gar unmittelbar an Gmunden, an den Ort selber, mit dem reuevollen Bekenntnis: »nun gedenke ich Deiner fast als meiner einzigen Heimat, die ich je gehabt habe!«[8] — ja er bittet im Sommer 1917, in letzter Not, wie er schreibt, »die Gemeinde-Vorstehung um Übersiedelung nach meinem geliebten Gmunden«,[9] ein Ansuchen, auf das hin er zunächst einmal an die Wiener Polizeidirektion verwiesen wird.
Die Heimat ist unerreichbar nicht nur wegen der Schwierigkeiten, die sich aus der Konfrontation von Sehnsucht und Ordnung ergeben, sondern auch deshalb, weil sie nichts anderes ist als die Chiffre für ein früheres Leben. Sie hat mit Geschichte, wie Benjamin vermerkte, weniger zu tun als mit Vorgeschichte, jener *vie antérieure,* die die Imagination Baudelaires, mit dem Altenberg vieles gemeinsam hatte, so sehr

in Anspruch nahm. »Der Wanderer«, schrieb Baudelaire in einer literarischen Annonce, »blickt in die von Trauer umflorten Weiten, und in seine Augen steigen die Tränen der Hysterie.«[10] Tränen der Hysterie beim Anblick des verlorenen Lands, das ist ganz der Fall Altenbergs. Dreiundzwanzig Sommer, erinnert er sich in seinem sechzigsten Jahr, habe er am Traunsee verbracht.[11] Und eigenartigerweise war er auch dreiundzwanzig Jahre, als es zwischen ihm und seiner von ihm über alles geliebten Mutter zu einem tiefen und unheilbaren Bruch kam. Der Anlaß der Entzweiung war bekanntlich, daß Altenberg, nachdem er bereits ein juristisches und medizinisches Studium abgebrochen und sodann kurzfristig in der Stuttgarter königl. Hofbuchhandlung Hühnersdorf & Keil als Manipulant gearbeitet hatte, nach der Wiederaufnahme des Jurastudiums und der Ablegung der ersten Staatsprüfung in Graz zu dem Schluß gekommen war, für das sogenannte Berufsleben untauglich zu sein, welche Einsicht, zur maßlosen Enttäuschung seiner Mutter, von einem ärztlichen Attest, in welchem von einem überempfindlichen Nervensystem die Rede war, ohne Vorbehalte legitimiert wurde. In den folgenden zwei, drei Jahren entfremdete sich Altenberg zunehmend von den Seinen, insbesondere, so scheint es, von seiner Mutter, die er, wie gelegentlich behauptet wurde, erst auf dem Sterbebett wiedergesehen haben soll.[12] In dieser endgültigen Separation von der Mutter wiederholen sich die Trennungsschmerzen, die das Kind empfand, wenn seine »wunderbare vergötterte Mama abends ins Theater, in Gesellschaft ging«[13]. Die Angst, von der geliebtesten Frau auf immer verlassen zu werden, ist, wie sich aus zahllosen literarischen Quellen nachweisen ließe, von zentraler Bedeutung im Programm des bürgerlichen Gefühlslebens. Altenberg jedenfalls erinnert, daß seine infantile Alteriertheit in der Regel von der Bonne abgeschnitten wurde mit den Worten: »Er wird sich schon beruhigen, gnädige Frau ... gehen Sie nur rasch fort — — —.« — »Aber«, so setzt Altenberg hinzu, »er beruhigte sich nie«[14], eine Behauptung, die schwerlich übersteigert sein dürfte, denn den beruhigenden Nachtschlaf zu finden, das lag für Peter Altenberg auch im späteren Leben so gut wie außer-

halb aller Möglichkeit. Altenberg wußte allerdings ebenso wohl, wie eng die Gefühle der Deprivation verbunden waren mit dem, was ihn als Schriftsteller ausmachte, denn, so schreibt er, »wenn eine Frau, die man mag, einen *nicht* mag, hat man wenigstens den Rebbach der ›sehrenden Sehnsucht‹«[15]. Nicht, daß er sich eingebildet hätte, von solchem Rebbach in irgendeinem Sinne gut leben zu können, wußte er sich doch endgültig verstoßen aus dem Angesicht der Mutter nicht nur, sondern auch aus der Natur, und mußte fortan den weitaus größten Teil seines arg reduzierten Lebens zubringen in der Wüste der Großstadt.
Wie wenig der von Anfang an von seinem Verlag als Wiener Poet gehandelte Altenberg von dem Ort seiner Verbannung hielt, ist bislang kaum angemerkt worden. Altenberg teilte keineswegs die Fortschrittsgläubigkeit der von Otto Wagner repräsentierten zeitgenössischen Unternehmergeneration, die zur Hygienisierung, Ästhetisierung und weiteren Ausdehnung der Großstadt die grandiosesten Pläne entwarf. Vielmehr glaubte er, daß es eine schöne Großstadt überhaupt nicht geben könne und daß die Großstadt die Quelle aller dumpfen Ungesundheit sei.[16] Großstadt, das war für ihn ein einziges, schlechtgepflegtes Häusermeer,[17] ein Babel,[18] eine unermeßliche Un-Natur.[19] Ja es gibt selbst Indizien dafür, daß Altenberg, den Beer-Hoffmann in seiner üblichen pathetischen Art einen Sklaven des Asphalts genannt hat,[20] die Großstadt-Angst kannte, besonders wenn er vom Land zurückkehrte, das Aufwallen der Panik, das er nur zu überwinden vermochte, indem er sich in die Kälte hineinstürzte wie früher als Kind vom Sprungbrett hinunter ins Wasser.[21] Leben in der Großstadt, deren Wirklichkeitsanspruch im selben Maß sich steigert, in dem die Natur zum verlorenen Paradies wird, das gelingt Altenberg nur, wenn er von einer Oase ohne großen Verzug sich gleich zur nächsten begeben kann. Abgesehen von einem Refugium wie dem Café Central, wo ein gnädiges Regiment eine Freistatt geschaffen hat für seinesgleichen, kann Altenberg wirklich ausrasten eigentlich nur in den Parkanlagen der Stadt. Stadtgarten, botanischer Garten, Volksgarten und Rathauspark, das sind die wenigen Inseln im Häusermeer, deren Lob er

ein ums andere Mal verkündet. Was ihn insbesondere rührt, ist die Art, wie in diesen öffentlichen Gärten ein Stück Natur noch erhalten wird »in schmiedeeisernen Käfigen«[22], während ringsum alles bereits verwandelt ist in Stein. Bestrebt, seine eigenen Bedürfnisse auf ein bloßes Minimum zu reduzieren, identifiziert sich Altenberg mit der eingesperrten Natur, und zwar nicht nur mit derjenigen der relegierten Tier- und Pflanzenwelt, sondern auch mit der von sich selbst bedrohten, nur manchmal noch aufleuchtenden Natur des Menschen. Ein Beispiel davon ist die kleine Geschichte vom Hofmeister, der im Tiergarten zusieht, wie sein Schützling Fortunatina, die Ellbogen auf die Holzbarriere gestützt, lange die Löwin hinter dem Gitter anblickt, in Vorahnung gewissermaßen ihres eigenen Schicksals.[23] Im übrigen sind im Tiergarten nicht nur Tiere zur Schau gestellt. Es gibt auch ein westafrikanisches Dorf mit echten Negern von der Goldküste. Sir Peter ist oft bei ihnen zu Gast und zeigt sich voller Verständnis für ihr Los. Eines Tages findet er alle weinend vor, Akolé, Akóshia und Tíoko. Nur Monambô weint nicht. Auf Altenbergs Frage, ob er denn nicht traurig sei, sagt er: »Sir, ich bin in der Fremde. Ich werde weinen, bis ich wieder in Afrika bin — — —«[24], was aus dem wienerischen Afrikanisch ins Deutsche übertragen heißt, daß er erst wieder weinen wird, wenn er wieder in Afrika ist. Der Grund für die allgemeine Trauer ist die Nachricht vom Tod eines Bruders zu Hause, die die Exilierten eben erreicht hat. Sir Peter aber, der sich auf derlei Dinge versteht, weiß es besser. »Sie weinen um Afrika«, erklärt er der jungen französischen Sekretärstochter, die ihn begleitet, »c'est le mal du pays, die zarteste Krankheit unserer Seele.«[25]

Der Grund der Trauer ist also das Heimweh nach der verlorenen natürlichen Heimat, zu der der Segregierte so inständig zurückzukehren hofft, daß er geneigt ist, sie dort zu vermuten, wo sie, nach dem Diktat der Gesellschaft, für immer aufgehoben sein soll, nämlich im natürlichen Wesen der Frau. Ein »lebendiges Kunstwerk« der Natur ist sie ihm, in einem nicht zu überbietenden Paradox, »das er betrachten, empfinden und anbeten« möchte.[26] Weil ihm aber der idealisierte weibliche Körper in seiner puren Makellosigkeit vorkommt wie die unselige Wiederkehr des Immergleichen, hält sein Auge sich schadlos an der anscheinend wahrhaft unerschöpflichen Vielfalt der Farben und Formen, vermittels derer die Mode die natürliche Frau ein zweites Mal zu erfinden versucht. Strohhüte mit weißen Veilchen oder Schierlings-Dolden, Samtkleider oder solche aus rostroter Moiré-Seide mit breitgewirktem dunkel goldenem Gürtel, derlei die Aufmerksamkeit des Naturfreunds Altenberg erregende Hüllen[27] sind dazu angetan, die Frauen in Exempel einer exotischen Flora zu verwandeln, die als eine Art zweite Natur die erste ersetzen soll und doch zugleich als Instanz des immer radikaler werdenden Sozialisationsprozesses fungiert. Der zunehmenden Selbstentfremdung des Menschen, die sich in dem von Roland Barthes erkundeten pseudonatürlichen System der Mode niederschlägt, ist eine erotische Sehnsucht beigeordnet, die vorab an toten Dingen ihr Genügen findet. Benjamin hat im Rahmen seines *Passagenwerks* die Transformationen des Gefühlslebens skizziert, die sich vollziehen, wenn ein bloßes Objekt, ein Andenken, zum Komplement, wo nicht gar zum Ersatz des Erlebnisses wird. Die Folge sei, schreibt Benjamin, die Inventarisierung der Vergangenheit als tote Habe in einer Reliquiensammlung.[28] Lassen sich über das reale Liebesleben des Troubadours Altenberg allenfalls Vermutungen anstellen, so bestehen dafür an seiner Sammlerleidenschaft, von der die reichhaltigsten Zeugnisse auf uns gekommen sind, nicht die geringsten Zweifel. In drei großen Lackkassetten verwahrte er sorgsam eine im Verlauf vieler Jahre zusammengetragene Sammlung von 1500 Ansichtskarten, Abbildern von Landschaften, Gebirgen, Seen und blühenden Wiesen. Eine der Schachteln enthielt, wie Helga Malmberg erinnert, »nur vollendet schöne Frauen- und Kinderbildnisse. Immer wieder«, erzählt sie, »wenn er nicht einschlafen konnte, ordnete Peter diese Schätze.«[29] Bekanntlich manifestierte sich Altenbergs Bildersucht auch an den Wänden seines Kabinetts. Bilder lieferten ihm die Gefühle, die er dann wieder in Bilder übersetzte. Camillo Schäfer schreibt, daß Altenberg, hatte er Gefallen an einer Frau gefunden, ihr bald schon die Adresse eines von ihm bezahlten Photographen zukommen ließ.[30]

Souvenirs gingen ihm über alles. Es wäre jedoch falsch, anzunehmen, Altenberg sei seiner Sammlerleidenschaft naiv ergeben gewesen; in einer Antwort auf eine Rundfrage der *Internationalen Sammlerzeitung* überdenkt er sie selbst und kommt zu dem Schluß: »›sammeln‹ heißt, sich auf etwas außerhalb der eigenen Persönlichkeit Liegendes konzentrieren können, das aber nicht so gefahrvoll und undankbar ist wie eine geliebte Frau — — —.«[31]
Die fehlenden weiteren Ausführungen stehen für die komplizierten Romane, die Altenberg zu diesem Thema nicht geschrieben hat. Sie hätten erzählt von einer Passion, die es einzurichten wußte, daß die Objekte ihrer Sehnsucht ihr allzeit und widerstandslos zur Verfügung standen, von Ritualen, die es möglich machten, daß der Liebhaber, seiner rückhaltslosen Liebesgier zum Trotz, seinen Geliebten nie zu nahe zu treten brauchte. Ein kleines Taschentuch, das er in der linken Hand festhielt, um einschlafen zu können, erfüllte ihn mit »Milliarden innerer Zärtlichkeiten«[32]. Ein Stückchen Brot vom Abendtisch der Geliebten, ein Glas, dessen Rand ihre Lippen berührt hatten, Haarnadeln aus ihrem Haar, Stecknadeln aus ihrem Kleid waren für ihn ›reellere‹ Werte als die Gegenwart der Geliebten selbst.[33] Der Fetischist weiß, daß einem die Dinge zumindest die Treue nicht brechen. Mit seinen Schriftzügen kann er das Bild eines Leibes bedecken und ein Teil von ihm werden auf immer. Auch gelingt es der fetischistischen Phantasie, die Trugbilder der Mode, mit denen die Warengesellschaft des 19. Jahrhunderts den Anarchismus der Wunschvorstellung zu regulieren begann, zurückzuverwandeln in wahrhafter Transsubstantiation in den verborgenen Leib selbst. »Das Kleid«, notiert Altenberg über das, was ihn anzieht an seiner Geliebten, »wird zum Symbol ihres Leibes! Die lose Kleiderfalte, die absteht, wird zu ihrer Haut! Wir können ihren Leib berühren in ihrer losen Kleiderfalte. Wir!«[34] Der pluralis majestatis, mit dem der Fetischist sich hier vorstellt, ist das Zeichen der Allmacht, die seine vollendete Liebesstrategie ihm einbringt. Er ist insgeheim im Bündnis mit den Diktatoren des guten Geschmacks. Je vielfältiger die Accoutrements, mit denen die Schöpfer der Mode an der Weiblichkeit den An-

schein des Natürlichen hervorzaubern, desto reicher die Beute, die der Liebende in seiner Botanisiertrommel davontragen kann. Von Baudelaire ist die Zeile: »J'ai plus de souvenirs que si j'avais mille ans.«[35] Wer dessen sich rühmen kann, weiß zugleich, daß schwer leben ist von Andenken allein, sind sie doch das Maß der Einbußen, die wir fortwährend erleiden. »Neben mir«, schreibt Altenberg, »liegt mein geliebter grauer Filzhut, Gemsjagd-Kaiser-Hütchen. Er erinnert mich an alles, was ich verloren habe, an Alles! Ich habe ihn in Mürzzuschlag gekauft nach langem Suchen, er ist mein Ideal-Hut. Nun blicke ich ihn an, in tiefster Zärtlichkeit, als ob er noch die hellen scharfen Lüfte und Düfte vom Semmering-Paradies in seinem Filzgewebe berge.«[36]
Diese schöne Hommage an eine Kopfbedeckung wurde geschrieben nach der Rückkehr in die Stadt. Wohl leuchtet hier, vom Irrealis halb zurückgenommen, noch einmal das Semmering-Paradies auf, aber in eins damit ist die Stilisierung des Mürzzuschlager grauen Filzhuts zum geliebten Andenken eine Art Abgesang, ein Verzicht auf die Ferne, wie ihn Benjamin als entscheidendes Moment in der Lyrik Baudelaires aufgedeckt hat.[37] Wie Baudelaire, so kommt auch Altenberg in seinen späten Schriftstellerjahren nicht viel hinaus aus der Stadt. Reisen sind ja im Grund längst nicht mehr nötig, seit die weite Welt eingebracht worden ist in die alles umfassende Metropole. In den wechselnden Schaustellungen der Wiener Panoramen kann man das Ampezzo-Tal und die Vogesen, New York, die ägyptischen Pyramiden, das Goldene Horn, Florida und Alaska für ein geringes Eintrittsgeld besuchen.[38] Solange der eingeborene Stadtmensch nur den Habitus des Reisenden kultiviert, kann er so gut wie endlos herumfahren in der Phantasie. Und treibt er den Illusionismus vollends dadurch auf die Spitze, daß er wie Altenberg in seiner Heimatstadt im Hotel wohnt, so kann er, nachts in sein Zimmer zurückgekehrt, Aufzeichnungen und Skizzen machen, ganz als sei er weiß Gott wo gewesen. Altenberg hatte bezeichnenderweise die Gewohnheit, seine nächtlichen Notizen in eine große Reisetasche zu geben, deren Inhalt er dann einmal im Jahr seinem Berliner Verleger

zum Zweck der weiteren Aufbereitung seiner Touren und Extratouren überließ. Der im »Gefängnis ›Großstadt‹«[39] einsitzende Reiseberichterstatter sehnt sich zwar zweifellos nach draußen, vermutet aber gar nicht zu Unrecht, daß die meisten Reisenden, was die heimgebrachten Erfahrungen betrifft, ihm das Wasser nicht reichen können. Wenn er von seinem gewohnten Platz im Graben-Kiosk beobachtet, wie die Kellner im Herbst die in die Stadt zurückgekehrten Gäste begrüßen, als wären sie »Weltreisende, die vielfache Gefahren überstanden haben«[40], dann erkennt er an solcher Veranstaltung, daß keiner dieser Stadtflüchtigen je so weit in der Ferne gewesen ist wie er Tag für Tag.

Der Typus des Flaneurs, dem Peter Altenberg angehört, entstand in einer Zeit, in der es möglich geworden war, die Welt zu Hause sich zu erwandern. Während der Reisende dem durchorganisierten Leben mehr noch, als er sonst gewohnt, unterworfen ist, kann der Flaneur seinen Müßiggang legitimieren,[41] indem er in der Stadt ein Auge hat auf alles, was in ihr und der Welt vorgeht. Sein Beobachtungsposten ist der günstigste bei weitem, und so wurde er, etwa in dem Wiener Spaziergänger Daniel Spitzer,[42] dessen Exkursionsberichte ab 1865 nahezu dreißig Jahre lang allsonntäglich in der ›Presse‹ erschienen, zu einem Orakel, das über die neuesten Vorgänge die zuverlässigste Auskunft zu geben vermochte. Ein Kommentator des wirtschaftlichen, politischen und gesellschaftlichen Lebens, wie Spitzer es war, fand naturgemäß sein Betätigungsfeld in dem stets weiter ausufernden Journalismus, in einem Metier, das, wie die Namen der Nachrichtenblätter zeigen, das Geschäft des Beobachters (Observer, Observateur, Osservatore) zu seinem korporierten Ideal erhoben hatte. Im Gegensatz dazu war ein Autor wie Adalbert Stifter in seinen Wiener Spaziergängen bemüht, so etwas wie eine Physiognomie der Hauptstadt zu entwerfen. Der wahre Über-Blick, den er vom Stephansturm herab auf die ungeheure Agglomeration der Behausungen und das geschäftige Treiben ihrer Bewohner wirft, der Gang durch die Katakomben, seine Berichte aus dem Prater, vom Tandelmarkt, über die Wiener Stadtpost und die Warenauslagen und Annoncen, all das ist zu verstehen als Versuch, das unbekannte Territorium Großstadt zu erschließen und seine reichhaltige Wunderwelt auch anderen Wanderern zugänglich zu machen. Die Absichten, die der Flaneur Altenberg verfolgte, der auf den Plan trat, als die Vitalität der Metropole bereits im Schwinden begriffen war, waren notwendig von anderer Art. Weder der journalistische Bericht noch die epische Abschilderung ist seine Sache. Vielmehr scheint es, als hätten sich seine Zweifel, das Reisen betreffend, auch erstreckt auf das für den Flaneur unabdingbare Herumgehen in der Stadt. Kaum gibt es in seinem doch recht weitläufigen Werk irgendwelche Hinweise, daß er je über den ersten Bezirk hinausgekommen wäre. Und selbst Gisela von Wysockis Versuch, Altenberg zu einem Spaziergänger zu stilisieren, der die Innenstadt, »das gewachsene Labyrinth der Gassen, Höfe und Durchgänge«, zu seinem Reich erklärte, überzeugt nicht.[43] Daß Altenberg interessiert gewesen wäre an dem verschlungenen Ineinander innerhalb des Ringstraßenrunds, an der Verzahnung von historischer Spur und aktueller Wirklichkeit und zu Irrfahrten sich verlocken ließ, wie Gisela von Wysocki es uns nahelegt, wüßte ich aus seinen Schriften kaum nachzuweisen. Tatsächlich ist Altenberg nicht einmal in der inneren Stadt annähernd soviel herumgegangen, wie sich das für einen anständigen Flaneur gehört hätte, obzwar er auf solides Schuhwerk nicht weniger Wert gelegt hat als ein zu ewiger Wanderschaft Verurteilter. »Ich habe seit 2 Jahren noch ein Paar amerikanischer Schnürschuhe in Reserve. Das macht mich sorgenlos, frei und glücklich.«[44]

Altenberg konnte *seine* Beobachtungen von seinen diversen Stammplätzen aus machen, und um seine Ansichten an den Mann oder die Frau zu bringen, hatte er es gleichfalls nicht nötig, in den Straßen herumzugehen. Vielmehr mokierte er sich über die Peripathetiker, die (wo man doch auch als Flaneur durchaus bequem irgendwo sitzen kann) »à la Sokrates ... auf- und abwandeln und Sandalen strapazieren. Schmöcke freilich«, fügte er hinzu, »brauchen diese wichtigste Selbstinszenierung, da man sie ... ohne diese ... Inszenierung ihres eigenen Mist-Daseins sogleich ... entlarven würde.«[45] Altenberg besteht auf seiner Seßhaftigkeit. Im

Gegensatz zu der in der Masse unsichtbar dahintreibenden Figur des Flaneurs war er stets aufs äußerste exponiert, und seine wenigen habituellen Aufenthaltsorte waren alles andere als ein Geheimnis. Die panische Immobilität, die sein Leben kennzeichnete, ist auch der Grund dafür, daß eine Topographie Wiens aus den Schriften dieses Wiener Poeten nur in einem metaphysischen Sinn sich herleiten läßt. Wie Baudelaire ein Flaneur, dem seine Stadt »längst nicht mehr Heimat war«[46], schildert er weder deren Einwohnerschaft noch sie selbst.[47] Das In-der-Stadt-nicht-zu-Hause-sein-Können zeigt sich auch an den kontinuierlichen Wohnungswechseln. Baudelaire hatte zwischen 1842 und 1858 vierzehn verschiedene Adressen,[48] und ebenso ist Altenberg nach der Trennung von seiner Familie sechzehn Jahre andauernd umgezogen, bis er 1902 im Stundenhotel London, einem schäbigen Etablissement mit regem Parteienverkehr, und später im Zimmer 33 des Grabenhotels in der Dorotheergasse dauerhaftere Bleiben gefunden hat. Beide Poeten bekämpfen die Angst, in den Augen der sogenannten Gesellschaft als Depossedierte zu erscheinen — immerhin hat Schnitzler Altenberg nicht nur einen wundervollen Dichter, sondern auch einen Schubiak genannt[49] —, mit ihrem Dandytum und der Bouffonnerie ihres Auftretens, die es ihnen erlaubte, ihren Außenseiterstatus zu reklamieren und zugleich das Publikum bei der Stange zu halten. Die Angst, die ihnen im Nakken saß, war freilich auch mit dieser Demonstration des Selbstbewußtseins nicht ganz zu beschwichtigen. Sie wußten sich beide verfolgt und mißachtet und konnten es sich darum, abgesehen einmal von anderen möglichen Ursachen der Schlaflosigkeit, nicht leisten, das Auge zuzutun. Benjamin zitiert im Flaneur-Kapitel seiner Baudelaire-Arbeit eine Stelle aus *Les Heures Parisiennes* von Alfred Delvaud, wo es heißt, daß der Mensch dieser neuen Zeit sich zwar noch ausruhen dürfte bisweilen, aber daß er nicht mehr das Recht habe zu schlafen.[50]

Die Stadt wird im Hochkapitalismus zum Ort des ewigen Umgangs. Altenbergs Noktambulismus steht demjenigen Baudelaires in nichts nach; der Dichter wird zum berufsmäßigen ›Draher‹. Die armen dressierten Bären, die er eines

Nachts auf einer grell erleuchteten Varieté-Bühne bicyclefahren sieht, erinnern ihn so unmittelbar an das eigene Schicksal, daß er ihnen seine Stimme zu leihen vermag und daß aus den redenden Bären heraustönt, was der Dichter selber kaum hätte sagen können. »Aus düsteren Wäldern hat man uns herausgezerrt, hat uns etwas lernen lassen, was wir für unser Leben gar nicht brauchen.«[51] Die Klage gilt dem Bärenlos wie der an jedem Menschenkind vollzogenen Zurichtung für die Zwecke der Zivilisation. Als einziger Trost nach der mitternächtlichen Zurschaustellung bleibt den Bären wie den nachtwandelnden Poeten, daß sie zum wenigsten den Tag verschlafen können »wie in der Heimat«[52] beziehungsweise in der präzivilisatorischen Zeit der Kindheit. Vielleicht aber das schönste Bild für seinen notorischen Noktambulismus kam Altenberg zu aus seiner Identifizierung mit der Fledermaus, die er, im Gegensatz zu den Ignoranten, die von Nachtschwärmern nichts verstehen, für ein eminent nützliches Tier hält. Also macht er den Vorschlag, zur Eindämmung der Mückenplage in den Donau-Auen in Klosterneuburg eine Fledermauszuchtanstalt einzurichten. »In hohen luftigen Hangars an schmalen waagrechten Stangen sollen bei Tag eine Million Fledermäuse schlafend hängen, um bei Nacht eine jede 200 Mücken, also 200 Millionen Mücken zu vertilgen!«[53] Der Nutzen liegt auf der Hand. Die Fledermaus »arbeitet für die ganze Menschheit bei Nacht, wie die Dichter, wenn sie zufällig ›Inspiration‹ haben«[54]. Inspiration haben, das ist die Fähigkeit zu fliegen. Kein Wunder, daß gerade Peter Altenberg, dessen ganzes Leben nach Lina Loos »den Eindruck von etwas frei schwebendem machte«[55], nachts auf dem Graben Flugversuche anstellte, indem er mit den Armen rascher und rascher schlug, bis er, »sonderbar gewichtlos, von Geist und Sehnsucht getragen schien«[56]. Zu den Wunschbildern des Pneumatikers Altenberg gehörte, dieser Demonstration der menschlichen Verwandlungsfähigkeit entsprechend, das des Fliegenden Holländers. In *Was der Tag mir zuträgt* beschreibt er, der selber gern in weiten Radmänteln und Pelerinen umherging, den seltsamen Luftreisenden als den Traum aller schönen Frauen, »in einen weiten dunklen Mantel gehüllt, wie mit

Weltenschwingen angethan, mit seinen räthselvollen Augen und seinem Schicksale des ewig Wandernden«[57].
Mit der aus dem Fliegenden Holländer mutierten ahasverischen Gestalt des ewig Wandernden sind wir bei einem Thema, das für Altenberg, der im Jahr 1900 zum Katholizismus konvertierte, keines war: dem seiner jüdischen Abstammung. Nichtsdestoweniger versinnbildlicht gerade seine legendäre Person deutlicher als manche explizite Auseinandersetzung die Problematik des jüdischen Lebens im Wien der Jahrhundertwende. Altenberg gab sich, obschon er nie viel unterwegs gewesen ist, durch seine exzentrische Garderobe das Air eines Menschen, der aus weiter Ferne kam oder im Begriff stand, in diese aufzubrechen. Zu seinen wichtigsten Requisiten gehörte der Wanderstab beziehungsweise der Spazierstock, der zuverlässigste Begleiter eines jeden richtigen Reisenden. In einem Prosastück, das *Der Spazierstock* überschrieben ist, sieht er eine Zeit kommen, in der sein Spazierstock ihm die einzige Stütze sein wird. »Der Wald, der See, Frühling und Winter, die Frau, die Kunst versinken, und es bleibt dir als einzig Lebenfüllendes: Der schöne Spazierstock!«[58] Eine Perspektive aufs fortgeschrittene Alter, aber auch auf eine umnachtete Zukunft, in der die allegorische Figur des letzten Wanderers, verstoßen von einer denaturierten Gesellschaft, in einer nicht minder denaturierten weg- und steglosen Gegend sich weiterzubringen sucht. Kafkas Wanderer K. und Becketts Molloy führen später vor, was der eigenartige Aufzug Peter Altenbergs antizipiert. Adorno hat Mahler zu denjenigen gerechnet, die wie Kafka den Faschismus um Jahrzehnte vorausgeahnt haben, und eben diese Ahnung, meinte er, motivierte in Wahrheit wohl »die Verzweiflung des fahrenden Gesellen, den zwei blaue Augen in die weite Welt schickten«[59]. Altenberg ist niemand anderer als dieser fahrende Geselle. In Wien schon übt er das Überleben in der Fremde, läßt sich eine ›Hausiererberechtigung für den Gemischtwarenverschleiß‹ ausstellen und beginnt einen Handel mit selbstgefertigten Armbändern und Halsketten.[60] Selbst wenn es damit noch nicht vollends ernst ist — Altenberg wird seine Waren weniger von Tür zu Tür als an seinem Caféhausplatz feilgeboten haben —,

ist die Geste doch bezeichnend; sie bedeutet, daß man vielleicht in der nächsten anstehenden Notzeit wieder auf das alte jüdische Geschäft des Dorfgehers wird zurückgreifen müssen, der in seinen Packen ein Sortiment durch die Lande schleppt, zu dem, wie es in einer Erzählung von Franzos heißt, wirklich alles gehört: »Strohhüte, Ledergurte, Taschenmesser ..., Blumen, Bänder, Korallen, Liebestränke ..., Leinwand, Talg, Geschirre, Heiligenbilder, Zaubermittel, Wachslichter, Nadel und Zwirn ..., Gebetbücher, alte Hosen und Kaftane, neue ›Teffilim‹ und ›Mesusas‹ für die ... Glaubensgenossen, Schnupftabak, Kalender, die Zeitungen der verflossenen Woche, feine Stoffe für die Pfarr- und Edelhöfe, Liqueure, Spielkarten, geschmuggelte Cigarren und andere Dinge für die Kavallerieoffiziere, kurzum, Alles, Alles!«[61] Wie einer der sprichwörtlichen anonymen Gerechten trägt der Dorfgeher die Welt auf dem Rücken. Und auch in Altenbergs ambulanter Handlung ist mehr zu haben als nur Halsketten und Armbänder, denn seine Bücher, die, wie Gisela von Wysocki schreibt, etwas an einen Bauchladen erinnern, offerieren ein nahezu komplettes Angebot an Kurzwaren, alles, was man zum Leben braucht. Altenberg ist auf eine lange Tour vorbereitet, aber, wie gesagt, noch ist es nicht ganz soweit, noch sitzt der Wanderer im Wartesaal des Wiener Caféhauses, und was er derweil zur Aufführung bringt, das ist, wie wir nun wissen und wie Adorno von der Musik Mahlers schrieb, das Vorspiel der Emigration.[62]

Es bedarf kaum der Erwähnung, daß Altenbergs Desinteresse an jüdischen Dingen der These, daß gerade er, in seiner singulären Gestalt, die schwierige Lage des Wiener Judentums zum Ausdruck brachte, keinen Abbruch tat. Das Assimilationsziel des Wiener Judentums war eine bürgerliche Klasse, deren gehobene Schichten um die Jahrhundertwende ihr Ethos nach wie vor von der dominanten aristokratischen Kultur bezogen, einer Kultur, die den bürgerlichen Tugenden des guten Haushaltens mit Geld und Gefühlen nicht ganz zu Unrecht mit einer gewissen Skepsis begegnete. Hatten jüdische bürgerliche Familien im Assimilationsprozeß einmal die höheren Schichten erreicht, so wirkte sich in ihnen das Unbehagen an der bürgerlichen Lebensführung meist radikaler aus als in der nichtjüdischen Bourgeoisie. Die bekanntesten Namen in der Wiener Kultur der Jahrhundertwende — Hofmannsthal, Schnitzler, Kraus, Herzl, Wittgenstein und, etwas später, Broch — repräsentieren fast ausnahmslos diesen Sachverhalt. Auch für Altenbergs Vater, Moriz Engländer, der ein Importgeschäft mit kroatischen Korbwaren betrieb und sich aus der Leopoldstadt in den ersten Bezirk hinaufgearbeitet hatte, war die Lektüre der Romane Victor Hugos, der er tagtäglich in einem dunkelroten, mit Schrauben kommod verstellbaren Lesesessel oblag, schließlich wichtiger geworden als das Unternehmen, das er aufgebaut hatte. Die von höheren Aspirationen erfüllten Söhne dieser Generation mußten, wenn sie wirklich in ihrem Assimilationsmilieu aufgehen wollten, übers Geschäft hinaus in der Kultur reüssieren, was natürlich, da es am Olymp nur wenige Plätze gibt, zur Entstehung einer der Bourgeoisie parasitär verhafteten Bohème führte. In seinen dunkleren Momenten, in denen er es satt hatte, weiter den Wurstel zu spielen,[63] wußte Altenberg, daß das Dichtertum eine äußerst ephemere Angelegenheit und daß er, als Exponent dieser Bohème, zu einem unwürdigen und abhängigen Dasein verurteilt war. Die Angst vor der Deklassierung, davor, daß er die Grenzlinie, die den Draher vom Sandler trennt, einmal unwiderruflich überschreiten könnte, verfolgte ihn sein Lebtag lang. Dabei hatte er bis zu seinem fünfunddreißigsten Jahr ein regelmäßiges Einkommen von 240 Kronen aus dem väterlichen beziehungsweise brüderlichen Geschäft, was immerhin dem Verdienst eines Hauptmanns entsprach. Und auch späterhin, nachdem der Bruder falliert hatte, wußte Altenberg auf die eine oder andere Weise zu dem Seinen zu kommen. Die zahllosen bekannten Schnorreranekdoten aus seinem Leben brauchen hier nicht rekapituliert zu werden, mit Ausnahme der einen vielleicht, die davon erzählt, wie Altenberg in Gmunden einmal sein gesamtes Geld zur Bank brachte, weil im Hotel eingebrochen worden war, und unmittelbar darauf dem Bruder telegraphierte: »Lieber Georg, schicke mir hundert Kronen, habe mein ganzes Geld auf die Postsparkasse getragen und starre nun dem Hungertode entgegen.«[64]

Altenbergs Verhältnis zum Geld war höchst kompliziert; er gab es unbesehen aus, vor allem, wenn es nicht das seine war, war aber zugleich imstande, es fürsorglich auf die Seite zu schaffen, und zwar derart effektiv, daß er sogar selbst darauf vergaß und überzeugt davon, knapp vor dem endgültigen Ruin zu stehen, guten Gewissens weiter die Wohltätigkeit anderer beanspruchen konnte. Diejenigen, die Altenberg wiederholt um Zuwendungen anging, vermuteten seinerzeit schon, daß er so arm nicht war, wie er gern vorgab. Schnitzler beispielsweise erfährt beim Tennisspielen von zwei Fräulein Kraus, Nichten vom Fackel-Kraus, wie er sich ausdrückt, »daß P. A. wohlhabend, ja reich sein soll, und sein Geld während der Krankheit unter dem Kopfpolster verborgen habe — weshalb er nicht habe aufstehen wollen. All sein Bettelwesen«, vermutet Schnitzler, »wäre demnach auf vollkommen krankhaften Geiz zurückzuführen.«[65] Ob Altenbergs Verhalten tatsächlich von pathologischem Geiz motiviert war, mag dahingestellt bleiben. Jedenfalls erwies es sich bei seinem Tod, wie erfolgreich er mit seiner Strategie operiert hatte. Der arme Poet, dem in den letzten Jahren in zunehmendem Maß von seinen Freunden geholfen worden war, hinterließ das nicht unbeträchtliche Vermögen von 100000 Kronen, das er, vielleicht zur Erlösung seiner schwarzen Seele, der Kinder-Schutz- und Rettungsgesellschaft vermacht hatte. In Altenbergs Einstellung zum Geld ist etwas Vorbürgerliches, auch das möglicherweise eine Reflexreaktion auf die Grundsätze der ungeliebten Klasse, der er als Assimilant angehörte. Zu den schönsten Gestalten Joseph Roths gehören ja gleichfalls vom bürgerlichen Geschäftssinn noch nicht deformierte jüdische Protagonisten. Eine ähnliche Blickrichtung auf ein von der Gesellschaft weniger vereinnahmtes Dasein läßt sich bei Altenberg feststellen, der mit einer gewissen Rührung erinnert, wie der Vater im Sommer gern das Geschäft aufgab und »als ›Holzknecht‹ verkleidet in der Jagdhütte auf dem ›Lakaboden‹, Voralm des Schneebergs (lebte). Er stand um 4 Uhr auf und kochte Sterz und ging den Birkhahn betrachten in seinen Liebestänzen.«[66] Ganz so weit ist Altenberg selbst trotz seiner Naturschwärmerei nicht gegangen. Er wußte, daß man in die ver-

lorene Zeit nicht zurück konnte. Die erste Seite seines ersten Buchs erzählt von Rositta und Margueritta, zwei sehr wohlerzogenen neun- und elfjährigen Kindern, von denen die eine nach Auskunft der Frau Mama philanthropische Neigungen hat, während die andere so sehr verliebt ist in die Natur, daß sie Zither lernen und Sennerin werden will am Patscherkofel, was die urbanere Schwester für übertrieben hält. Wie die unvergleichliche Ironie dieser kleinen Geschichte anzeigt, war Altenberg sich darüber im klaren, daß er als Holzknecht auf dem Lakaboden nicht weniger extravagant sich ausgenommen hätte als die junge Dame am Patscherkofel, daß Natur, letzten Endes, für uns nur mehr insofern Natur ist, als sie in und von der Zivilisation errettet werden kann. Deshalb hat er sich angesiedelt in der Stadt, als *Paysan de Vienne,* in vollem Bewußtsein des Widerspruchs zwischen Natur und Gesellschaft. Das Paradoxe solcher Existenz war abzulesen an den Facetten seiner stets wechselnden Kostümierung, die zwischen dem Tweedanzug und karierten Flanell des englischen Reisenden und österreichischer Provinztracht, zwischen Bicycledress und reformerischem Raffinement, zwischen Pyjama und Clownskittel so ziemlich alle Übergänge erlaubte. Altenbergs Verkleidungen waren ein Indiz für den inneren Zustand eines Menschen, der aufgrund der Konstellation, in die er geboren wurde, nicht wußte, wohin sich wenden, und der deshalb, auf dem knappen Platz, den er für sich beanspruchen durfte, die irrwitzigsten Kunststücke aufführte, nicht anders als der von ihm bewunderte Blondel, der sich auf dem Hochseil eine Eierspeise kochte.
Altenbergs Dichterleben war wie dasjenige Baudelaires von vornherein angelegt auf den Ruin, wo nicht auf den finanziellen, so doch auf den körperlichen. In *Mein Lebensabend* beschreibt er, wie er im Grabenhotel, wo er wie K. bei den Dienstmädchen seines Endes harrt, von seinem Zimmerfenster aus die Dachdecker bei ihrer riskanten Arbeit betrachtet. Die Routine, mit der sie ohne Sicherheitsgürtel ihre schwindelerregenden Eskapaden vollführen, zeigt, daß sie sich »längst mit dem einfachen Gedanken vertraut gemacht haben, daß das ganze Leben überhaupt und in jeder Bezie-

hung und überall nur an einem reißbaren Faden hänge«[67]. Mit solchen Luftmenschen ist Altenberg wahlverwandt, denn, so schreibt er an anderer Stelle, »auf zehn Jahre auf oder ab kommt es ... dem kultivierten Melancholiker doch wirklich nicht an«[68]. Das dritte der fünf Orchesterlieder, die Alban Berg 1912 nach Ansichtskarten-Texten von Altenberg komponierte, ist das Mikrogramm einer unvermittelt abbrechenden Lebensbahn. »Über die Grenzen des Alls blickest Du sinnend hinaus. Hattest nie Sorge um Hof und Haus. Leben und Traum vom Leben«, so lauten die Zeilen, über die Berg, ausgehend von einem berühmt gewordenen Zwölftonkomplex, einen wahrhaft unerhörten Klangbogen spannt, der dann mit den Worten »plötzlich ist alles aus« in die absolute Tonlosigkeit abgleitet. Adorno erinnert in seinem Mahler-Buch, daß die Psychoanalyse der Musik die Fähigkeit zur Abwehr der Paranoia zuschreibt.[69] Das unvermittelte Ersterben der Klänge öffnet ihr dagegen Tür und Tor. Diese schlimme Wendung der Dinge hat Altenberg früh vorausgeahnt. »Liebster Georg«, schreibt er schon 1909 an den Bruder, »das Ende naht mit ungeheuren Schritten an mich heran. Meine Melancholien verzehren mich bei lebendigem Leibe!«[70] Das desperate Lebensgefühl, das darin sich artikuliert, ist das des Spleens, den Benjamin auch an Baudelaire diagnostizierte, ein Gefühl, »das der Katastrophe in Permanenz entspricht«[71]. Der Gedanke, am Fensterkreuz sich aufzuhängen, war Altenberg nicht fremd.[72] »Eine richtige, anständige, ehrliche ›Bilanz des Daseins‹ führen nur die Selbstmörder«, schreibt er in *Semmering, 1912*[73], doch ist die Sache so leicht nicht zu bewerkstelligen. »Viele nehmen den Browning, viele aber auch nicht.«[74] Zu diesen letzteren gehörte, aus welchem Grund immer, Peter Altenberg selber, und also blieb ihm nichts anderes, als fortzufahren in dem Dressurakt, dem er sich unterworfen hat und von dem ein Gleichnis sich ihm offenbart, als er eines Abends von der Zirkusloge aus den abgerichteten Menschenaffen Peter, seinen Namensvetter, sich produzieren sieht,[75] womöglich denselben, der Kafka zum *Bericht an eine Akademie* inspirierte. Diese Geschichte, die unter anderem, wie schon Brod bemerkte, als Glosse zum Prozeß der Assimilation zu verstehen ist, beschreibt an einer entscheidenden Stelle, wie der Affe Rotpeter die Hemmungen, die ihn an der Menschwerdung hindern, erst überwindet, als er die Schnapsflasche ansetzt. Unter dem Stichwort ›Alkohol‹ gibt Altenberg in *Prodromos* der Vermutung Raum, der Rausch fülle »die schreckliche Kluft aus zwischen dem, was wir sind, und dem, was wir sein möchten, sein sollten, werden müßten«. In derselben Passage heißt es, in genauer Analogie zu Kafkas Text, »als der Affe erkannte, daß er Mensch werden könnte, begann er zu saufen, um den Schmerz seines Noch-Affe-Seins hinwegzuschwemmen«[76]. Hierin liegt die komplette Ätiologie von Altenbergs eigenem Alkoholismus, der ihm allnächtlich zu seinen imaginären Metamorphosen verhalf. Der Alkohol, dem Altenberg jahrelang in ungeheuren Mengen zusprach und dessen Wirkungen er zuletzt mit einer bis zu vierzigfach überhöhten Dosis des Schlafmittels Paraldehyd kontrollieren zu können glaubte, ließ ihm, wie er bereits in *Prodromos* notierte, »Zeit zum Entschluß des Selbstmords«[77]. Daß dieses Traktament zur völligen Zerrüttung und in die verschiedensten Anstalten führen mußte, das lag auch für ihn auf der Hand. Die Kaltwasserheilanstalt Sulz bei Mödling, die Fango-Anstalt in Wien, die Nervenheilanstalt Inzersdorf und diejenige Am Steinhof waren die Stationen des Weges, auf den seine Verzögerungstaktik hinauslief. Sie waren ihm ein »Exil hinter vier Mauern«, in das er geschickt wurde, weil »die Menschen ... ›langsam Sterbende‹ nicht sehen (wollen)«[78], ein Exil, in welchem der apathische Kranke, wenn Besuch kommt, »aus seiner wohltuenden Ruhe ... aufgescheucht, gesäubert und rasiert (wird)«, so daß er sich in seinem frisch überzogenen Bett ausnimmt wie ein »Geburtstagskind«[79]. In Anbetracht solcher unliebsamen Erfahrungen kam Altenberg zu dem Schluß, daß es sinnvoller wäre, wenn die Kranken die Gesunden internierten, »damit diese an ihnen keine Gemeinheiten begehen könnten«[80].

Der erstaunlichen Widerstandsfähigkeit Altenbergs und der Intervention seiner Freunde war es zuzuschreiben, daß er nicht, wie er es sich auf eine Weise erhofft haben mochte, im Dreizehnerjahr in einer dieser Anstalten einfach verdämmerte. Wie ein derartiges Verdämmern hätte aussehen können, beschreibt er selbst in einer Inzersdorfer Skizze. »In einem dunklen Gartenparterrezimmer sitzen seit Jahren Graf C. und Herr von D. hart nebeneinander in alten Lederfauteuils, wortlos, ohne sich zu rühren, stunden- und stundenlang wie Wachsfiguren, bis jemand kommt und sie zu Bett legt. Nie, nie, nie sprechen sie einen Wunsch aus, rauchen nicht, langweilen sich nie, warten auf die Tage, die Monate, die Jahre, wie alte Bäume im Frieden der Natur.«[81] Das in diesen Zeilen evozierte Eingehen in eine Form des einfachen natürlichen Daseins, in dem man wie ein Baum nicht mehr von seiner Stelle zu gehen brauchte, sollte Altenberg aber, im Gegensatz zu Baudelaire, der vom Schlag getroffen und seiner Sprachfähigkeit beraubt in einer Privatklinik erlosch, nicht beschieden sein. Vielmehr wurde er von seinen Freunden in einem im Mai 1913 von Adolf Loos inszenierten Coup noch einmal in die Freiheit entführt und auf einen langen Sommer nach Venedig mitgenommen. Bei Gelegenheit dieser seiner ersten größeren Reise überhaupt sieht er erstmals, in seinem 55. Lebensjahr, vom Balkon des Triester Hotels Excelsior das Meer. Im Oktober kehrt er aus Venedig nach Wien in den Lebenskampf zurück. In den anschließenden Kriegsjahren, die ihn, bisweilen zumindest, auf andere Gedanken bringen, stellt er noch einmal seine Unverwüstlichkeit unter Beweis. Selbst als vollends das Unglück über ihn kommt und er im Verlauf des Jahres 1918 mit doppelt gebrochener Hand monatelang »ohne zu essen, ohne sich zu waschen«, wie er behauptet, in seinem »Sarg-Kabinette« im Graben-Hotel liegt,[82] rafft er sich gelegentlich noch dazu auf, sich Mut zu machen mit anklägerischen Ausbrüchen, die in der Phraseologie seltsam an Bernhards spätere Tiraden erinnern. »Du selbst allein mußt, kannst, wirst Dich erretten aus Deinen eigenen sogar bereits selbstgegrabenen Abgründen! Sonst Niemand, kein angeblich verständnisvoller Arzt, kein gutmütiger Freund! Nur Du, Du, Du allein, Du selbst! Von Deinen Lebensenergien allein hängt Dein Lebensschicksal ab, aber weder von den, naturgemäß in bezug auf Dich, völlig verständnislosen und größenwahnsinnigen Ärzten oder ebenso naturgemäß verständ-

nislosen wohlmeinenden Freunden, die Dich in allerbester Absicht in Deine eigenen Abgründe hinabstürzen!«[83] In Altenbergs *Nachlaß*, der davon zeugt, daß er bis zuletzt frenetische Kritzeleien anbrachte an den Rand seines Lebens, finden sich Passagen, aus denen hervorgeht, daß er, den doch stets ein pathetischer Narzißmus beflügelt hatte, angesichts des Endes mit sich selbst ins Gericht geht. Er spricht von dem »grauenvollen Verhängnis« seines »vollkommen pathologischen Gehirnes von Mamas und Papas Ungnaden aus! Solche Exzeptionen jeglicher Art dürfen eben keine Kinder in die Welt setzen, in denen sich dann naturgemäß der geistig-seelisch-körperliche Fluch des Andersseins wie alle Millionen um einen herum sofort ins Unermeßlichste, Tragischeste (sic), weil Schuldloseste, steigert, und unüberbrückbare Abgründe sich überall irgendwo auftun, in allen Sphären, und dich irgendwie vernichten müssen!«[84] Diese von allen Anzeichen der Paranoia durchwogte Passage trägt das Datum des 23. Dezember 1918. Zu Dreikönig, in der zwölften Nacht nach dem Fest des Lichts, ist die schwere Leidenszeit vorbei und der »allersündigste P. A.«[85] den Martertod gestorben, den er so lange schon ansteuerte.
Die große Leidenschaft Altenbergs ist bekanntermaßen das Sehen gewesen. Sein erstes Buch, das den Titel trägt *Wie ich es sehe,* enthält eine Skizze, die die Farbgradationen des Höllengebirges im Abendwerden beschreibt. Um 5 Uhr ist das Höllengebirge »wie leuchtende Durchsichtigkeit«; um 6 Uhr wird es »wie rosa Glas«; um halb 7 »wie Amethyst«, und um 7 erbleicht es hinter dem grauen Wasser, auf dem kupferrote und flaschengrüne Streifen treiben.[86] Hier hat einer eine lange Zeit hingesehen. Reines Schauen ist es, worin Altenberg früh sich einübte. Und wenn der Schnee fällt auf den Semmering, will er nichts als ihn »betrachten, betrachten, betrachten, ihn«, wie er schreibt, »mit meinen Augen stundenlang in meine Seele hineintrinken«[87]. Der großartigste und reinste Blick aber ist der aus höchster Höhe. Daher die Sehnsucht zu fliegen. Das Wappentier dieser Sehnsucht war für Altenberg der Vogel Albatros, der auch in der Lyrik Baudelaires eine emblematische Funktion erfüllt. »Wie Albatrosse«, schreibt Altenberg, »watscheln wir am Strande

— — — jedoch in den Lüften?!« Die Gedankenstriche stehen fürs Atemholen und Abheben von der Erde, das die Möglichkeiten, die ungeahnten, des poetischen Über-Blicks eröffnet und ein Versprechen beinhaltet, das sich im Verschwinden erfüllt. Der Albatros ist das, was er ist, erst, »wenn er fortgeflogen ist von seinem Strande und nicht mehr vorhanden ist — — — dann ist ER!!! In ewigem Schweigen müsste man mit diesem edlen Toten leben, der seinen Leichnam bei uns am Strand zurückliess, um in seine Welten zu fliegen und dort zu sein!«[88]

Das Gesetz der Schande — Macht, Messianismus und Exil in Kafkas *Schloß*

He's a perverted Jew from a place in Hungary and it was he drew up all the plans according to the Hungarian system. We know that in the castle.

James Joyce, *Ulysses*

Häßlichkeit und Entstelltheit erscheinen im Werk Kafkas ganz allgemein und im *Schloß* besonders von der Präsenz einer irrationalen und durch nichts gerechtfertigten Macht hervorgerufen. Nirgends gibt uns der Roman Auskunft über die tatsächlichen Verhältnisse im Schloß, über den Grund und den Sinn dieser unantastbaren Organisation; es wird nirgends gesagt, das Schloß sei unerforschlich, Wohnsitz überirdischer Wesenheiten, dem Menschen zugetan oder abgeneigt. Dergleichen Konjekturen sind bloß Teilstücke unserer Interpretationen. Aber daß das Schloß mächtig sei, das wird uns wiederholt und definitiv mitgeteilt als die Lehre, die auch K. am Ende trotz aller besseren Hoffnung aufgeht. So klärt der kleine Wirt K. darüber auf, daß noch der Vater Schwarzers, obgleich nur Unterkastellan und gar einer der letzten, mächtig sei; ihn aber, K., vor dem er doch eine gewisse Scheu, ja fast eine Art Ehrfurcht an den Tag legt, halte er nicht für mächtig. Von K. selbst erfahren wir, daß er, wenn auch seine Mission fehlschlagen sollte, dennoch den unbedingten Wunsch hege, »frei vor einem Mächtigen gesprochen zu haben«[1], und das fabelhafte Gleichnis vom Adler und der Blindschleiche, in dem K., an einem der Wendepunkte des Romans, sein Verhältnis zu Klamm begreift, beinhaltet nicht minder deutlich die Differenz zwischen Macht und Ohnmacht. Wenig später nur vergleicht K. die »formelle Macht«, welche Klamm über seinen Dienst ausübt, mit der konkreten Macht, die Klamm noch »in seiner Schlafkammer in aller Wirklichkeit«[2] hat. Mit derlei Reflexionen versinkt K. immer tiefer in die unbarmherzig ihm

sich aufdrängende Erkenntnis der Macht, bis er sich schließlich sagen muß, »daß der Machtunterschied zwischen der Behörde und ihm so ungeheuerlich war, daß alle Lüge und List, deren er fähig gewesen wäre, den Unterschied nicht wesentlich zu seinen Gunsten hätte herabdrücken können«[3]. Damit ist er der eigenen Ohnmacht innegeworden. Er anerkennt sie als den Kern seiner trostlosen Wirklichkeit, als das von der Macht ihm zugemessene Teil, in dessen Grenzen er sich bald schon wie der Vorsteher und die übrigen Bewohner des Dorfes resignierend fügt.
Nun ist es bekanntlich die einzig mögliche Rationalisierung von Macht, daß ihr Usurpator sie zum Zweck kreativer Betätigung sich angeeignet hat. Demgemäß erscheint noch der Herrschaftsanspruch der Kunst, mit dem große Werke bis in die Klassik hinein sich präsentierten, durch das Gewicht ihrer Leistung versöhnt. Die Macht des Schlosses aber ist unkreativ, von völliger Sterilität, und erschöpft sich in ihrer ziel- und zwecklosen Perpetuierung. Sie erhält sich am Leben vermöge der Identifikation der Ohnmächtigen mit dem Prinzip ihrer Unterdrückung. So ist die fortwährende Macht des Schlosses weniger absolut als das Produkt einer totalen Symbiose, welche die Erniedrigten, seit ihnen die Erfahrung der Ohnmacht zur zweiten Natur geworden ist, mit ihr eingegangen sind. Macht wird darum, in der unnachgiebigen Analyse Kafkas, weniger als gewaltig denn als parasitär definiert. Eben diese Qualität ist es, die die halb leblose, hypersensible und widerwärtige Natur der Beamten zu erklären vermag. Fast scheinen sie, von denen die meisten einander zum Verwechseln ähnlich sehen, einer anderen Stufe der Evolution anzugehören. Insektoid, fällt ihnen die Überwindung größerer Distanzen schwer; nur in ihrem Bau und nach ausgedehnter Ruhe entwickeln sie ihre planlose Geschäftigkeit, das »lächerliche Gewirre«[4], wie K. einmal bemerkt, der niedrigen Kreatur. Hilflos, sind sie angewiesen auf die habituelle Assistenz weniger degenerierter Wesen; der fettleibige Galater etwa mußte vom Vater des Barnabas, als dieser noch Feuerwehrdienst versah, aus dem Herrenhof getragen werden, obgleich eine Brandgefahr nur in der Phantasie des überängstlichen Beamten bestand. Auch die Geilheit, mit

der sich die Funktionäre des Schlosses über das jungfräuliche Fleisch des Dorfes hermachen, begreift man erst im Zusammenhang mit ihrer parasitären Beschaffenheit. Im Verfolg solcher Hypothesen eröffnet sich vielleicht ein Verständnis jener undurchsichtigen Andeutungen, die Pepi im letzten Kapitel über die Gewohnheiten der Beamten macht; daß sie nämlich ihre Zimmer in einem Zustand hinterlassen, den »nicht einmal eine Sintflut ... reinwaschen könnte«, und daß die Dienstmädchen »kräftig ... (ihren) Ekel überwinden (müßten), um nach ihnen aufräumen zu können«[5]. Nur die gedrücktesten Bewohner des Dorfes, die fast rechtlosen, in unterirdischen Kästen hausenden Dienstmädchen, haben, so scheint es, einen realistischen Begriff von der wahren Degradiertheit der Macht, vermögen sie freilich, da sie zugleich am entferntesten von ihr sind, nicht zu gefährden. Sie kennen nur ihre Exkremente, nicht aber sie selbst. Das ist Kafkas kritische Einsicht in die vollkommene Maschinerie des gesellschaftlichen Systems. Sie nimmt die Theorie des Unrats vorweg, die Christian Enzensberger in seinem *Größeren Versuch über den Schmutz* gegeben hat. Es heißt da, daß »Macht und Schmutz sich unvermeidlich zusammentun ...« »Vor der Macht«, rekapituliert Enzensberger, »beuge man sich, mache sich klein, gehe in die Knie, krieche im Staub, werde zum sich krümmenden Wurm, zur Wenigkeit, zum Nichts; man kontrahiere ganz allgemein, auch physiologisch, bis zum Schweißausbruch, bis zur erniedrigenden Entleerung. In Gegenwart der Macht ziehe sich die Person ... in sich selbst zurück, könne sich als Einheit nicht mehr zusammenhalten, ihre Gliederung nach oben und unten werde ... aufgehoben.«[6] Weiter verweist Enzensberger auf Phänomene wie die Verbindung von Herrschsucht und Koprophilie bei Sade, um schließlich in der folgenden These seine Gedanken zu exponieren: »Je starrer ein Ordnungssystem, desto größere Mengen Schmutz (erzeugt) es; ... in manchen Systemen (wird) der Mensch selber zum Schmutz.«[7] Die Gründe dafür hält Enzensberger für durchsichtig. Der Machthaber, schreibt er,

> verweise möglichst viele Arten des Verhaltens, auch zuvor oft

> ganz untadelige, an den Rand seiner Ordnung, erkläre sie zur marginalen Verletzung und damit zum Schmutz. Durch solche Verbote nämlich werde der Schrecken vermehrt, auf den es ihm ankommt. Auch der Willigste könne zuletzt seinen Anforderungen nicht mehr genügen, werde schuldig und sei hinfort angewiesen auf Begnadigung. Je gewaltsamer der Machtanspruch, desto lauter erhebe sich daher nach fester Regel der Ruf nach Ordnung und Sauberkeit. Daß sie eben dadurch neuen Schmutz erzeugt, verschweige die Macht geflissentlich. In Wahrheit aber wünsche sie den universalen Saustall; denn sie meine nicht etwa Hygiene, sondern sich selbst. Ihre Ausübung sei nach dem Vorausgegangenen somit ein schmutziges Geschäft im genauen Wortsinn.[8]

Die Parallele zum Kafkaschen Roman bedarf kaum einer Ausdeutung. Der aus der parasitären Macht hervorgegangene Unrat wird der Welt und ihren Bewohnern als ihr Erbteil überschrieben; die Macht bringt zwar den Unrat hervor, der Unrat aber wird weniger mit der Tatsache der Unterdrükkung als mit den Unterdrückten assoziiert. Das ist das objektive Korrelat von Häßlichkeit bei Kafka, einer Häßlichkeit und Deformation, die umso grauenhafter wird, je weiter der von ihr Betroffene vom Zentrum der Macht sein Leben fristet. Man ginge nicht fehl, interpretierte man diese Einsicht als Kafkas Wissen von der sirenischen Verlockung aller Schönheit und als seine — dieser Verlockung sich versagende — Hoffnung auf eine dem Häßlichen eingeborene Beziehung zu einem abstrakten Gott, einem machtlosen, freilich bloß errechneten Gegenbegriff zu Macht und Herrschaft.
Wenn einmal Macht und Ohnmacht einander zum fugenlosen System ergänzen, dann ist dessen *Revolutionierung* von vornherein ausgeschlossen. Kafka hat diese seit Kleist und Büchner in der radikalen bürgerlichen Literatur aufkommende Erkenntnis wiederholt thematisiert, am eindringlichsten vielleicht in der Parabel von den verrosteten Kindergewehren, zu denen niemand sich melden will.[9] Die Art seiner Darstellung impliziert jedoch, daß eine Revolution weiterhin notwendig und umso unabdingbarer ist, je unmöglicher es wird, ihre Idee in die Praxis zu übertragen, womit der In-

differenzpunkt markiert ist zwischen gesellschaftlicher Wirklichkeit und Utopie. Dialektische Spekulation verfällt angesichts solcher Gegebenheiten, in denen Macht und Ohnmacht als invariable, ahistorische, fast mythische Kategorien erscheinen, auf die Hoffnung einer Transzendierung der aussichtslosen Lage. Das vielleicht komplexeste Beispiel solch abstrakter Hoffnung bietet der Messianismus, von dessen Aspirationen und Schwächen Kafka im *Schloß*-Roman zwar nicht ausdrücklich, aber nichtsdestoweniger ausführlich handelt.

Der jüdische Messianismus, von dem auch der christliche letztlich nur ein Derivat ist, zeigt sich als ein überaus weitläufiges und variables Phänomen, das hier natürlich nur auf das allerunzulänglichste umrissen werden kann. Seine Implikationen sind politischer nicht minder als metaphysischer Natur, und kaum je ist deshalb in Fällen messianischer Bewegung ohne weiteres zu unterscheiden zwischen Aufstand und Ergebung. Der Messianismus kennt kein Dogma und hat eine Theologie nur dann hervorgerufen, wenn er sich — wie etwa durch die Kreuzigung Christi oder die Apostasie Sabbatai Zevis — historisch diskreditiert fühlen mußte. Abgesehen davon jedoch blieb der Messianismus Tradition im authentischen Sinne des Wortes, diffus, veränderbar und in sich widersprüchlich, trotz allem aber sich selber treu in der unverwandten Fixierung auf sein Ziel: die Erlösung aus dem Exil der Geschichte.

Entsprechend diesen Komplikationen ist auch das Bild des Messias nicht dingfest zu machen. Irisierend schwankt es zwischen dem des Königs und dem des Bettlers, zwischen dem des Gerechten und dem des Kriminellen, zwischen Repräsentanz und Außenseitertum. Nicht einmal im Bereich der Moral lassen sich die Gegensätze voneinander lösen. Offenkundige Wahrheit und betrügerische Hochstapelei, Schuld und Verdienst, Gewalt und Duldung, solcherlei Alternativen verlieren unter dem Aspekt des Messianismus ihre Relevanz. Invariabel und bestimmend ist hier einzig die Hoffnung als Prinzip der Theorie und der Praxis. Aus dieser derart in ständiger Metamorphose begriffenen Tradition enthält Kafkas Roman bildliche und gedankliche Reminis-

zenzen, die darauf schließen lassen, daß der messianischen Idee — und ihrer Kritik — im *Schloß* mehr als eine bloß marginale Bedeutung zukommt.
Bereits die Ankunft K.s im Dorf gemahnt auf ihre Art an charakteristische Elemente der messianischen Tradition. Wie K., von dessen Herkunft und Aussehen wir nie etwas Rechtes erfahren, ist auch der Messias von unbestimmter Physiognomie und Provenienz. In den chassidischen Geschichten, in denen seine Gestalt den beredtesten Ausdruck gefunden hat, begegnet man ihm als dem unbekannten Wanderer, der mit Stock und Ranzen im Land herumzieht und schweigend in den Wirtshäusern sitzt, bis er trunken ist. Dann spricht er Weisheit um Weisheit.[10] Unversehens taucht er auf, als Gast beim Seder, etwa in der Uniform eines Kantonisten, eines jener zum lebenslänglichen Militärdienst verurteilten Juden, und er verschwindet wieder eben in dem Augenblick, da die Gemeinde ihn erkennt, ohne nachher irgendwo noch auffindbar zu sein. In ihm hat sich ein Archetyp des Exilierten gebildet, eines von seiner Heimat weit Abgekommenen, eines Gottes im Elend, wie ihn Döblin in seiner babylonischen Wanderung noch einmal zu porträtieren versuchte.
Unschwer ist in K. eine Inkarnation dieser stets wiederkehrenden Gestalt zu erkennen. In einer von Kafka verworfenen Variante des Beginns ist für K., diesen wahrhaft von draußen hereingeschneiten Menschen, das Fürstenzimmer gerichtet, ganz als sei er der von allen seit langem erwartete Gast. Da das Gelingen der messianischen Mission nicht zuletzt von der Bewahrung des Inkognitos der Erlöserfigur abhängt, zeigt sich K. irritiert von der Zuvorkommenheit der Dorfbewohner. Nicht anders als der Protagonist scheint auch der Autor alles darangesetzt zu haben, aus der Identität des Landvermessers ein Geheimnis zu machen, weshalb er wohl einer anderen Eröffnung des Textes den Vorzug gab, in der die Herkunft und die Absicht K.s so gut wie völlig verschlüsselt sind. Es ist darum kaum verwunderlich, daß die für die Interpretation des *Schloß*-Romans zentrale Frage, wer dieser Landvermesser denn eigentlich sei, zu den vielfachsten und unsinnigsten Vermutungen Anlaß gegeben hat.

Daß Kafka die Berufsbezeichnung K.s nicht willkürlich gewählt haben dürfte, sondern daß es sich bei der Designation »Landvermesser« um ein strategisch gesetztes Kryptogramm handeln muß, ist mir die längste Zeit schon klar gewesen. Der Schlüssel zu diesem Rätsel ist mir allerdings erst im Zusammenhang mit der hier versuchten Beschreibung der jüdischen Thematik des *Schloß*-Romans zugefallen. Bekanntermaßen hat Kafka sich zuzeiten mehr seinen Hebräischstudien als seiner kreativen Arbeit gewidmet. Es lag also nahe, die Bezeichnung Landvermesser einmal im Lexikon nachzuschlagen, wobei es sich erwies, daß das hebräische Äquivalent Moshoyakh lautet, was soviel heißt wie ›einer der mißt‹. Dieses Quasi-Partizip geht auf eine Wurzel zurück, die mit dem hebräischen Verb ›salben‹ homophon ist. Und deshalb differiert die hebräische Bezeichnung für den Messias, das Wort Moshiayakh/der Gesalbte, von Moshoyakh, dem Wort für Landvermesser, nur um einen einzigen, in der hebräischen Schrift nicht aufgezeichneten Vokal. Aus dieser Koinzidenz geht ohne jeden Zweifel hervor, daß die messianische Dimension eine von Kafka selbst intendierte Bedeutungsebene des *Schloß*-Romans ausmacht.
Etwas von der Dringlichkeit der K. bewegenden Mission erhellt aus den zahlreichen Stellen des Romans, die von seiner Entschlossenheit und Kampfbereitschaft berichten. Gleich eingangs erfahren wir, daß K. nicht zufällig in den Schloßbereich vorgedrungen ist, war er doch, wenn ihn auch das Vorhandensein eines Telefons ein wenig überrascht, auf die vorzügliche Einrichtung des Ganzen gefaßt.[11] Olga gegenüber erwähnt K., daß er, bereits ehe er hierhergekommen war, annähernde Vorstellungen von der Behörde gehabt zu haben glaubte.[12] Er befindet sich am Ort in der prononcierten Absicht, einen Kampf zu wagen, der, wie er bald schon zu erkennen vermeint, vom Schloß lächelnd aufgenommen wird.[13] Auch verschweigt der Brief ja nicht, »daß, wenn es zum Kämpfen kommen sollte, K. die Verwegenheit gehabt hatte, zu beginnen«[14]. Wie sehr sich K. dieser gespannten Lage bewußt ist, zeigt jene Passage, da er das von ihm eingegangene Risiko überdenkt, um schließlich an sich selbst die Mahnung zu richten, daß er ja nicht hergekom-

men sei, »um ein Leben in Ehren und Frieden zu führen«[15]. Und später bekräftigt er noch einmal: »Ich bin aus eigenem Willen hierhergekommen, und aus eigenem Willen habe ich mich hier festgehakt.«[16] Wie ungünstig die Bedingungen im einzelnen sein mögen, sie ändern nichts an der grundsätzlichen Konfrontation, auf die K. bereits vor seiner Ankunft sich eingestellt hatte. »Zum Kampf bin ich ja hier«[17], erklärt er in der Variante des Beginns, über die Natur dieses Kampfes freilich schweigt sich der Text weitgehend aus.
Allenfalls wissen wir, daß es bei der von K. geführten Sache nicht darum geht, den vom Schloß Unterdrückten als Individuen unmittelbar zu helfen. »Er war nicht gekommen, um jemandem Glück zu bringen; es stand ihm frei, aus eigenem Willen zu helfen, wenn es sich traf, aber niemand sollte ihn als Glücksbringer begrüßen, wer das tat, verwirrte seine Wege.«[18] K., so erfahren wir, kämpft »für etwas lebendigst Nahes ..., für sich selbst«[19]. Es dürfte aber mit diesem ›für sich‹, nach der ganzen Anlage des Romans, eher das Prinzip gemeint sein, das K. repräsentiert, als seine Person. Entsprechend dem Sinn des jüdischen Messianismus handelt es sich dabei um die Befreiung nicht des einzelnen, sondern um die der Gemeinschaft. Und selbst dann ist es in der messianischen Tradition noch keineswegs ausgemacht, ob Befreiung und Glück auch schon identisch wären.
Von hier aus wird verständlich, weshalb K. die an ihn herangetragenen Hoffnungen nicht zu erfüllen vermag. Da sind die Bauern »mit ihren förmlich gequälten Gesichtern«, die aussehen, als hätten sie »sich im Schmerz des Geschlagenwerdens gebildet«[20]. K. scheint es zunächst, als wollten sie durch ihre übertriebene Anteilnahme seine Bewegungsfreiheit einschränken; schließlich aber fragt er sich, ob sie nicht doch wirklich etwas von ihm wollten, ohne es freilich sagen zu können,[21] ob sie nicht in ihm einen Fürsprecher sich erhofften. Wenn K. übergeht, was sich ihm derart anvertraut, scheint er mitschuldig zu werden an der konkreten Not der Gemeinschaft, eine auffällige Analogie zum Dilemma des Revolutionärs, der sich im Interesse der Sache das Mitleid mit dem konkreten Fall nicht verstatten kann. So müssen notwendig auch Frieda und Pepi enttäuscht werden von ih-

rem Befreier, muß die Familie des Barnabas, die so lange schon darauf wartet, daß »endlich doch jemand kommen werde, der Halt befiehlt und alles wieder zu einer rückläufigen Bewegung zwingt«[22], schließlich befürchten, K. werde sich der ihm angetragenen Aufgabe nicht unterwinden können. Der Lichtblick, den K.s Ankunft bedeutete, ist für Olga bereits ein Bild der Erinnerung. »Ein Landvermesser war gekommen; ich wußte nicht einmal, was das ist. Aber am nächsten Abend kommt Barnabas ... früher als sonst nach Hause ..., zieht mich ... auf die Straße hinaus, drückt dort das Gesicht auf meine Schulter und weint minutenlang. Er ist wieder der kleine Junge von ehemals. Es ist ihm etwas geschehn, dem er nicht gewachsen ist. Es ist, als hätte sich vor ihm plötzlich eine ganz neue Welt aufgetan.«[23] Der Konjunktiv, ›als hätte sich vor ihm plötzlich eine ganz neue Welt aufgetan‹, umreißt das verzweifelte Verhältnis, in dem die Hoffenden zur messianischen Verheißung sich finden. Die unerträgliche Spannung zwischen Not und Parusie treibt die von der Erwartung Bestimmten zuletzt bis zur Selbstaufgabe. Bezeichnend jene von Kafka gestrichene Stelle, da Olga sich an K. wendet mit der Bitte: »Nimm mir die Angst und du hast mich ganz und gar.« — »Was für eine Angst denn?« fragte K. »Die Angst, dich zu verlieren.«[24] Olgas Dasein ist demnach nicht mehr als ihre eigene Angst, die Hoffnung zu verlieren. Aus der Perspektive solcher in äußerster Reduktion verharrender Wesen sehen wir K., der keinen ihrer Träume einzulösen vermag, zuletzt als mit den Ohnmächtigen identisch. Das allerdings nur, wenn wir hinter der Dialektik des kleinen Hans zurückbleiben, der als ein zweiter Jesus im Tempel ein besseres Urteil hat von der Lage des Mannes, dem nachzueifern er im Begriff steht. Wohl weiß Hans um K.s gegenwärtige Verächtlichkeit, er hat aber auch bemerkt, wie andere Leute auf ihrer Suche nach Hilfe zu K. sich hingezogen fühlen, weil »niemand aus der alten Umgebung hatte helfen können«[25]. Und »aus diesem Widerspruch entstand in ihm der Glaube, jetzt sei K. zwar noch niedrig und abschreckend, aber in einer allerdings fast unvorstellbar fernen Zukunft werde er doch alle übertreffen«, weshalb denn auch Hans auf K. herabsieht »wie auf einen Jüngeren, dessen Zukunft sich weiter dehne als seine eigene, die Zukunft eines kleinen Knaben«[26]. Das Paradoxon erschließt sich nur, wofern man K. nicht als Person, sondern als die Figur eines dem Verlauf der Zeit überhobenen Prinzips interpretiert. K., der »ewige Landvermesser«[27], wie es einmal im Text heißt, ist Chiffre einer der Gegenwart perpetuell vorauseilenden utopischen Zukunft, Chiffre der dem Elend eingeschriebenen, niemals eingelösten Hoffnung auf Erlösung. Sollte nun gleich dieses Prinzip durch die eigene Irrealität sich wegheben, so verbleibt doch seine moralische Dynamik, die schiere Sehnsucht nach seiner Verwirklichung, als die reale Bedrohung der Macht und der Herrschaft.

Daß K. möglicherweise eine Gefahr für das Schloß bedeutet, davon ist im Text mehrmals die Rede. Noch ganz zuletzt heißt es von ihm, er sei »entweder ein Narr oder ein Kind oder ein böser, gefährlicher Mensch«[28]. Und als K.s Vorsatz, direkt an Klamm sich zu wenden, zur Sprache kommt, versucht die Wirtin, ihn davon abzubringen. »Hier können Sie uns dann z. B. zeigen, wie Sie mit Klamm zu sprechen beabsichtigen, nur in Wirklichkeit, nur in Wirklichkeit, bitte, bitte, tun Sie's nicht.«[29] K.s Erwiderung nimmt den deutlichsten Bezug auf die in dieser Bitte versteckte Besorgnis. »Sie fürchten doch nicht etwa«, fragt er die Wirtin, »Sie fürchten doch nicht etwa für Klamm?«[30] Die Vermutung gewinnt an Gewicht, daß das Schloß aus Gründen der Selbsterhaltung eine direkte Konfrontation mit dem Eindringling K. vermeiden muß. Der Herrenhofwirt ist überzeugt, daß die Beamten »unfähig sind, wenigstens unvorbereitet, den Anblick eines Fremden zu ertragen«[31]. In einer der ausgesparten Stellen erfährt K. von einem der Sekretäre, Klamm habe seine Abfahrt nur deshalb um zwei Stunden hinausgeschoben, weil er den Anblick K.s nicht hätte ertragen können; worauf K. das Gesicht des Sekretärs studiert, »so, als suche er das Gesetz zu entdecken, nach welchem ein Gesicht gebildet sein müsse, das Klamm ertrug«[32]. K.s Taktik, möglichst direkt ins Zentrum der Macht vorzustoßen, scheint hiermit gerechtfertigt, hat er doch bereits von Momus etwas von der »äußersten Empfindlichkeit Klamms«[33] erfahren, und ist nicht überhaupt die Macht je exaltierter desto anfälliger? Erst nach gehöriger Präparation vermag sie der Ohnmacht gegenüberzutreten. Sie »unvermittelt in aller Naturwahrheit ... auf sich eindringen (zu) lassen«, dem ist sie »nicht gewachsen«[34]. Die Chance der Partei besteht deshalb darin, daß sie wie ein Dieb »in der Nacht unangemeldet kommt«[35]. — »Jedes Schloß«, heißt es in einer chassidischen Geschichte, »hat seinen Schlüssel ... Aber es gibt starke Diebe, die wissen ohne Schlüssel zu öffnen: sie erbrechen das Schloß.«[36] K.s Intention ist damit umrissen. Gelänge es ihm, die Macht zu stellen, ihr seine Botschaft vorzubringen, sie möchte in seinem Anblick zergehen, und zehn Worte würden ihm, wie er in dem Barnabas anvertrauten Memorandum andeutet, genügen, ein neues Gesetz zu begründen. Die ungeheure Ironie, daß K. die Möglichkeit, als sie tatsächlich sich bietet, nicht wahrzunehmen imstande ist, wird im Roman von langer Hand vorbereitet, fühlt doch K. bereits im ersten Kapitel, »zur Unzeit freilich«, wie es da heißt, eine »wirkliche Müdigkeit«, »die Folgen der übergroßen Anstrengung«[37] seiner langwierigen Anreise. Ferner läßt K. sich selbst nicht im Zweifel über »die Gewalt der entmutigenden Umgebung, der Gewöhnung an Enttäuschungen, die Gewalt der unmerklichen Einflüsse jedes Augenblicks«[38]. Die Schwierigkeiten, über die K. hinauswachsen müßte, sind die, welche der Prozeß der Assimilation mit sich bringt. Dessen ungreifbaren Einwirkungen sich zu entziehen, ist so ausgeschlossen, daß man vermuten kann, die Macht habe K.s endliches Versagen von vornherein in ihr Kalkül einbezogen. Müdigkeit und Gewöhnung, die ständig sich nun auch in K. vermehrenden Sünden des Exils, überholen an der entscheidenden Stelle die Kraft seines Willens und bannen die Gefahr, die er dem System gegenüber vorstellt. »Die Leibeskräfte reichen (eben) nur bis zu einer gewissen Grenze«, kommentiert der auf seine eigene Erlösung durch K. hoffende Bürgel so resigniert wie ironisch, »wer kann dafür, daß gerade diese Grenze auch sonst bedeutungsvoll ist. Nein, dafür kann niemand. So korrigiert sich selbst die Welt in ihrem Lauf und behält ihr Gleichgewicht. Das ist ja eine vorzügliche, immer wieder unvorstellbar vor-

zügliche Einrichtung, wenn auch in anderer Hinsicht trostlos.«[39]
Was sich in der Praxis des Messianismus als die stets um ein geringstes verhinderte Erfüllung der Hoffnung erweist, das mag bereits in seinem unglücklichen Ursprung angelegt sein. Ausgeburt und Idee gleichsam der Ohnmacht, kann sich jede seiner Entwicklungen nur hypothetisch, imaginär vortragen. Versinnbildlicht K. den Messianismus, so die Familie des Barnabas den Zustand der Galut, aus dem er hervorgegangen ist. Kaum muß an die Depraviertheit erinnert werden, in die diese Familie durch ihre Ächtung versetzt wurde; kaum müssen die zahlreichen Stellen zitiert werden, in denen Kafka, das vernunftwidrige Verhängnis erläuternd, die wohl profundesten Anmerkungen zur Psychologie des Antisemitismus gibt, die die Literatur aufzuweisen hat. Das Schicksal der Barnabas-Familie ist eine synoptische Soziologie des jüdischen Volkes. Es läuft in seiner äußersten Konsequenz darauf hinaus, daß die gedrückte Minderheit, im Versuch, ihre Lage zu rationalisieren, die eigene Not zu rechtfertigen beginnt. So zwar, daß der Vorwurf der Mehrheit in die Selbstdefinition eingeht und verinnerlicht wird.
In der in einem zweifachen Exil befangenen Familie erkennt K., unbewußt zumindest, sich selbst. Es ist, als ginge die Ahnung davon stets in ihm um, und als verfehlte er nur eben, sie zu artikulieren. Schon eingangs meint er zu wissen, diese Familie müsse ihn hinnehmen, wie er ist, und weiter heißt es: »er hatte gewissermaßen kein Schamgefühl vor ihr«[40]. Dieses Verhältnis, von gegenseitiger Anziehung gekennzeichnet, entspringt insgeheimer Identität, wie sie sich in den Gesprächen zwischen K. und Olga als ein intimer Rapport unmittelbar herstellt. Die Art der Beziehung begreift man als einfach und kompliziert zugleich, sieht man in K. das Abbild des Traums vom »heimlichen Kaiser, den die Verstoßenen manchmal selbstverliebt in sich nähren«[41]. Jakob Wassermanns Satz bezieht sich auf die hoffnungsvolle Gestalt reflektierter Verzweiflung, deren Inkarnation K. vorstellt. Indem diese Gestalt der eigenen Genese innewird, beginnt sie die konstitutionelle Schwäche zu erahnen, an der sie zuletzt zugrunde geht. Der Ursprung des Messianismus

in der Verzweiflung ist der innere Grund seines notwendigen Versagens, seiner Inkongruenz mit sich selbst. »Der Messias«, vermerkt das dritte Oktavheft, »wird erst kommen, wenn er nicht mehr nötig sein wird, er wird erst einen Tag nach seiner Ankunft kommen, er wird nicht am letzten Tag kommen, sondern am allerletzten.«[42] Philosophisch geht aus dieser ins Absurde verlagerten Antwort hervor, daß die vom Messianismus aufgeworfene Frage mit monomanischer Beharrlichkeit immer wieder an ihren Ausgangspunkt zurückkehren muß; historisch gesehen besagt sie, daß jeder in der Geschichte auftretende Messias, sei es ein Bar Kochba, ein Sabbatai Zevi oder ein Jakob Frank, notwendig das Stigma des Hochstaplerischen trägt.[43] Auch die messianische Identität des Kafkaschen Zeichens K. ist daher fiktiv, versehen mit den Charakteristika des Unwahren.[44] Es wäre dies das schwerwiegendste Argument gegen die Idee des Messianismus im allgemeinen und ihre Repräsentation in Kafkas Roman im besondern, wäre nicht in beiden Fällen die fundamentale Schwäche bereits reflektiert und gerade für den Beweis einer Wahrheit erachtet, die sich unter der oppressiven Wirklichkeit nicht zu erheben vermag. So gesehen kommt auch noch dem falschen Messias und seinen gescheiterten Unternehmungen eine positive Funktion zu. Buber erzählt von ihr in einer seiner chassidischen Geschichten. »Als Gott sah, daß die Seele Israels krank war, hüllte er sie in das ätzende Linnen der Galut und legte, daß sie es ertrüge, den Schlaf der Dumpfheit auf sie. Damit aber der sie nicht zerstöre, weckt er sie von Stunden zu Stunden mit einer falschen Messiashoffnung und schläfert sie wieder ein, bis die Nacht vergangen ist und der wahre Messias erscheint.«[45] Möglich, daß sich auch der wahre Messias, von dem hier zuletzt die Rede, als ein Schausteller erweist. Aber darauf kommt es nicht an. Wichtig ist am Messianismus allein, wie Ernst Bloch gezeigt hat, die Lebendigkeit des Prinzips Hoffnung, eines Prinzips, das in Franz Rosenzweigs Philosophie als der Stern der Erlösung erschien.

Zur Darstellung der messianischen Idee im Werk Kafkas nur wenige Jahre vor der schwersten Erschütterung in der Geschichte des Judentums gehört auch das spezifische Verhältnis, in dem sich K. zu Amalia und zu Barnabas befindet. Die Gestalt Amalias bildet, wie des öftern schon vermutet wurde, den einzig positiven Gegensatz zum Landvermesser K. Wir wissen von ihrem Stolz, ihrem Verlangen nach Einsamkeit, von ihrer Verschlossenheit, Fremdheit und Hoheit. Kafka hat sich hier überaus deutlich ausgedrückt. Wir wissen ferner, daß sie K. in seinen Bestrebungen zutiefst irritiert. In einer der gestrichenen Stellen heißt es gar, daß sie ein »böses Hindernis« bilde, daß ohne sie »alles hoffnungslos« sei, und daß man, wo man sie nicht gewänne, »im Halben, im Ungewissen« bleibe und ein Haus baue »ohne Grund«[46]. Dies verweist auf Amalia als den vielleicht entscheidendsten Widerstand, den der Messianismus zu durchbrechen hat. Fast ist man versucht zu sagen, Amalia verkörpere das statische Gegenteil des dynamischen Prinzips, das von K. repräsentiert wird. Ein ähnliches Verhältnis erörtert Kafka in einer mit 18. Januar 1922 datierten Aufzeichnung, in der es um die Alternative von Mut und Furchtlosigkeit geht. »Die Furcht ist das Unglück«, steht da zu lesen, »deshalb aber ist nicht der Mut das Glück, sondern Furchtlosigkeit ... ruhende, offen blickende, alles ertragende. Zwinge dich zu nichts ..., und wenn du dich nicht zwingst, umlaufe nicht immerfort lüstern die Möglichkeiten des Zwanges.«[47] Sätze wie diese lassen sich nicht nur auf Amalia und K., sondern auch auf einen im jüdischen Selbstverständnis stets akut gewesenen Konflikt beziehen. Darauf nämlich, ob der Macht einer feindseligen Wirklichkeit aktiv oder passiv widerstanden werden soll. Amalias Haltung ist passiv, die der traditionellen jüdischen Exklusivität. Zu Beginn ihrer Geschichte mag Amalia im Blick Sortinis die Gier des modrigen Beamten geschreckt haben, die ratifizierte Macht des Mannes über die Frau, aber auch der gewalttätig niedrige Ausdruck von Macht überhaupt, wenn sie ihrem Opfer sich nähert. Indem sich Amalia abkehrt, wird sie zur Verfolgten, und als solcher wächst ihr die Erkenntnis zu, daß das Schicksal dessen, der nicht zur Gemeinde gehört, erbarmungslos ist. Ihr Glück ist das gefahrvolle der gefristeten Existenz, ungetrübt aber vom Kompromiß mit der Macht, ihre Wahrheit die der Verfolgung. In einem mit erratischen

Einsichten durchsetzten Essay, der 1947 in Paris unter dem Titel *Kafka ou le mystère juif* erschien, hat André Nemeth diesen Zusammenhang auf die Formel gebracht: »Persécutés, ils se savent déjà élus. Voilà le paradoxe de leur condition.«[48] Vermittelt durch den Gedanken der Berufung wird die Ausgeschlossenheit zur Exklusivität, eine Konstellation, die bis auf die prophetischen Bücher zurückgeht, auf Jesaja besonders. Aus ihrer Überlagerung mit der konkreten Wirklichkeit des Exils ist das Bild eines Judentums hervorgegangen, wie wir es in Amalia gespiegelt sehen. In einer 1936 noch in Berlin veröffentlichten Schrift über die Galut erläutert Jizchak Fritz Baer den traditionellen Sinn des Judentums in der Diaspora. »Die stille Wirksamkeit des jüdischen Volkes wird durch das Geheimnis des Samenkorns veranschaulicht, das sich scheinbar verlieren und zersetzen muß, um in Wahrheit den Stoff seiner Umgebung zu sich emporzuheben und seinem Wesen einzuverleiben.«[49] Kaum will man dem Zufall trauen, daß sich Kafka, nach Gustav Janouchs Bericht, in nahezu identischen Sätzen geäußert haben soll. »Das jüdische Volk«, erklärt da Kafka auf einem Spaziergang am Kai,

> ist zerstreut, wie eine Saat zerstreut ist. Wie ein Saatkorn die Stoffe der Umwelt heranzieht, sie in sich aufspeichert und das eigene Wachstum höher führt, so ist es Schicksalsaufgabe des Judentums, die Kräfte der Menschheit in sich aufzunehmen, zu reinigen und so höher zu führen. Moses ist noch immer aktuell. Wie Abiram und Datan sich Moses widersetzten mit den Worten ›Lo naale! Wir gehen nicht hinauf!‹ so widersetzt sich die Welt mit dem Geschrei des Antisemitismus.[50]

Es tut wenig zur Sache, ob dieser Kommentar, wie einige der skeptischen Verwalter der Literatur vermuten, nur eine Projektion Janouchs ist oder ob die Worte tatsächlich auf Kafka zurückgehen, haben wir doch in Amalia das Abbild solcher Thesen; den sympathetischen Versuch der Rechtfertigung eines Lebens, das mit Macht und Herrschaft so wenig auszukommen wußte, daß es keine Heimat hatte.

Verglichen mit der Tragik Amalias erscheint die Ungeduld K.s als ein Anzeichen der Schwäche, die den innersten Kern des Messianismus ausmacht. Wo das Exil sich nicht länger ertragen läßt, entsteht der Messianismus als die Vorstellung von seiner Durchbrechung. Er weiß nichts von der positiven Funktion der Galut, erkennt in ihr einzig die schwere, notwendige Vorstufe der Erlösung. Gibt Amalia noch in der äußersten Erniedrigung das Beispiel menschlicher Würde, an dem die schuldig gewordene Umwelt die Idee der Gerechtigkeit erfahren könnte, so will K. das Ende der Gefangenschaft herbeizwingen, indem er sich über die statische Konfrontation hinwegsetzt. Jede messianische Figur ist ein Bedränger des Endes, Agent der unablässigen Bemühungen des Menschen um eine Verbesserung, ja Revolutionierung seiner Lage. Es dünkt mich eine der am schärfsten berechneten Absichten in Kafkas Roman, daß K. in der Barnabas-Familie nicht nur des eigenen Ursprungs, nicht nur einer kritischen Alternative zu seiner Position, sondern auch des Bilds der eigenen vergeblichen Anstrengung ansichtig wird. In den Passagen des Texts, die von der Begegnung K.s mit Barnabas handeln, kommen die so unnachgiebig unterdrückten Emotionen des Autors am nahesten unter die Oberfläche. Denn in Barnabas trifft K. auf einen Bruder, der wie er das Blatt einer zu lange schon anhängigen Geschichte zu wenden trachtet. Freilich weiß K. nichts von alldem, als Barnabas zum erstenmal vor ihn hintritt. Aber daß Barnabas ihm wie eine Epiphanie erscheint, wie das insgeheime Wunschbild des einsam sich Glaubenden, das hat Kafka mit einem großen Kunstgriff gestaltet. Die den Barnabas umgebende Aura ist die eines Engels, versinnbildlicht zuallererst in seinem Lächeln, das er nicht zu verscheuchen vermag, und dann in seiner einfachen Antwort auf K.s erstaunte Frage: »Wer bist Du?« — »Barnabas heiße ich«, sagte er. »Ein Bote bin ich.«[51] Der Schein, dem K. hier auf einen Augenblick sein Vertrauen schenkt, ist der der in ihm aufflammenden Hoffnung auf eine der häßlichen Welt eingeborene Beziehung zu seiner besseren Vision. Bei solchem Schein kann Theologie, wie Benjamin wußte, als bei ihrem liebsten Gegenstand ihr Zelt aufschlagen,[52] um der ausdrucksbildenden Kraft der Finsternis, die Martin Walser an Kafkas Werken bemerkte,[53] ein Gegenteil zu bieten. K.s Intention ist der theologischen parallel: die Vertreibung des Dunkels. Es muß deshalb nicht verwundern, wenn er eine genaue und sei es gleich unausgesprochene Vorstellung von den Engeln als den Boten des Lichtes hat. Ich beziehe mich hier auf den seltsamen Abschnitt, da K. die arme Pepi belehrt. »Es ist«, sagt er, »eine Stelle wie die andere, für Dich aber ist ... (diese Stellung im Ausschank) das Himmelreich, infolgedessen faßt Du alles mit übertriebenem Eifer an, schmückst Dich, wie Deiner Meinung nach die Engel geschmückt sind — sie sind aber« — fügt K. nach einer kleinen Pause hinzu — »in Wirklichkeit anders.«[54] Es steht zu vermuten, sie seien das, was einem wie Barnabas in einer feindseligen Umwelt menschlich entgegenkommt; denn übernatürlich ist ja Barnabas durchaus nicht, er *scheint* es nur zunächst zu sein, weil K. in ihm eine der seinigen verwandte Hoffnung erkennt. Kafkas Bildnis des Engels hat also mit Metaphysik nichts zu schaffen, es gehört vielmehr, ganz wie die angelologischen Systeme — sei es bei Plato, bei Philo oder Aquinas —, in den Bereich der Ontologie. Es ist darum von großartiger Konsequenz, daß der hoffnungsvolle Schein, der den Ausgangspunkt des Romans darstellt, mit den Kleidern des Barnabas abgelegt wird, als die Wirklichkeit wieder ihr Recht anmeldet; der besonderen Wahrheit des Scheins wird damit jedoch kein Abbruch getan. Sie ist die Wahrheit des Menschen, des beschädigten Engels, den der Kafka in vielem verwandte Paul Klee in der Gestalt des Helden mit dem Flügel beschrieben hat. »Dieser Mensch«, notiert Klee im Januar 1905, »im Gegensatz zu göttlichen Wesen mit nur einem Flügel geboren, macht unentwegte Flugversuche. Dabei bricht er Arm und Bein, hält aber trotzdem unter dem Banner seiner Idee aus.«[55] Die Figur des Kleeschen Helden, der sich inzwischen bereits in einem ›ruinösen Zustand‹ befindet, definiert präzise das Differential zwischen Vision und Wirklichkeit, das Kafka in seinen Roman einbezog, indem er K. und Barnabas in ihrer gegenseitigen Hoffnung aufeinander angewiesen sein ließ. Keiner ist die Erlösung des andern, für beide gibt es nur die Resignation angesichts der Aussichtslosigkeit einer Bemühung, die sie nicht aufgeben können, weil sie identisch mit ihr geworden sind.

Ein Kaddisch für Österreich – Über Joseph Roth

Und der Graf fragte den Juden: »Salomon, was hältst du von dieser Erde?« – »Herr Graf«, sagte Piniowsky, »nicht das Geringste mehr.«

Joseph Roth, *Die Büste des Kaisers*

Im Mai 1913 zog der junge Joseph Moses Roth am deutschen Gymnasium von Brody einen sauberen Schlußstrich unter seine keineswegs unbeschwerte Kindheit und Jugend, indem er mit der Auszeichnung ›sub auspiciis imperatoris‹ an der Spitze seines Jahrgangs aus den Maturitätsprüfungen hervorging. Er stand im Begriff, über Lemberg und Wien in die Welt aufzubrechen, und es scheint nicht, daß er damals seiner Heimat mit Bedauern den Rücken gekehrt hätte, obschon das, was er mit ihr aufgab, ihm später zum Sinnbild wurde für all die nie wieder gutzumachenden Verlustgeschäfte, aus denen das Leben besteht. Erst in der Retrospektive tat sich Galizien ihm auf; ein weites, jenseits der Geschichte gelegenes Kronland der Sehnsucht, rückte es an die Stelle der durch den Krieg zerstörten Heimat, die mit der Dissolution des Reichs endgültig von den Landkarten verschwunden war. Roth, der diese Auslöschung je länger desto weniger verwunden hat, ruft in einem 1929 geschriebenen Feuilleton den mythischen Augenblick zurück, in dem das Reich der Habsburger versank »im Meer der Zeiten … mit seiner gesamten bewaffneten Macht … so vollkommen, so für immer, wie die armselige, mit dem Imperium nicht zu vergleichende Kindheit eines Untertanen«[1]. Offenkundig wird in dieser Gleichsetzung eines verlorenen Reichs mit der verlorenen Kindheit die für den Melancholiker Roth charakteristische affektive Bindung an die erlittenen Niederlagen und Einbußen. Gibt es ein gelobtes Land, so liegt es weit rückwärts in der Vergangenheit, denn die Worte ›so vollkommen, so für immer‹, die in der zitierten Stelle den emotionalen Ton angeben, beziehen sich nicht nur auf den Augenblick des Versinkens, sondern sie sind auch der letzte Abglanz dessen, was einmal war. Die Zukunft hingegen ist ein Trugbild. Zwar glaubt Mendel Singer, heißt es im *Hiob*, »seinen Kindern aufs Wort, daß Amerika das Land Gottes war, New York die Stadt der Wunder und Englisch die schönste Sprache«; zwar sagt er sich, bald werden »die Menschen fliegen wie Vögel, schwimmen wie Fische, die Zukunft sehn wie Propheten, im ewigen Frieden leben und in vollkommener Eintracht bis zu den Sternen Wolkenkratzer bauen«[2], aber er überzeugt weder sich noch den Leser, denn die Travestie ist dem utopischen Prospekt bereits eingeschrieben. Kaum verwundert es darum, wenn eine knappe Seite später die paar kümmerlichen Sterne und zerhackten Sternbilder, die Mendel wahrnehmen kann über dem Widerschein der Stadt, die Erinnerung in ihm heraufrufen »an die hellgestirnten Nächte daheim, die tiefe Bläue des weitgespannten Himmels, die sanftgewölbte Sichel des Mondes, das finstere Rauschen der Föhren im Wald, an die Stimmen der Grillen und Frösche«[3]. Derartige Erinnerungsbilder tauchen im Werk Roths Mal für Mal auf, und regelmäßig fast kommt in ihnen die weite Oberfläche der Erde vor, die ringsum belebte Natur, der Mensch mit erhobenem Antlitz und das gestirnte Zelt des Himmels. Ihre spezifische Form gemahnt somit an die hebräische Naturpoesie, von der Hermann Cohen gesagt hat, »daß sie stets das Ganze des Weltalls in seiner Einheit umfaßt, sowohl das Erdenleben als auch die leuchtenden Himmelsräume«[4]. Was aber in der hebräischen Poesie noch ein Reflex der monotheistischen Ordnung gewesen sein mochte, das ist bei Roth inspiriert vom Schauder der Heimatlosigkeit, der über das Feld des Exils weht.

Für Joseph Roth, der aufgewachsen war in einer Stadt, in der die Juden die große Mehrheit der Bevölkerung ausmachten, und die, wie David Bronsen erinnert, von Joseph II. das neue Jerusalem genannt wurde,[5] begann die Erfahrung des Exils mit der Ankunft am Wiener Nordbahnhof, mit dem Untermietzimmer in der Leopoldstadt und der Begegnung mit deutschnationalen Studenten und Lehrern an der Wiener Universität. Die Erste Republik mit ihrem zunehmend rabiaten Antisemitismus war ein ausgesprochen unsicheres Territorium für einen jungen jüdischen Literaten, und auch das Berlin der zwanziger Jahre, in das Roth bald schon übersiedelte, war kaum angetan, heimatliche Gefühle in ihm aufkommen zu lassen. In dem 1927 erstmals erschienenen großen Essay *Juden auf Wanderschaft*, der den Zug nach Westen als einen Irrweg beschreibt, ist die Rede davon, daß für die Zugereisten »ein nicht weniger grausames Getto sein Dunkel bereithält«, wenn sie »den Schikanen der Konzentrationslager halb lebendig entkommen sind«[6]. Man schreibt, wie gesagt, das Jahr 1927, und es ist anzunehmen, daß Roth mit dem Begriff ›Konzentrationslager‹ auf die durchaus als Hilfseinrichtungen fungierenden Auffang- und Übergangslager verweist, in denen bis weit in die zwanziger Jahre hinein die aus den ehemaligen österreichischen Gebieten nach Westen verschlagenen Juden untergebracht waren. Was immer Roth mit ›den Schikanen der Konzentrationslager‹ ausgesprochen hat, der Terminus geht schon über das an dieser Stelle Gemeinte hinaus, nicht nur weil der Leser den weiteren Verlauf der Geschichte kennt, sondern weil nur wenige die Dinge so klar und so lang vorhersahen wie Joseph Roth. Erlaubte ihm Berlin noch die Illusion, als Kosmopolit unbemerkt passieren zu können, so wird es ihm mit jedem Abstecher in die Provinz klarer, wie ungeheuer und unbewohnbar sein Gastland geworden ist; nicht umsonst hat er dessen Namen zumeist verkürzt auf die fast lautlose Buchstabenfolge Dtschld., die anmutet wie eine Metapher der Lieblosigkeit. Auf der Harzreise, die er 1931 unternimmt, sieht er sich in einer Halberstädter Gastwirtschaft gehalten, zu Tarnungszwecken ein Bier zu trinken, eine Zigarre zu rauchen und den Amtsanzeiger zu lesen, in dem die Demokratie verspottet wird. »Die Gesinnung des Blattes«, schreibt Roth, »beruhigt sie«, d. i. die Herren am Nebentisch, »über die meinige. Und einer scheint dermaßen mit mir zufrieden zu sein, daß er sein Glas erhebt, um mir zuzutrinken. Ich antworte ihm ernst ... und fasse blitzschnell den Entschluß, ihm zu entrinnen.«[7] Roths Sarkasmus täuscht kaum darüber hinweg, daß er im Auge des Nachbarn bereits die Todesdrohung erkennt. Bronsen vermerkt, daß Roth im

Anschluß an die in Halberstadt und Goslar gemachten Erfahrungen seinem Vetter gegenüber äußerte: »Ihr wißt ja gar nicht, wie spät es ist. Diese Städte stehen fünf Minuten vor dem Pogrom.«[8] Vieles von dem, was Roth in den nachfolgenden sieben Jahren, die für ihn die schwersten und zugleich ertragreichsten gewesen sind, zu Papier brachte, war der symbolischen Errettung einer Welt zugedacht, von der er wußte, daß sie der Zerstörung bereits überantwortet war. Die literarischen Bilder aus dem europäischen Osten, die Roth uns überliefert hat, entsprechen den photographischen Aufnahmen, die Roman Vishniak unmittelbar vor dem sogenannten Ausbruch des Krieges in den jüdischen Gemeinden der Slowakei und Polens gemacht hat. Sie zeigen alle die Anzeichen des Endes und geben in ihrer bewegenden Schönheit die vielleicht akkurateste Vorstellung von der moralischen Indifferenz derjenigen, die sich damals zu ihrem Vernichtungswerk bereits anschickten.

Es ist verschiedentlich argumentiert worden, Roth habe in der literarischen Restitution der Heimat einem Illusionismus gehuldigt, der nicht frei gewesen sei von sentimentalen Zügen. Nichts entspricht weniger den Tatsachen. Wohl ist Roth imstand gewesen, in Artikeln, die er aus rein politischem Kalkül für ein Organ wie ›Der Christliche Ständestaat‹ verfaßte, die Mittel der Kolportage einzusetzen, aber seinen literarischen Arbeiten, auch den weniger gelungenen, eignet durchweg ein anti-illusionistischer Zug. Selbst der *Radetzkymarsch,* der gemeinhin als sein schönstes Erzählwerk gehandelt wird, ist als die Geschichte eines irreversiblen Debakels eindeutig ein Roman der Desillusionierung. Allenfalls dem Vater des Helden von Solferino wird noch verstattet, sein Leben in ärarischer Traulichkeit zu vollenden; das festgefügte Weltbild des geadelten Helden selbst hingegen wird von Grund auf erschüttert durch die von höchsten Instanzen sanktionierte und ihm völlig unbegreifliche Verdrehung der einfachen Wahrheit in eine zum frommen Gebrauch der Schulkinder bestimmte verlogene Geschichte. Der Bezirkshauptmann von Trotta, der die nachfolgende Generation vertritt, glaubt durch ein hochritualisiertes Verhalten vor den Wechselfällen des Lebens sich schützen zu können und wird erst durch das immer deutlicher sich abzeichnende Unglück des Sohns aus dem Konzept gebracht. Dieser, der arme Carl Joseph, geht in seiner galizischen Grenzgarnison allmählich zugrunde, an der Liebe zu den Frauen, an den Vorschriften der Männerwelt, am Wechselspiel von *rouge et noir*, am Heimweh und am Neunziggrädigen, der ihm alles vergessen hilft. Die bewegende Kraft der Fabel ist die Gnade des Herrschers, die nicht wie ein Segen, sondern beinah wie ein Fluch, wie »eine Last aus schneidendem Eis«[9] auf dem Geschlecht der Trottas ruht. Ein äußerst makabrer Totentanz ist diese ganze Geschichte. »Wir alle leben nicht mehr!«[10], mit diesen Worten entdeckt Graf Chojnicki dem Bezirkshauptmann das furchtbare Geheimnis der Zeit, und am Ende der berühmten Passage, in welcher Roth die Wiener Fronleichnamsprozession an uns vorbeiziehen läßt, zeigt es sich, daß die eine Art von metaphysischem Leben simulierende Veranstaltung bereits die Aasvögel angelockt hat. Noch ist zwar alles geradeso wie früher. Die Infanterie zieht vorbei, und es ziehen vorbei die Artilleristen, die Bosniaken, die goldgezierten Ritter des Vlieses und die rotbackigen Gemeinderäte. Es folgt eine Halbschwadron Dragoner, und dann erscheint, unter dem Ruf der Fanfaren, der König von Jerusalem und Kaiser des apostolischen Reichs, die Hauptfigur in dieser ostentativen Zurschaustellung legitimer Herrschaft, in einem schneeweißen Rock und mit einem mächtigen grünen Strauß aus Papageienfedern am Hut, von dem Roth sagt, daß er sachte wehte im Wind. Uns, den Lesern, ergeht es nicht anders als dem jungen Jägerleutnant Carl Joseph, der Zeuge dieses Schauspiels ist. Wir sind geblendet vom Glanz der Prozession, und wir hörten so wenig wie er »den düsteren Flügelschlag der Geier, der brüderlichen Feinde des Doppeladlers«[11], würden wir nicht eigens auf ihn hingewiesen. Überhaupt die Vögel — ihnen weiß das Ingenium des Erzählers sich verwandt. Ein schwaches, heiseres Krächzen hört man am Himmel, als die Wildgänse vor dem Ausbruch des Krieges vorzeitig ihren Sommeraufenthalt verlassen, weil sie, wie Chojnicki sagt, die Schüsse schon hören. Gar nicht zu reden von den Raben, den Propheten unter den Vögeln, die jetzt hundertweise in den Bäumen hocken und mit schwarzem Krächzen das Unglück ankünden. Eine böse Zeit bricht an. Bald knallen »auf den Kirchplätzen der Weiler und Dörfer die Schüsse der hastigen Vollstrecker hastiger Urteile ... Der Krieg der österreichischen Armee«, kommentiert der Erzähler, »begann mit Militärgerichten. Tagelang hingen die echten und die vermeintlichen Verräter an den Bäumen ... zur Abschreckung der Lebendigen.«[12] An ihren gedunsenen Gesichtern erkennt Trotta, daß sie Opfer sind eben jener Korruption des Gesetzes sowohl als des Fleisches, die er selber bereits so lang in sich spürt. Nichts an diesem Zug um Zug jede Illusion ausräumenden Roman läuft hinaus auf eine Verklärung des Habsburgerreichs; vielmehr ist der *Radetzkymarsch* ein durchaus agnostisches Werk, dessen düstere Ereignisse, wie dem Leutnant von Trotta vorkommt, »in einen düsteren Zusammenhang gefügt und abhängig (sind) von irgendeinem gewaltigen, gehässigen und unsichtbaren Drahtzieher«[13]. Es bleibt offen, wer mit dieser antinomischen Figur gemeint war. Gewiß aber ist, daß am Ende der Erzählung, als der unermüdliche dünne Landregen das Schloß von Schönbrunn genauso einhüllt wie die Irrenanstalt Steinhof, in welcher der hellseherische Graf Chojnicki jetzt einsitzt, die apostolische Ordnung und der blanke Wahnsinn auf einen gemeinsamen Nenner gebracht sind.

Was aber bedeutet für das illusionslose Bewußtsein, aus dem allein ein Roman wie der *Radetzkymarsch* hervorgehen konnte, der im Werk Roths zweifellos am häufigsten wiederkehrende Begriff, der nämlich der Heimat? Nach der Heimat sehnen sich sämtliche Gestalten dieses Autors auf die eine oder andere Weise. Einmal ist Heimat »der dunkelgrüne Schatten der Kastanien aus dem Stadtpark ..., (der) das Zimmer mit der ganzen satten und kräftigen Ruhe des Sommers (erfüllte)«[14], dann ein Ort, den man einmal verließ, oder, wie im Fall des längerdienenden Feuerwerkers Eibenschütz, die Armee, die, wie der Erzähler uns mitteilt, »sein zweites und vielleicht sein eigentliches Nikolsburg«[15] gewesen ist. Sie kann ein Haus sein, wie dasjenige der Josephine Matzner, in welchem die Mizzi Schinagl sich aufgehoben und allen Männern überlegen wußte, oder der Grund des Ozeans, auf den Nissen Piczenik hinuntergezogen wird von seiner unstillbaren Liebe zu den Korallen. Für die Juden auf Wanderschaft aber, denen Roth sich zurechnet und die, wie er schreibt, überall ihre Gräber haben, ist die Heimat nirgendwo und somit der Inbegriff der reinen Utopie. Roth hat ihn extrapoliert aus der absoluten Trostlosigkeit der Geschichte, und vermittels winziger Kunstgriffe bringt er ihn ein in die Abschilderung eben dieser Trostlosigkeit. Es gibt kleine Wendungen, Halbtonschritte und Kadenzen in seiner Prosa, die anzudeuten scheinen, daß es jenseits des historischen, nicht von der Hand zu weisenden Unglücks etwas anderes geben muß. Faßbar machte Roth diese andere, von einem seltsamen Glanz und Schimmer umgebene Welt, indem er, ohne den geringsten Abstrich zu machen an seiner wahrhaft erbarmungslosen Kritik des komatösen Habsburger Systems, das vielfarbige Reich im gleichen Zug und auf eine fast beiläufige Art allegorisierte. Die Form, welche die Allegorie annimmt, ist diejenige einer Karte der Monarchie, auf der, in der Vorstellung des Bezirkshauptmanns, die verschiedenen Kronländer lediglich als »große bunte Vorhöfe der kaiserlichen Hofburg«[16] erscheinen. Der Terminus von den Vorhöfen im Verbund mit der schönen Vielfarbigkeit verweist darauf, daß auf dieser Karte nicht die reale Welt, sondern das Gefilde der Ewigkeit verzeichnet ist, das nur der eschatologischen Vision sich auftut und dessen bekanntester Topos der vom himmlischen Jerusalem ist. Zu dieser allegorischen Transposition gesellt sich im Werk Roths noch eine zweite. Es ist die von der Figur des Kaisers, der, wie der junge Trotta mutmaßt, irgendwann einmal innerhalb einer ganz bestimmten Stunde alt geworden ist und der »seit jener Stunde in seiner eisigen und ewigen, silbernen und schrecklichen Greisenhaftigkeit eingeschlossen (bleibt) wie in einen Panzer aus ... Kristall«[17]. Und weiter heißt es an dieser Stelle: »Die Jahre wagten sich nicht an ihn heran. Immer blauer und immer härter wurde sein Auge.« Benjamin hat die emblematische Funktion der Leiche für das barocke Trauerspiel beschrieben. Nur an der Leiche, meinte er, habe die Allegorisierung der Physis sich durchsetzen können.[18] Eine ebensolche Allegorisierung haben wir in der Verwandlung Franz Josephs in einen der Zeit enthobenen, nur eine Art Nachleben noch feiernden Körper vor uns. Im Verhältnis zu dem großen vielgliedrigen und vielfarbigen politischen Leib der Monarchie kommt diesem fast auf seine anorganische Substanz reduzierten Corpus der Status einer Reliquie zu, an der das Eingedenken sich übt. Roth traute solchen Reliquien Kraft und Wirkung zu. Es war daher durchaus konsequent, daß er auf den Plan verfiel, Österreich könnte vielleicht in letzter Stunde dadurch gerettet werden, daß man den Thronfolger in einem Sarg nach Wien überführte.[19]

Bemerkenswert am literarischen Werk Roths ist vor allem, daß in ihm in einer Zeit, in der der Roman zu einem hypertrophischen Genre sich ausgewachsen hat, noch einmal das Erzählen von Geschichten zu Ehren kommt. Die Kunst des Erzählens, schreibt Benjamin, verdanke sich vorab der Fähigkeit, selbstvergessen lauschen zu können auf den Grundton, der alles durchzieht,[20] jenes sanfte Säuseln vielleicht, das auch Franz Joseph zu vernehmen glaubt, als es mit ihm zu Ende geht. Dieses Geräusch ist es, das den Rhythmus der Arbeit diktiert, und erst wo es dem Erzähler gelingt, sich ganz seinem Geschäft zu überlassen, entsteht der so seltene Eindruck, als falle die Gabe des Erzählens dem, der erzählt, von selber zu.[21] Ulrich Greiner hat darauf aufmerksam gemacht, daß beispielsweise im Hiobs-Roman das Erzählen von innen heraus derart radikalisiert sei, daß man meinen könne, die Geschichte des Mendel Singer werde erzählt von einer Instanz, die man als ein begnadetes Über-Ich, ja als einen der Erzählfigur beigegebenen Engel bezeichnen könne.[22] In der Tat gibt es im Werk Roths Passagen, über denen nach wie vor der Geist des Erzählers zu schweben scheint, so als sei er eben erst im Begriff, für seine Geschichte die richtigen Worte zu finden. Da steht der Rittmeister Taittinger der Mizzi Schinagl in der Strafanstalt gegenüber und ist auf einmal zutiefst bewegt von ihrem geschorenen Haar, weiß so wenig, wo er hin soll mit seinen Gefühlen, wie wir nicht wissen, wohin mit den unsern. Da schaut der schwermütige Anselm Eibenschütz zu den Sternen hinauf, die er früher nie beachtet hat und die ihm jetzt, in seinem Unglück, vorkommen wie sehr entfernte Verwandte. Und der Bezirkshauptmann tritt, ein paar Stunden vor der Audienz mit seinem kaiserlichen Ebenbild, ans Fenster wie an ein Ufer und wartet darauf, daß der Morgen heraufkommt wie ein heimkehrendes Schiff. Derlei Stellen, die »die Ränder der Ewigkeit«[23] erahnen lassen, sind Exempel einer Kunstübung, die, ihrer scheinbaren Anspruchslosigkeit zum Trotz, nirgends mit dem Vordergründigen sich zufriedengibt. Welchem Rezept die wunderbare Leichtigkeit der Rothschen Prosa sich verdankte, das läßt sich natürlich nicht ohne weiteres sagen. Möglicherweise hatte die erzählerische Trance, in die Roth sich offensichtlich zu versetzen vermochte, etwas zu schaffen mit den hochprozentigen Getränken, denen er zusprach, beziehungsweise mit seiner Abneigung gegen das Essen. Wie Bronsen mitteilt, war Roth daran gelegen, den Eindruck zu erwecken, er lebe nur vom Geist. »Seit drei Jahren«, soll er gelegentlich behauptet haben, »habe ich keine Mahlzeit zu mir genommen.«[24] Auch wenn dies, wie alles, was Roth zu seiner Person äußerte, nicht unbedingt der Wahrheit entsprach, so war es mit Gewißheit doch mehr als eine Affektation. Roth hat zumindest seit dem Unglück mit Friederike gewußt, daß es ihn nicht mehr lange halten würde. Die dreißiger Jahre, in denen die große Mehrzahl seiner literarischen Arbeiten entstand, waren die letzte Zeit seines Lebens. Benjamin hat versucht, den Zusammenhang zwischen dem Gestus des Erzählens und der Nähe zum Tod zu ergründen. »So wie im Innern des Menschen mit dem Ablauf des Lebens eine Folge von Bildern sich in Bewegung setzt — bestehend aus den Ansichten der eigenen Person, unter denen er, ohne es inne zu werden, sich selber begegnet ist —, so geht mit einem Mal in seinen Mienen und Blicken das Unvergeßliche auf und teilt allem, was ihn betraf, die Autorität mit, die auch der ärmste Schächer im Sterben für die Lebenden um ihn herum besitzt. Am Ursprung des Erzählten steht diese Autorität.«[25] Sicher trifft diese Bemerkung zu auf die von Roth erzählten Geschichten, in denen viel gestorben wird und in denen der Tod seine hageren, unsichtbaren Hände sogar schon über den gläsernen Kelchen

kreuzt, aus denen die Lebendigen noch auf ihre Gesundheit trinken.[26]
Was unter solchen Auspizien thematisiert wird, das ist nicht die Geschichte, sondern der Lauf der Welt, der, wie gleichfalls von Benjamin angemerkt wird, außerhalb aller eigentlichen historischen Kategorien steht. Die andere Weltzeit, um die es einem Chronisten geht, der die runden Jahre nacheinander abrollen sieht,[27] diese Zeit ist die der naiven Dichtung; ihr hält der Erzähler Roth die Treue, und darum weicht »sein Blick ... nicht von jenem Zifferblatt, vor dem die Prozession der Kreaturen sich hinbewegt, in der, je nachdem, der Tod als Anführer oder als der letzte armselige Nachzügler seine Stelle hat«[28]. Zifferblätter und Uhren jeglicher Art sind in den Werken Roths von besonderer Bedeutung. Kaum übertönt die Stimme des Erzählers ihr beständiges hurtiges Ticken, das schon gemahnt an die Würmer im Holz. Es ist für den Leutnant von Trotta kein gutes Zeichen, daß sein im Duell gefallener Freund Max Demant ihm seine Taschenuhr vermacht. Zu viele unwiderlegliche Sprüche gibt es über die Zeit und das Ende. Ultima multis, die letzte von vielen. Ultima necat, die letzte ist tödlich, und anderes mehr. Bronsen berichtet, daß Roth planlos Uhren gesammelt habe und daß ihm die Beschäftigung mit Uhren in seinen späteren Jahren zu einer Manie geworden sei.[29] Was es gewesen ist an den Uhren, das ihn derart faszinierte, das hat Roth in einem seiner letzten Prosastücke — es erschien am ersten Wochenende des Monats April 1939 in der *Pariser Tageszeitung* — in unvergleichlicher Weise zusammengefaßt. Der knapp zweiseitige Text trägt die Überschrift ›Beim Uhrmacher‹ und ist gewidmet dem Mysterium der verfließenden und der verflossenen Zeit. Einen einzigen Uhrmacher, so beginnt der Erzähler, habe es in der kleinen Stadt gegeben, in der er seine Kindheit verbrachte, und ein »rundes und ein wenig unheimliches Rätsel« sei damals, fährt er fort, das Zifferblatt einer Uhr für ihn gewesen, mit der die Erwachsenen die Zeit zu messen vorgaben, die vor ihm sich noch ausdehnte wie ein uferloses Meer. Im weiteren Verlauf dieser ebenso wundervollen wie prosaischen Vorübung auf das eigene Ende erahnt das den Autor vertretende Kind,

dem die Uhren noch vorenthalten werden, den Zusammenhang, welcher besteht zwischen dem beständigen Wunsch der Erwachsenen,

> die Zeit zu erfahren, und dem blassen Schrecken, mit dem sie von Krankheit, Tod und Toten sprachen. Sie verstummten dann, sobald ich aufzuhorchen begann, man verbarg den Tod vor mir wie die Uhren, und Leichenbegängnis zu spielen, verbot mir meine Mutter. Deshalb blieb auch der kleine Friedhof, an dessen Mauer ich oft vorübergeführt wurde und auf dem, wie ich wußte, ein Großonkel begraben war, ein geheim ersehntes Ziel, das ich mir vornahm, einmal zu erreichen. Ein fremder, kühler Schauer durchströmte mich. Es war der Schauer der Neugier und der Ahnung. Und es gab in der Stadt nur noch *einen* Ort, an dem ich von einer ähnlichen unnennbaren, unerklärlichen Ahnung gestreift wurde und den ich manchmal betreten durfte: es war der Laden des Uhrmachers.[30]

Die Wiederherstellung der Ahnung, die das Kind überfiel in der Finsternis des Uhrmacherladens, in der es mit tausend Stimmen wisperte und tickte, ist wohl das, was der Erzähler Roth zu leisten sich wünschte. Also saß er, wie der Uhrmacher die Lupe vor das Auge geklemmt, und sah in das gestörte Wunderwerk der Räderchen und Zähnchen, »als sähe er durch ein schwarzumrandetes Loch in eine ferne Vergangenheit«[31]. Die Hoffnung des Uhrmachers wie die des Prosaisten geht dahin, durch einen winzigen Eingriff alles wieder in die zu Anbeginn intendierte richtige Ordnung bringen zu können.

Gemessen an diesem messianischen Ideal mußte Roth vieles von dem, was er schrieb, als mangelhaft und mißraten erscheinen. Streng, geradezu skrupulös ist er bisweilen mit sich ins Gericht gegangen. Insbesondere die Arbeit am *Radetzkymarsch* löste kaum zu beschwichtigende Zweifel in ihm aus. »An einem Tag ist Alles gelungen, am nächsten Alles Dreck. Tückisch und trügerisch ist Alles ... Ich fürchte, ich bin ein Patzer.«[32] Roths Sorge ist es, daß er, wie Nissen Piczenik in der Erzählung *Der Leviathan,* dahin gelangen könnte, mit falscher Ware zu handeln. Er weiß, daß die Versuchung groß ist, daß das Handwerk des Schriftstellers nicht

anders als das des Hochstaplers darin besteht, eine ›Formulierung‹ zu finden, die es ihm erlaubt, über die eigenen Verhältnisse zu leben.[33] Es geht also im Bereich der Ästhetik letzten Endes immer um ethische Fragen. Die von dem hinkenden Janö Lakatos aus Ungarn eingeführten Zelluloidkorallen brennen nicht umsonst, wenn man sie anzündet, mit einem bläulichen Licht »wie das Heckenfeuer, das ringsum die Hölle einsäumt«[34].
Benjamin war der Auffassung, daß der wahre Erzähler nicht der Geschichte, sondern der Naturgeschichte tributpflichtig sei. Es ist darum nicht verwunderlich, daß Roth der *Radetzkymarsch* mißfallen hat. Daß er in diesem Roman für das, was er in einer deutlichen Anwandlung des Ekels ›seine Komposition‹ nennt, Anleihen machte bei der Historie, das findet er ›schäbig und verlogen‹.[35] Aufschlußreich ist in diesem Zusammenhang die Geschichte von der 1002. Nacht, in der das von Roth verachtete Erzählverfahren, das denkwürdige Ereignisse bloß aufbereitet, zum Stoff der Erzählung selber wird. Auf den letzten Seiten dieses von einer märchenhaften Trostlosigkeit inspirierten Berichts über den Niedergang des Rittmeisters Taittinger verspricht ein Wiener Panoptikum, das neue Welt-Bioskop-Theater, in vier Bildern naturgetreu gestellt und nachgebildet zu zeigen:

1. Die Ankunft des großen Schahs mit seinen Adjutanten am Franz-Josefs-Bahnhof (Hofzug verkleinert).
2. Den Harem und den Ober-Eunuchen von Teheran.
3. Die Kebsfrau von Wien, ein Kind des Volkes von Sievering, dem Schah zugeführt von höchsten Persönlichkeiten und seitdem Beherrscherin des Harems in Persien.
4. Restliche Suite des Schahs von Persien.[36]

Die Kebsfrau von Wien wird dargestellt von der Mizzi Schinagl, die als Mitbesitzerin des Welt-Bioskop-Theaters zeichnet, zu dessen Betrieb Taittinger sein letztes Geld vorgeschossen hat, um sich freizukaufen von der Schuld, die er der Mizzi gegenüber verspürt. Und die vier auf der Affiche angekündigten Bilder sind nichts anderes als eine Synopsis der unglückseligen Zeit, in der Taittingers Leben die falsche Wendung genommen hat. Zum Grausen ist diese Wieder-

kunft der eigenen fatalen Geschichte aber vor allem deshalb, weil sie vorgeführt wird in voller Lebensgröße — nur der Hofzug wird notwendigerweise verkleinert. Tatsächlich ist die Dimensionierung das ausschlaggebende Moment, denn während kleine Puppen bekanntermaßen eine Seele in sich bergen können, sind lebensgroße Wachsfiguren seelenlose Monster. Tino Percoli, der alte italienische Schausteller, der für das Welt-Bioskop-Theater die Wachsfiguren liefert, weiß um die geheimnisvollen Differenzen der Dimensionen. Er beschließt die Geschichte von der 1002. Nacht mit den Worten: »Ich könnte vielleicht Puppen herstellen, die Herz, Gewissen, Leidenschaft, Gefühl, Sittlichkeit haben. Aber nach dergleichen fragt in der ganzen Welt niemand. Sie wollen nur Kuriositäten in der Welt; sie wollen Ungeheuer. Ungeheuer wollen sie!«[37]
Roths Ehrgeiz ging, im Gegensatz zu mehreren seiner renommierten literarischen Zeitgenossen, die mit riesigen Projekten sich trugen, auf die kleine Form, in der er allein eine gewisse Integrität bewahren zu können glaubte. Sein ideales Maß war daher das eines guten Lesestücks. »Ich möchte so schreiben, daß ich in ein Lesebuch komme«, soll er gesagt haben.[38] Vielleicht gerieten ihm deshalb viele seiner Prosaarbeiten, die er bekanntlich stets mit gestochener Schrift und mit Vorliebe in Schulhefte schrieb, zu geradezu exemplarischen Lesestücken. Unter diesen nicht an letzter Stelle zu nennen wären jene paar Seiten eingangs des *Radetzkymarsch,* die von der durch einen Erziehungsminister gutgeheißenen Verdrehung der Wahrheit handeln. Ob sie in die Schulbücher schon aufgenommen sind, weiß ich nicht. Jedenfalls zeigt die über den Helden von Solferino verfaßte historische Phantasie, wie skeptisch Roth allen Fiktionalisierungen, auch seinen eigenen, gegenüberstand. Wenn es in der Kunst überhaupt um irgend etwas geht, so ließe sich Roths nicht leicht aufspürbare Ästhetik zusammenfassen, so geht es um die Treue zum Detail. Mit welchen Größenordnungen wahre Kunstfertigkeit sich auseinandersetzt, illustriert die wunderbare Reportage über die Uhrenfabrik Glashütte bei Dresden. Weil die Werkzeugteile so winzig sind, schreibt Roth, schafft der Uhrmacher »mit dem dichte-

rischen Tastgefühl eines Blinden. Man feilt an unsichtbaren Windungen und schleift an Stahlnadelspitzen, die nicht vorhanden sind, wenn man sie nicht mit dem Glase sucht. Das ist schon die Grenze zwischen Arbeit und Schöpfung«[39], jene Grenze eben, die auch für den Prosaisten Roth die entscheidende gewesen ist, weil ihre Überwindung, virtuell zumindest, der Befreiung aus dem Exil und der Rückkehr in die verlorene Heimat gleichkam. Es gibt von hier aus eine Verbindungslinie zu dem poetischen Bild von Österreich, das Roth sich gemacht hat. Es ist ein Bild, dem, wie mir scheint, jeglicher Machtanspruch, jeglicher imperialistische Zug fehlt. Worum es Roth zu tun war mit seinem Österreich-Modell, das waren allenfalls die versäumten Möglichkeiten der Geschichte. Vielleicht, so meint der alte Herr von Maerker am Ende des *Stummen Propheten*, sei seinerzeit wirklich die Möglichkeit noch vorhanden gewesen, »aus der ... Monarchie eine Heimat aller zu machen. Sie hätte das kleinere Vorbild einer großen zukünftigen Welt sein können.«[40] Die Betonung liegt nicht auf der großen zukünftigen Welt — diese weiß Roth längst verspielt —, sondern auf dem ›kleineren Vorbild‹, das illuminiert wird vom Glanz der Vergangenheit. Die affektive Beziehung, die der Schriftsteller Roth zu diesem von ihm entworfenen und, gemessen an der Realpolitik, hoffnungslos anachronistischen Modell eines ökumenischen Reichs unterhält, ist vergleichbar derjenigen, die Herrn Frohmann aus Drohobycz verbindet mit dem von ihm aus Fichtenholz, Pappmaché und Goldfarbe getreu nach den Angaben der Bibel hergestellten Tempel Salomonis. Herr Frohmann, der mit seinem Kunstwerk von einem Ghetto zum andern fährt und gelegentlich sogar bis Berlin kommt, versteht sich als Hüter der Tradition. Er behauptet, sieben Jahre an diesem Miniaturtempelchen, von dem man »jeden Vorhang, jeden Vorhof, jede kleinste Turmzacke, jedes heilige Gerät«[41] sieht, gebaut zu haben, und Joseph Roth, der die Geschichte von Herrn Frohmann erzählt, glaubt es ihm, denn »einen Tempel wiederaufzubauen«, so sagt er, »das erfordert ebensoviel Zeit wie Liebe«[42].

Una montagna bruna — Zum Bergroman Hermann Brochs

Am Anfang Prophet,
am Ende Zauberer.

Jüdisches Sprichwort

Mit dem Werk Hermann Brochs hat es die besondere Bewandtnis, daß sein hohes Renommee, geflissentlich gefördert von den Wasserträgern der Germanistik, einer kritischen Lektüre nicht ohne weiteres standhält. Bezeichnend ist in diesem Zusammenhang, wie ungesichert seine Stellung gerade im Rahmen der österreichischen Literatur geblieben ist. Zwar ist der Autor des *Bergromans,* um den es hier in erster Linie gehen soll, von seinem ersten Herausgeber bereits als »überösterreichischer Heimatdichter« reklamiert worden,[1] aber durchzusetzen vermochte diese enthusiastische Reverenz sich nicht. So hat beispielsweise in dem 1985 von Jochen Jung herausgegebenen zweibändigen Sammelwerk *Österreichische Porträts* Broch, im Gegensatz etwa zu Roth, Musil und Wittgenstein, kein Unterkommen gefunden. Offensichtlich stößt seine Rezeption nach wie vor auf gewisse Schwierigkeiten, und diese Schwierigkeiten sind es, über die ich mir hier Rechenschaft geben will, denn sie reflektieren genau mein eigenes gestörtes Verhältnis zu Broch.

Deutlich erinnere ich noch das Gefühl der Bewunderung, das die kühle Sachlichkeit des *Pasenow* in mir auslöste, als ich ihn vor Jahren zum erstenmal las, aber auch die Enttäuschung und Irritation, die in dem Maße zunahmen, in dem der analytische Erzählduktus des Texts von überspannten theoretischen Konstruktionen aufgehalten wird, vermittels derer Broch die auseinanderlaufenden Kräfte seines Werks zu einer Synthese zu bringen versucht. Sind die einzelnen Einsichten, die sich aus der Geschichte des total funktionalisierten Individuums Huguenau ergeben, von einer Exaktheit, wie sie sonst nur Musil erreichte, so tendiert die aus der Erzählung extrapolierte Theorie des Wertzerfalls zuletzt eher ins Diffuse und wird bestimmt von einem mit der Ironie des Romantexts nicht mehr vereinbaren Pathos. Die Priorität, die der Autor seinem eigenen Erkenntnisvermögen und damit dem System vor dem empirischen Detail innerhalb seiner Trilogie einräumt, ist freilich bereits im ersten Band der *Schlafwandler* vorgeprägt in der ›transzendentalen‹ Perspektive, die der Autor für sich in Anspruch nimmt. Versteht sich diese Einstellung als ein Versuch, alles von einer unabhängigen Position aus noch einmal anzufassen, so geht sie andererseits einher mit einem allmählich chronisch werdenden Realitätsverlust, dem wohl die seltsame Ausgehöhltheit und irreale Resonanz der späteren Prosa Brochs zuzuschreiben ist. Brochs Rechenfehler bestand in der Annahme, daß der den subjektiven Wahrnehmungen übergeordneten Blindheit des Ganzen durch eine höhere Vernunft noch beizukommen sei. Hierin erweist sich Broch, der sich in der vordersten Reihe der Romanautoren wähnte, als ausgesprochener Traditionalist. Das integrative Verfahren der höheren Vernunft verwandelt nämlich in aller Regel die entscheidenden Einsichten in den Verlauf der sogenannten Wirklichkeit in Mythologie, was weniger dem Erkenntnisvermögen als der Blindheit einen Zutrag bringt. Die negative Konsequenz davon ist es, daß Broch bereits im *Huguenau* jene Grenze der Abstraktion erreicht, an der der Wille zur Erkenntnis umschlägt ins Lyrisierende und in die pure Mystifikation, was für Brochs weitere Karriere als Romanautor ebenso ausschlaggebend wie verhängnisvoll gewesen ist.[2]

Als Broch im Sommer 1935 in der »Hauptstadt der Bewegung« den ersten Band des *Bergromans* in seiner ersten Fassung niederschreibt, arbeitet er wieder an einem überdimensionalen Projekt, wenn auch die beiden weiteren Bände nie in Angriff genommen werden. Das Buch, das in der Korrespondenz aus dieser Zeit zumeist als ›der große Roman‹ figuriert, zielt auf nichts weniger als eine »neue Art der Totalität«[3] und soll eine massenpsychologische Analyse des inzwischen manifesten kollektiven Wahnsinns zum Vortrag bringen, und zwar vor dem Hintergrund einer in epischer Länge und Breite ausgeführten Rhapsodie über die Beseeltheit der Natur und des Menschen. Dieser Vorsatz allein schon weist

einen Weg ins Uferlose, und es ist daher wenig verwunderlich, wenn Broch in der Folge und wohl nicht nur aufgrund der deprimierenden Zeitumstände immer wieder von Zweifeln an dieser »ganzen Dichterei und Erzählerei«[4] geplagt wird. Sein Dilemma wird verursacht von einem ethisch-didaktischen Verantwortungsgefühl, in dem er vermeint, nichts ungesagt lassen zu dürfen. Anders als Wittgenstein, der die diskursive Ausdifferenzierung der ethischen Suppositionen unserer Existenz — in welcher Form auch immer — für ein Ding der Unmöglichkeit hielt und der sich deshalb auf die Delineatur der reinen Logik beschränkte, ist Broch anscheinend der Auffassung, daß große Probleme mit großangelegten Konzepten schon zu bewältigen seien, wie er sich ja auch später immer wieder auf geradezu schwindelerregende Pläne einläßt, bis hin zu seiner Idee von einem demokratischen Weltstaat.[5] Bei der Arbeit am *Bergroman* gerät Broch, ganz der Wittgensteinschen Prognose entsprechend, bald aus dem Unsagbaren ins Unsägliche. Der ins Abstrakte ausgelagerte Bauernroman, lokalisiert in einer nicht weiter dingfest gemachten Alpenkomposition, wirft ästhetische und ethische Probleme auf, die Broch, der über die Korrelationen zwischen diesen zentralen Komponenten künstlerischer Arbeit bekanntlich viel nachgedacht hat, die Verstiegenheit seines Konzepts hätten verdeutlichen müssen.
Die Fabel selbst ist relativ einfach. Ein südländisch aussehender Wanderer namens Marius Ratti, den die Sekundärliteratur aus diversen belegbaren Gründen mit faschistischen Führergestalten identifiziert, taucht in einem Bergdorf auf und bringt die Bevölkerung teils durch seine reaktionären Auslassungen über die verkommene Zeit und die Notwendigkeit einer großen Säuberung, teils durch seine bloße ungute Präsenz um den gesunden Menschenverstand. Massenpsychotische Symptome breiten sich aus und münden zuletzt in eine ›hochdramatische‹ Szene, in welcher ein junges Mädchen namens Irmgard vom Dorfmetzger Sabest am kalten Stein ums Leben gebracht wird. Das ganze Dorf, auch der Landarzt, der die Geschichte erzählt, ist bei diesem ›Ritual‹ anwesend, über das nach kurzer Frist wieder das Gras des Alltags wächst. Über die Sinnfälligkeit einer solchen Fa-

bel als Vehikel der Faschismuskritik mag man geteilter Meinung sein. Immerhin sind ihr, obschon es ihr an jeglicher Plausibilität gebricht, eine Reihe von Zügen eingeschrieben, die sie als Modellstudie faschistischen Kollektivverhaltens angängig erscheinen lassen. Die Problematik liegt also weniger in der Fabel selbst beschlossen als in der Art ihrer Vermittlung.

Bereits die Figur des Ratti ist mit widersprüchlichen symbolischen Indikatoren derart überbesetzt, daß sie kaum je aus dem Bereich der Abstraktion herauskommt. Die melancholischen Assoziationen, die mit der Gestalt des Wanderers als eines untröstlichen und heimatlosen Menschen traditionell verbunden werden — man denke nur an Schuberts *Winterreise,* an den Schloß-Roman Kafkas, an Chaplin oder an Joseph Roth —, vertragen sich nicht mit der Allegorie des Bösen, die Broch mit dem sinistren Ratti ins Zentrum des Texts einbringt. Zudem legt die unerklärliche Heimsuchung der Dörfler durch die aus dem Blauen auftauchende diabolische Gestalt den Schluß nahe, daß sie ebenso unvermittelt wieder verschwinden wird, wie sie gekommen ist. Und in der Tat ordnen die letzten Kapitel des Romans die unheilvolle Episode des Menschenopfers in den großen Zusammenhang der indifferenten Natur ein, in deren Serenität sie kaum mehr als eine Trübung hinterläßt. Die geistige Verfassung des Landarzts, dessen Interpretation der Ereignisse, soviel auszumachen ist, die Billigung seines Autors hat, entspricht ziemlich akkurat der eines Hans Carossa. Sie bezieht sich zu ihrem Trost auf den Asylraum der Natur, in dem man der furchtbaren Zeit überhoben ist. Damit ist sie weitgehend konkordant mit der für Autoren wie Lehmann, Loerke und Wiechert charakteristischen Naturphilosophie, die auch die deutsche Nachkriegsliteratur noch in vielem geprägt hat.[6] Die ethische Problematik der inneren Emigration, nämlich diejenige des passiven Widerstandes, der in der Praxis mit passiver Kollaboration ja in eins fällt, wird von Broch als das entscheidende Dilemma seines Erzählers nirgends ausgeleuchtet oder begriffen. Vielmehr scheint es, als habe er sich im *Bergroman* unter komplizierten Veranstaltungen zur Aufrechterhaltung seines Selbstrespekts aus der für ihn vormals bezeichnenden Urbanität in jene extreme geistige Provinz zurückgezogen, die das literarische Leben im Austrofaschismus bestimmte,[7] und damit Prinzipien assimiliert, die um vieles weiter rechts von seinen besseren Intentionen lagen, als er selbst das wahrhaben wollte. Es war nicht, wie die Verweser des Brochschen Nachruhms behaupten, bloß »ein törichter Unsinn«[8], wenn Broch hie und da mit faschistischen Tendenzen in Zusammenhang gebracht wurde. Denn daß Broch selbst eine Zeitlang eher linke Neigungen hegte und daß er von den Faschisten nach dem Anschluß in einer ebenso lächerlichen wie bösartigen Bad Ausseer Farce als jüdischer Kulturbolschewist verhaftet wurde, widerlegt keinesfalls die in vielem äußerst beunruhigenden ideologischen Implikationen des *Bergromans*. Übergangsmöglichkeiten nach rechts gab es auch im Österreich der dreißiger Jahre genug, herrschte doch ein geradezu akuter Konkurrenzdruck unter den diversen faschistoiden Denominationen, die sich damals in diesem Bereich des politischen Spektrums das Terrain streitig machten. Der spezielle Wert der Literatur, insbesondere der mißlungenen, besteht darin, daß sie es uns erlaubt, derlei oft gegen das eigene Bewußtsein vollzogene Akkomodationsmanöver nachzuvollziehen. Es geht hier natürlich nicht darum, Broch des Kryptofaschismus zu bezichtigen, sondern es soll sein besonderes Unglück begreifbar werden, das damals darin bestand, daß er, als es ihm, wie verbürgt ist, angesichts der antisemitischen Umtriebe tatsächlich speiübel wurde und als es längst an der Zeit gewesen wäre, auf das Exil sich einzustellen, immer noch versuchte, seine ›natürliche‹ Heimat wie ein irgendwie unverletzbares ›Gut‹ zu bewahren. Es hätte tatsächlich nicht viel gefehlt, und die Adjustierungen, die Broch während der Arbeit am *Bergroman* an der eigenen Optik vornahm und die ihn, neben einigen anderen Gründen, zum Ausharren in Österreich verleiteten, hätten ihn das Leben gekostet.

Im Herbst 1935 arbeitet Broch in der Nähe von Seefeld in Tirol am *Bergroman* weiter. Er habe nun, schreibt er an die Frau seines Verlegers, »einen idealen Arbeitsplatz. Völlige Abgeschiedenheit, völlige Einsamkeit, ich ganz allein in einem Bauernhaus, und von meinem Fenster aus übersehe ich das 600 m unter mir gelegene Inntal in seiner ganzen Länge bis zum Arlberg ... Es ist so unbeschreiblich schön, daß ich beinahe fürchte, immerzu nur zum Fenster hinauszuschauen und nichts zu arbeiten.«[9] Das Programm, das Broch sich vorgesetzt hat, verlangt jedoch, daß er *nicht* in die ›unbeschreibliche Schönheit‹ hinausschaut, sondern daß er den Blick vor ihr senkt und sie zu Papier bringt, denn es drängt die Arbeit, »nicht zuletzt wegen des kommenden Krieges«[10], wie Broch in einem Brief vom 4. November 1935 anmerkt. Nun erscheint aber die Bilderlandschaft im *Bergroman* nicht — wie aufgrund dieser Voraussetzungen anzunehmen wäre — unter dem Aspekt des Verlustes; vielmehr wird sie präsentiert mit einer Geste der Affirmation, die bedingt ist von der schlechten ideologischen Funktion der Natur im Rahmen dieses Textes. Bewegten sich die Schlafwandler noch in einer weitgehend landschaftslosen Welt, so grenzt die Frequenz der Landschaftsbilder im *Bergroman* schon ans Inflationäre. Die Register sämtlicher Wetterlagen und Jahreszeiten werden gezogen, und doch bleiben die Bilder trotz allen epischen Aufwands Plagiate. »Es hatte wieder zu regnen begonnen, der Wald rauchte, die Hänge entlang strichen weiße Nebelfetzen. Aber der Regen war dünner geworden, die Wolkendecke hatte sich gehoben, hell glänzten Föhren und Birken in der Feuchtigkeit, und mit einem Male gab es sogar einen Wolkenriß, sodaß ein Streifen des Regens wie ein singender goldener Schleier im Sonnenlicht war«[11] — eine zweifelhafte Prosa, schwankend zwischen meteorologischer Sachlichkeit und seichter Poesie. Broch ist zu besseren Zeiten gegen derlei ›Kunst‹ allergisch gewesen. »Abendstimmung im Walde«, mokiert er sich als Rezensent gelegentlich der gesammelten Dichtungen des längst verschollenen Goldschnittpoeten Heinrich von Stein, »Nebel ziehn gleich Trauer, es schweigt der See, und manchmal spricht er.«[12] Es schweigt der Berg, und manchmal spricht er — eine genauere Synopsis der Naturschilderungen, deren Broch sich nunmehr befleißigt, ist kaum denkbar. Selten sind die Stellen in diesem Text, da sich aus den Wortbildern die intendierte Offenheit ins ›Ewige‹ ergibt, die Wendungen

ins Peinliche hingegen sind zahlreich. Als der Landarzt gegen Ende seines Berichts in den Wald hinaufsteigt, wohin die Mutter Gisson — die gute Gegenfigur des unguten Ratti — sich zum Sterben zurückgezogen hat, heißt es: »So kehre ich heim zu den Föhren und dem Quell, kehren Föhren und Quell zu mir zurück, Heimat, in die ich zurückgelange, die in mich wieder gelangt, und während die Landschaft ihre Bewegung sachte nun einstellt und meine Füße den moosig kiesigen Boden wieder spüren, erblicke ich die Mutter, ruhend neben dem Quell, und sie erblickt mich und nickt mir zu.«[13] Das aufgesetzte Pathos erweist die Gleichung Natur — Mutter — Heimat als einen faulen Zauber, das ästhetische Defizit markiert ein ethisches, und das bezieht sich nicht nur auf diese einzelne Instanz, sondern auf das Kompositionsverfahren des Texts überhaupt.
Die Manövrierung der direkten Rede mit fortwährenden Angaben wie ›sagte er‹, ›fragte er‹, ›brummte er‹, ›entgegnete ich‹, ›antwortete das Auge Plutos‹ (des Metzgerhundes!), ›meinte der junge Ehemann‹, ›warf Peter ein‹ usw. usf.[14] ist in ihrer erzähltechnischen Primitivität kaum noch zu unterbieten. Dem aufgeschwemmten Adjektiv- und Adverbialstil — innerhalb von nicht mehr als acht Zeilen finden sich ›südlich‹, ›unjung‹, ›unmännlich‹, ›grau‹, ›schwarzkühl‹, ›elfenbeinfarben‹, ›porzellanen‹, ›sternäugig‹, ›sternglitzernd‹, ›grauäugig‹, ›zürnend‹, ›wolkenrunzelnd‹, ›strahlend‹ und ›nachdenklich‹[15] — entspricht ein nicht weniger bedenkliches Arsenal hohler Abstrakta wie ›Tod‹, ›Finsternis‹, ›Nichts‹, ›Liebe‹, ›Wissen‹, ›Freude‹, ›Opfer‹, ›Ewigkeit‹ und ›Wahrheit‹, sämtliche aus einem einzigen kurzen Absatz,[16] die stets dann eingesetzt werden, wenn noch einmal gesagt werden soll, was der poetischen Sprache mißlang. All das wird sodann überhöht von rhapsodischen und jambisierenden Sequenzen, die nach oft seitenlanger pseudomusikalischer Satzführung einmünden in eine wirklich ganz extravagante Geschwollenheit, wie etwa in der Passage, wo der Landarzt von sich mutmaßt, daß es nun trotz seiner Abgeschiedenheit immer lichter um ihn werde.

Hindurchschauend durch all die Schalen, die ich bin, der ich in

> mein Leben und mein Fleisch eingeschlossen hier sitze, ich, der ich der Musik des scheidenden Lichtes auf den Bergen lausche, ich der Verzückte, der hinausschaut aus der Unfaßlichkeit eigenen Seins ins Aber-Unfaßliche immer weiterer Zonen, ja schauend und doch selber geschaut, ahne ich die Verwobenheit des Wissens, ahne die Ahnung, selber Berg zu sein, selber der Hügel, ich selber das Licht und selber die Landschaft, zu der ich nicht gelange, weil sie Ich ist, und trotzdem gelangen will, trotzdem gelangen werde, wenn im tiefsten Schacht der Ozeane, der Berge und der versunkenen Inseln, wenn auf dem goldenen Grund aller Finsternis dereinst das große Vergessen über mich kommen wird.[17]

Je größer der Aufwand beim Überbau, desto geringer die Tragfähigkeit der Konstruktion, eine Gesetzmäßigkeit, die offensichtlich von denselben Determinanten regiert wird wie in der Basis die Entwertung des Geldes, von der Broch ja einen Begriff haben mußte. Die charakteristische Stilfigur der inflationären Ästhetik aber ist die Tautologie. Die ›Gedanken im Meer des Gedachten‹, die ›heilige Heiterkeit‹ im Verein mit der ›heiteren Heiligkeit‹, die ›holde Scham des Herbstes, enthüllt und verhüllt vom kommenden Schnee‹, das ›Erfassende‹ und das ›Erfaßte‹ sind nur einige Beispiele[18] eines Verdinglichungsprozesses, den Broch selbst in seiner Werttheorie erläutert hat. Geschäft ist Geschäft, Befehl ist Befehl, Kunst ist Kunst, eine Rose ist eine Rose, die Heiligkeit ist heiter und die Heiterkeit heilig. Die logische Funktion der Tautologie im Bereich der Ästhetik nicht anders als in dem der Genetik oder Maschinentheorie ist, daß sie *keinerlei* Information enthält; auf der ethischen Ebene entspricht ihr der reine Defätismus. Daß Broch, der als erster genauere Einblicke in die Komplexionen des Kitschs eröffnet hat — der Kitsch, so schrieb er, sei das Böse innerhalb der Kunst und der Kitschproduzent nicht etwa ein Nichts- oder Wenigkönner, sondern ein Verworfener und Verbrecher oder, etwas weniger pathetisch gesagt, so Broch wörtlich, ein Schwein[19] —, daß gerade Broch also, trotz seiner radikalen Abneigung gegen den Kitsch, selbst zum Kolporteur dieses Genres werden sollte, das ist ein Trauerspiel von besonderer Art. Es trägt den Titel ›La trahison des clercs‹ und wurde in den dreißiger und vierziger Jahren sehr häufig aufgeführt. Wenn der Landarzt in der schon einmal angeschnittenen Waldszene in den »unablässig sich gebärenden Quell« schaut und wenn es ihm ist, »als gebe es ein Fließen und Aber-Fließen zwischen dem Drüben und dem Herüben, so unablässig, daß keine Grenze mehr besteht und daß dies Fließen auch nur noch mein Haupt berühren müsse, um mich zu öffnen, einfließend in mein Herz, meine Seele umfließend wie ein Silberband, eindringend in ihre tiefste unerreichbarste Tiefe, die wartet und über jede Grenze sich hinaussehnt«[20], so spüren wir eben nicht den Übergang in den Bereich des Transzendenten, den die großen Augenblicke der Literatur — und vielleicht auch des Lebens — ins Werk setzen, sondern bloß den Überdruß der äußersten Profanität. Insofern ist Brochs ›großer Roman‹ ein einziges Debakel. Broch hatte gewiß recht, als er den Verlust des Sinns für ästhetische Einheiten als zentrales Krisensymptom der ausgehenden bürgerlichen Epoche identifizierte, und wie weitreichend die Implikationen seiner These sind, begreift man genauer vielleicht erst heute, wenn man etwa Gregory Batesons Konjekturen zum Thema Ästhetik — Evolution — Erkenntnistheorie verfolgt, in denen die sukzessive Einbuße unserer ›natürlichen‹ Affinität zu ästhetischen Strukturen als ein epistemologischer ›Fehler‹ von noch unabsehbarer Konsequenz beschrieben wird.[21] Kitsch ist das konkrete Pendant ästhetischer Desensibilisierung; was sich in ihm manifestiert, ist das Resultat der Fehlprogrammierung der Utopie, einer Fehlprogrammierung, die in eine neue Zeit führt, in der Substitute und Surrogate an die Stelle dessen treten, was, auch im Bereich der Natur und der natürlichen Entwicklung, einmal wirklich war. Das Defizit aber muß wettgemacht werden und daher der Legitimationszwang der Ersatzwelt, dem auch der Autor des *Bergromans* unterliegt, das ständige Verweisen auf ein uraltes Wissen von allem Gewesenen und der Anstrich des Archaischen an den ›tiefsten‹ Stellen des Romans, seine philosophistischen Reflexionen über die »Urgründe des Denkens und der Sprache, die nicht mehr erfaßbaren, die saugenden Kräfte des Irdischen, die uns hinunterziehen zu den dunklen Wurzeln aller Ernten.«[22]

Der Verdacht einer »Anpassung an eine ideologische Mythenkonzeption« wird in der Sekundärliteratur zu Broch als »ungerechtes Verständnis« von der Hand gewiesen.[23] Das ist insofern nicht erstaunlich, als kritische Eingriffe in das Werk eines einmal kanonisierten ›großen Autors‹ in der Germanistik nach wie vor nicht gern gesehen sind. Das Berufsethos einer in weiten Bereichen immer noch arg retardierten Wissenschaft verlangt von ihren professionellen Vertretern, daß sie — auch das ein Beispiel tautologischer Operationen — das Werk weniger verstehen als durch die Eruierung seiner Quellen und Bezüge legitimieren sollen. Von den Schriften der Kirchenväter bis zu Frazer, Bachofen, Ranke-Graves, Klages, C. G. Jung und einer ganzen Reihe obskurerer Mythenforscher und Religionshistoriker, ganz zu schweigen von den literarischen Vorbildern, wird daher so ziemlich alles bemüht, was Broch vor und während der Arbeit an seinem Roman studiert hat.[24] Daß damit nicht schon die Stimmigkeit des Konzepts bewiesen ist, wird übersehen, und das eigentliche Problem bleibt unentdeckt — daß nämlich Broch sich hier genau desselben eklektizistischen Verfahrens bedient, das er in seiner Theorie vom Zerfall der Werte so überzeugend disqualifiziert hatte. Läßt sich, wie Broch argumentiert, aus einer Versammlung heterogener Stilelemente kein authentischer Stil entwickeln (Ringstraßenarchitektur!), so analog auch nicht aus einem mythologischen Sammelsurium ein neuer Mythos, wie er Broch vorschweben mochte. Was Broch in der iterativen Präsentation des guten matriarchalischen Weltbilds, das er den unguten Vorstellungen des Ratti entgegensetzt, zustandebringt, ist allenfalls ein Exempel des für die Zeit, in der er schrieb, so bezeichnenden derivativen Mythologismus, der verzweifelte Versuch, zum Ausgleich eines inzwischen chronisch gewordenen Sinndefizits Sinn und Sinnsysteme zu stiften, was bekanntlich zuletzt immer dahin führt, daß sich die allzu Sinnerfüllten bei den ersten Anzeichen einer neuerlichen Krise wie die Horde der Gergenser Säue im Matthäusevangelium einen steilen Abhang hinunterstürzen, um im Meer zu ersaufen.

In einem Vortrag über ›Die Stellung Freuds in der modernen

Geistesgeschichte‹, den Thomas Mann, der in der Weimarer Zeit einiges dazugelernt hatte, 1929 in der Münchner Universität hielt, wird mit Nachdruck betont, daß »die Wiederherstellung des ›Guten-Alten‹« durch reaktionäre Philosophien und Mythologien notwendig in die Irre führt.[25] Thomas Mann bezieht sich in diesem Zusammenhang ausdrücklich auf die chthonischen Phantasien von Bachofen und Klages und damit eben auf den neuen Irrationalismus, dem Broch in seinem *Bergroman* aufgesessen ist. Es ist die Crux dieser unseligen Konstellation, daß die Versuche der Remythisierung, wie Blumenberg bemerkt, stets »aus der Sehnsucht nach der zwingenden Qualität der vermeintlich frühen Sinnfindungen« entstehen, daß sie aber regelmäßig scheitern »an der Unwiederholbarkeit der Bedingungen ihrer Entstehung«[26]. Blumenberg erläutert, daß ›Bedeutsamkeit‹, die aus ›ausgedachten Wertigkeiten‹ sich ergeben soll, immer zerfällt. Das gelte insbesondere, so schreibt er, für das Phänomen des simulierten Neumythos. »Wo er auftritt, bedient er sich der etablierten Formulare der Beschaffung von objektiver Begründung, zieht seine Gebilde mit mehr oder weniger ritualisierter Wissenschaftlichkeit auf, wie es etwa Chamberlain, Klages oder Alfred Rosenberg getan haben, vor ihnen vielleicht am deutlichsten Bachofen.«[27] Damit ist auch die empfindlichste Stelle des *Bergromans* getroffen. Die mythologische Rezeptur ›will‹ das Wert- und Sinnvakuum mit Bedeutsamkeit füllen, die »Ausstattung mit Bedeutsamkeit ist aber ein der Willkür entzogener Vorgang«[28], wie sich in der Literatur und im *Bergroman* nicht anders immer wieder erweist. Die Gestalt der Mutter Gisson, die im Leser wohl so etwas wie Ehrfurcht erwecken soll, trägt unfreiwillige Züge des Lächerlichen, und die Philosophie, für die sie einsteht, gerät zur Travestie dessen, was intendiert war. Auch ist nicht einzusehen, was der Name Gisson mit der ihm anagrammatisch verbundenen Gnosis zu tun haben soll, trotz des Wesens, das in der Sekundärliteratur um diese Koinzidenz gemacht wird. Die gnostische Philosophie ist ja »der Ausdruck einer allgemeinen und großen Enttäuschung am Kosmos«[29] und also einem häretischen Denken verpflichtet, während Brochs fatale Tiroler Urmutter eine alles,

auch noch den bösen Marius Ratti, bejahende Lebensphilosophie vertritt. »Wie Großstadtschmutz im Flusse vermündet«, so beginnt das vorletzte Kapitel des *Bergromans*, »und, wieder rein geworden, ins Meer getragen wird, so läuft alles Elend, durchsichtig und rein geworden, wieder ins Leben zurück, wird wieder zu dem, was es gewesen ist, was es war und ist, was es bleiben wird: Leben, ein Teilchen des Ganzen, unerkennbar in der Ganzheit, aufgesaugt von ihr, unerkennbar in ihr, untergegangen im Unwandelbaren.«[30] Fast scheint es am Ende, als sei der Opfertod Irmgards nicht umsonst gewesen, da er ja ein Teil war des immer fortlaufenden Läuterungsprozesses des Lebens und Sterbens, den offensichtlich nicht nur der erzählende Landarzt beschreibt, sondern auch der ihm die Feder führende Autor.
Zahlreiche Facetten des *Bergromans* verweisen also tatsächlich auf eine in hohem Grad suspekte Ideologie. Was Broch von den ihrer Sache sicheren faschistischen Kolporteuren unterschied, die die Lebensphilosophie in ihren Traktaten und Dichtungen vollends korrumpierten, das war vielleicht sein guter Glaube, gepaart mit einem schlechten Gewissen, was die inneren Qualitäten seines Geschriebenen betraf. Darum das endlose Revidieren, das täglich bis zu siebzehnstündige Arbeiten, in dessen Verlauf Broch auch den Text des *Bergromans* immer wieder hin- und herbeugt, ohne daß sich an seiner Substanz, Form oder Ausrichtung viel änderte. Broch ist dann auch als Märtyrer seines in den letzten Jahren oft unter widrigen Umständen eingehaltenen enormen Pensums im tatsächlichen Sinn des Wortes über der Arbeit gestorben. Er saß an der voraussichtlich endgültigen Fassung des *Bergromans* und brach bei der Beschreibung einer Alpenlandschaft ab. Wie die Monographie Koebners erinnert, packte er danach noch einen Koffer für eine Reise. Das war in den frühen Stunden des 30. Mai 1951. Um sechs Uhr morgens etwa erlitt Broch einen Aorta-Riß. Überanstrengung des Herzens, meint Koebner.[31] Sehr wohl möglich. Belegt ist, daß der Eismann — fast eine Figur aus einem Raimund-Stück — ihn tot auf dem Boden seiner etwas unwürdigen letzten Behausung in New Haven liegen fand, mit einem ruhigen, ausgeglichenen Ausdruck in den Zügen. Das

Exil, lautet ein Spruch aus dem Babylonischen Talmud, sühnt jede Sünde. Vielleicht hat Broch, der den Wiedereintritt ins Judentum erwog, zuletzt doch noch den außerordentlich hohen Berg Nebo erklommen, um, wie Moses im Deuteronomium, ins verheißene Land Kanaan hinabzuschauen, in das er selber nicht eingehen durfte.

Verlorenes Land — Jean Améry und Österreich

> Es ist wieder der alte Kampf mit dem alten Riesen. Freilich, er kämpft nicht, nur ich kämpfe, er legt sich nur auf mich wie ein Knecht auf den Wirtshaustisch, kreuzt die Arme oben auf meiner Brust und drückt sein Kinn auf seine Arme. Werde ich dieser Last standhalten können?
>
> Franz Kafka,
> *Hochzeitsvorbereitungen auf dem Lande*

In der Erzählung *Drei Wege zum See* erinnert die Photographin Elisabeth, die die Stelle der Ingeborg Bachmann vertritt, beim Überdenken ihrer Vergangenheit und ihres Metiers als Bildberichterstatterin sich der Skepsis, mit der Trotta, ihr Geliebter, in der Zeit unmittelbar nach dem Algerienkrieg ihrem professionellen Engagement für Sache und Wahrheit gegenüberstand. »Viel später«, heißt es dann im Text, »las sie zufällig einen Essay ›Über die Tortur‹, von einem Mann mit einem französischen Namen, der aber ein Österreicher war und in Belgien lebte, und danach verstand sie, was Trotta gemeint hatte, denn darin war ausgedrückt, was sie und alle Journalisten nicht ausdrücken konnten.«[1] Gemeint war bekanntlich Jean Améry, der im literarischen Betrieb jener Jahre, nicht anders als in diesen ziemlich unebenen Zeilen der Bachmann, nur eine knappe Zeitlang am Horizont erschien, um seine schwerwiegenden Aussagen zu machen und dann den, wie er meinte, allzu oft schon vertagten Abschied zu nehmen. Ob es Améry selbst recht gewesen ist, wenn er hier als ›ein Österreicher‹ zitiert wurde, mag man bezweifeln. Österreich und die österreichische Identität, das war für Améry etwas, das ihm entzogen worden war und wonach ihm, aufgrund einer von Exil, Folter und Massenvernichtung bestimmten Lebenserfahrung, auch nicht mehr der Sinn stand. Unmittelbar nach dem Ende des Kriegs — Améry war eben erst von den Toten zurück, hatte noch nicht lang die im Januar 1945 erfolgte Evakuierung aus

Auschwitz: Fußmarsch nach Gleiwitz, offener Bahntransport in die Provinz Sachsen, Reinternierung im Lager Buchenwald-Mittelbau und, im April, einen weiteren offenen Bahntransport nach Bergen-Belsen hinter sich — erwog er zwar die Rückkehr nach Wien, um auf Einladung Leopold Langhammers beim ›Neubau des Volksbildungswesens‹ mitzuwirken, doch bringen ihn offensichtlich weder dieses Angebot noch seine späteren, relativ regelmäßigen Reisen nach Österreich auf den Gedanken, sich dort wieder niederlassen zu können. Sein Gefühl, nach all dem, was war, besser woanders aufgehoben zu sein, bleibt bestehen, und Améry besteht auch auf ihm. Zumindest das Recht auf sein Ressentiment gegenüber der unguten Heimat will er sich nicht nehmen lassen. Noch 1972 und 1974 weist er Bemühungen österreichischer Freunde, ihm den Professorentitel beziehungsweise einen Orden zu verschaffen, zurück.[2]
Nicht daß Améry seine Beziehung zu Österreich in Abrede gestellt hätte; er wollte nur begreiflich machen, daß der Hanns Mayer, der 1938 seine Heimat verlassen und schließlich vom Bahnhofspostamt Antwerpen in schlechtem Schulfranzösisch, wie er mit Bitterkeit erinnert, ›heureusement arrivé‹ nach Hause telegraphieren mußte, für ihn eine sehr entfernte Figur war, jemand, der eigentlich gar nicht mehr existierte, und daß der spätere Jean Améry hinter die schwere Schule, die er in der Zwischenzeit durchgemacht hatte, nicht mehr so einfach zurückkonnte. Darum revozierte er auch die Umgegend seiner Kindheit, das Salzkammergut, in dem Band *Örtlichkeiten* mit einer eigenartigen Mischung aus Sehnsucht und bösem Humor. In der Retrospektive erkannte er, was dem um die entscheidenden Jahre älteren Horváth in der Zeit, in der das Debakel sich zusammenzog, schon aufgegangen war, wie ausgehöhlt nämlich die Idylle der Provinz damals bereits gewesen ist. In Bad Ischl, wo Améry in den Jahren nach dem Ersten Weltkrieg seine Kindheit verbrachte, wird ein Gespensterstück gegeben. Der Marzipan-Kaiser, wie Améry ihn nennt, kommt zwar die längste Zeit schon nicht mehr in die Sommerfrische, aber auf der Esplanade an der Traun dirigiert nach wie vor, »eingezwängt bis zur Atemlosigkeit in einen knappen Gehrock,

ein feister Herr Konzertdirektor Potpourris aus dem ›Walzertraum‹, aus der ›Lustigen Witwe‹, dem ›Rastelbinder‹ oder … der ›Gräfin Mariza‹«[3]. Auch ist das Publikum fast dasselbe geblieben, in vorderster Reihe immer noch die gehobene jüdische Bourgeoisie aus der Hauptstadt, die dem Kaiser einst nach Ischl gefolgt war, weil man sich in Anwesenheit eines Landesherrn, der, wie Améry erinnert, die Antisemiten nicht ausstehen konnte, sicher und legitimiert wähnen durfte. Nichts illustriert die vom Glanz oder Nachglanz kaiserlicher Toleranz eingegebene Illusion, endlich zu Hause angelangt zu sein, besser als die von Friedrich Torberg erzählte Anekdote, in der Heinrich Eisenbach, einer der großen Charakterdarsteller des Wiener Theaters der Jahrhundertwende, in seiner allsommerlichen Rolle als Ischler Stammgast auftritt. Eisenbach »unternahm Tag für Tag den gleichen Spaziergang: auf eine schon etwas weiter entfernte Anhöhe mit Jausenstation und Aussichtswarte, zu Ehren der Erzherzogin Sophie und des nach zwei Seiten sich öffnenden Panoramas ›Sophiens Doppelblick‹ geheißen«. Während eines selbst für Ischler Verhältnisse außergewöhnlich verregneten Sommers war Eisenbach bereits mehrere Wochen lang der einzige Gast des Jausenlokals gewesen, als er eines Nachmittags eines Fremden ansichtig wurde, der völlig ratlos von der Aussichtswarte in den allseits sich ausbreitenden Nebel hinaussah. Eisenbach trat an ihn heran und eröffnete ihm das verhüllte Geheimnis mit den Worten: ›Von hier aus, mein Herr, haben die alten Juden den Dachstein gesehen.‹«[4] Mythos und gesellschaftliche Wirklichkeit gehen in dieser Geschichte aufs abgründigste durcheinander. Ist Österreich das Gelobte Land und der Dachstein der Berg Nebo, oder ist der Aussichtspunkt mit seiner angesichts der herrschenden Wetterverhältnisse äußerst ironischen Bezeichnung nur eine weitere Station auf einer endlosen Irrfahrt? Wie dem auch sei, Amérys Reflexionen über Ischl machen deutlich, daß die Heimat, so wie sie sich ihm präsentierte, ein Trugbild war, und es ist der desillusionierte Blick, den Améry gegen Ende seines Lebens zurück wirft auf die Gegend seiner Herkunft, der es ihm ermöglicht, zum Stichwort ›Heimat‹ die wohl bedenkenswertesten Überle-

gungen anzustellen, die es zu diesem Begriff in der neueren Literatur gibt. Améry definiert Heimat als das, was man umso weniger braucht, als man es hat, was wiederum heißt, daß alle positiven Verlautbarungen zu diesem Thema fast von vornherein verdächtig sind und daß man das, was Heimat einem bedeutet oder hätte bedeuten können, nur ex negativo, im Exil erfahren kann.
Diese Thesen sind umso bemerkenswerter, als Amérys eigenes Verhältnis zu der Gegend, in der er seine Kindheit und Jugend verbrachte, zunächst völlig ungebrochen war. Er kannte nicht jenes irritierende Gefühl der Fremdheit und Differenz, von dem so viele jüdische Autobiographien sonst berichten. Es gab für ihn offensichtlich keinen Anlaß, sich mit der jüdischen Minorität zu identifizieren, deren alljährliches Auftauchen in Ischl für ihn nichts anderes bedeutete als den Beginn der Sommervakanz. Selbst die gelegentlichen Besuche des um seine Erziehung besorgten Großvaters, eines ernsten Herrn mosaischer Konfession,[5] verstörten ihn nicht in seinem vom Horizont um Bad Ischl und Gmunden bestimmten Gefühl einer fraglosen Zugehörigkeit. Daß die Mutter ein Wirtshaus führte, das durch den frühen Tod des Vaters, der 1917 als Kaiserjäger gefallen war, reduzierte wirtschaftliche und soziale Niveau mag die Vorstellung, zum sogenannten normalen Volk zu gehören, in dem Heranwachsenden noch verstärkt haben. Selbst als Améry später nach Wien kam, wo die vulgären Äußerungsformen des Antisemitismus ein gutes Vierteljahrhundert schon an der Tagesordnung waren, fühlte er sich, nach eigenem Zeugnis, kaum betroffen. Erst die in der ausgehenden Republik immer virulenter und organisierter werdenden Feindseligkeiten machten ihm klar, daß auch er gemeint war. Insbesondere erinnert Améry den Tag im fünfunddreißiger Jahr, da er, in einem Kaffeehaus den Text der eben erlassenen Nürnberger Gesetze in der Zeitung lesend, begreift, daß damit seine Existenzberechtigung suspendiert ist.
Was Améry im Rückblick am meisten verwundert, war die Widerspruchslosigkeit, mit welcher die Juden, er selber nicht ausgenommen, in alles sich schickten. Sie »muckten nicht auf, waren es zufrieden, solange der Türnachbar mit

dem älplerisch klingenden Namen noch ihren Gruß erwiderte«[6]. Trotz der akuten Bedrohung von nebenan, trotz Wirtschaftselend und Klerikofaschismus im eigenen Land bleiben die Juden, fast ausnahmslos. »Ihr patriotischer Aberwitz«, schreibt Améry, »ist grenzenlos.«[7] Selbst als in täglich zunehmender Zahl Emigranten aus dem Reich eintreffen, »die Schaudergeschichten von KZ-Lagern erzählen, vom Boykott jüdischer Geschäfte, von dem, was man drüben die Gleichschaltung nennt ..., verbleibt (man) am Orte in einer stumpfen Mischung von Furcht und Vertrauen«[8]. Seine eigene Haltung in dieser Zeit erklärt Améry in *Unmeisterliche Wanderjahre* für unentschuldbar. »Daß ich ... die Trommeln in der Nacht und bei Tage nicht vernahm, daß das Donnern der Saalschlachten nicht an mein Ohr drang, daß ich die Uniformen nicht sah und nicht die unsäglichen Gesichter des Gelichters, das aufmarschierte mit ruhig festem Schritt — dafür, ich weiß, kann es keinen Pardon geben.«[9]
Améry macht für seine Betriebsblindheit das wirre austrozentrische Weltbild verantwortlich, mit dem er sich akkommodiert hatte. Die Vorstellung, Österreich sei etwas Besonderes, sei ausersehen für eine bessere Aufgabe als das heidnische Reich draußen, ließ in der Tat manchen durchaus denkfähigen Verstand stillstehen. Legitimistische Vorstellungen, wie sie vor allem Leopold von Andrian seit dem Ausgang der monarchistischen Zeit propagiert hatte, wurden nun zum politischen Programm eines hoffnungslos in die Defensive gedrängten Staates. »Österreich«, so Schuschnigg am 10. Februar 1935, »hat seine Berechtigung letzten Endes darin, daß es das letzte Stück Abendland der Welt ist.«[10] Zu diesem rein ideologischen, in der Phrasierung beinahe an Herzmanovsky-Orlando erinnernden Separatismus in völligem Gegensatz stand eine politische Praxis, die versuchte, vermittels thomistischer Differenzierungen auf der äußersten Rechten ein letztes Stück Eigenständigkeit zu sichern, während sie in Wirklichkeit dem deutschen Faschismus längst schon tributpflichtig war.
Tatsächlich war ja, wie Amérys Erinnerungen an seine eigenen Anfänge zeigen, das so viel beschworene ›österreichische Wesen‹ seit Jahren bereits unterwandert von dem, was

in Deutschland als die neue Nationalkultur zu Markte getragen wurde. In den *Unmeisterlichen Wanderjahren* werden die Mentoren unseligen Angedenkens aufgerufen, von denen Améry seine erste Vorstellung von Literatur bezog: Ludwig Finckh, Will Vesper, Börries Münchhausen und die dikke Frau Agnes Miegel werden da genannt, in einer Mischung von retrospektivem Amüsement und Geniertheit.[11] Daß es von einem solchen Niveau nur noch weiter bergab gehen konnte, lag eigentlich auf der Hand, war aber, wie Améry versichert, für jemanden, der sich wie er im Bannkreis einer im totalen Provinzialismus versinkenden Kultur befand, nicht auszumachen. Für ihn setzten einfach Wildgans und Waggerl, Suso Waldeck, Ernst Scheiblreiter und Hans Brečka-Stiftegger die Maßstäbe. Amérys erste literarische und, in einem gewissen Sinn, auch politische Schule war eine Holzwegliteratur, die einen restlos reaktionären Heimatbegriff kolportierte. Im Zentrum dieses Heimatbegriffs stand die Idee von der unmittelbaren Beziehung des österreichischen Menschen zu der ihn umgebenden Landschaft. Guido Zernatto, einer der wichtigsten Protagonisten der Kulturbewegung des Austrofaschismus, bringt in dem 1938 im Exil veröffentlichten Buch *Die Wahrheit über Österreich* die These von der höheren Bedeutung der Heimat auf die ebenso einfache wie verräterische Gleichung: »Für den Nationalsozialisten gibt es das Gesetz des Blutes, für den Österreicher das Gesetz der Landschaft.«[12] Winkelzüge dieser Art, in denen Identitäten als Gegensätze ausgegeben werden, waren in den zwanziger und dreißiger Jahren durchaus nicht nur das Prärogativ der geistigen Vorkämpfer der Ostmark; sie waren vielmehr geradezu repräsentativ für einen Großteil der postkakanischen Kultur beziehungsweise für das Verfahren, das, längst vor dem Anschluß, die Überantwortung des sogenannten österreichischen Wesens an das sogenannte deutsche Wesen möglich gemacht hatte. Die Kraft der reaktionären Landschaftsideologie erwies sich nicht zuletzt daran, daß sogar so kritisch disponierte Autoren wie Hermann Broch ihr in den dreißiger Jahren zum Opfer gefallen sind.

So ist es kaum erstaunlich, wenn der junge Jean Améry in

ähnlichen Vorstellungen Trost suchte. Denn was gehört uns, wenn nicht die Heimat? Sie schien ihm das absolut Unveräußerliche. Ihr zuliebe kann und will er nicht fort. »An einem Sommerabend«, heißt es in dem Band *Örtlichkeiten*, »wandert er« — das ist der angehende Autor Hanns Mayer — »mit einem Freund durch die Wälder des Raxgebiets, blickt über den Bergzug des Semmering, den Peter Altenberg unsterblich gemacht hat, legt sentimental den Arm um des Gefährten Schulter und sagt: Uns bringt keiner weg von hier.«[13] Améry ist eins mit dem Zeitgeist. Ein Konglomerat aus »Erfahrenem und Angelesenem« bestimmte »die Landschaft«, wie Améry selbst konstatierte, die Dimensionen des Denkbaren. Sie setzt sich zusammen aus »Wald, Berg und Tal, Feldweg, Hohlweg, Holzweg, Fels, Heide, schwarzgezahnte(r) Hügellinie, Sichelmond und Abendstern«[14]. Das Ganze ein Kunstprodukt wie der »nordische Birkenwald Jens Peter Jacobsens, wo ein Schuß im Nebel fiel, Wald, schwarz und schweigend stehender Wald ... Waldesdunkel, Waldeseinsamkeit — Magie der ewig einen Chiffre Wald«[15]. An dieser bald alles umfassenden deutschen Metapher erweist sich für Améry zuletzt auch die Provenienz des Landschaftsbegriffs, dem er sich zu Beginn seiner *Unmeisterlichen Wanderjahre* verschrieb. »Niels Lyhnes Birkenwald«, so weiß er jetzt, da er sich Rechenschaft abzulegen sucht, »lag gleich neben Buchenwald.«[16]

Amérys Erwachen begann zögernd und aufhaltsam nach der nationalsozialistischen Machtergreifung im Reich. In dem Maße, in dem die Nachrichten von Judenboykotten, Bücherverbrennungen und Internierungslagern über die Grenze dringen, wird auch die langsame Verwandlung der Heimat in Feindesland spürbar.[17] Améry muß sich eine neue Heimat suchen, und die neue Heimat ist für ihn der Wiener Kreis, der luftleere Raum richtiger, unwiderlegbarer Sätze. Der Ästhetik des Irrationalismus setzt er nunmehr die Ästhetik der Logik entgegen,[18] als könne er sich solchermaßen zur Wehr setzen gegen die stets weiter um sich greifende Unrechtsordnung. »Das Wahnspiel, dessen Regeln er sich fügte«, so Amérys Kommentar zu seiner neuen, ganz und gar abstrakten Verteidigungsposition, »war vielleicht nicht so

sehr das Denken selbst als die Mißidee, es finde ein Turnier statt zwischen jenen, die gut dachten, und den anderen, die böse handelten.«[19] Amérys Hoffnung, er sei mit der Philosophie Schlicks und Wittgensteins »gewappnet gegen die sich selbst nicht einen Augenblick ernst nehmende Folklore«[20], blieb ein frommer Wunsch, denn allem richtigen Denken zum Trotz nahm das Unheil weiter seinen Verlauf. Der Alpentraum, längst ausgeträumt, wälzte als »Alpen-Alptraum sich über die Kapitale und löschte ihren Glanz aus«[21]. Das ganze Land wurde stilisiert zu »einem älplerischen Lunapark«[22]. Dergestalt erreicht die Österreich-Idee ihre Peripetie. Zu den deutlichsten Zeichen ihres Siegeszugs gehörte die von Guido Zernatto befürwortete und als hoch bedeutsam hervorgehobene »Ausdehnung der ländlichen Tracht auch über Wien in den letzten Jahren des Ständestaates«[23]. Améry erinnert, daß Kurt von Schuschnigg »im Trachtenanzug vors Volk zu treten liebte«[24]. Einer der denkwürdigsten Auftritte Schuschniggs in dieser Aufmachung war, wie sich in den Reminiszenzen eines anderen jüdischen Emigranten nachlesen läßt, der renommierte Faschingsball ›Kirtag in St. Gilgen‹ im achtunddreißiger Jahr, wenige Wochen vor dem Einmarsch der Deutschen. George Clare berichtet, wie für dieses Ereignis der Saison das gesamte Konzerthaus von den besten Bühnenbildnern Wiens ins Salzkammergut verwandelt worden war. Das ›Weiße Rößl‹ hatte man als praktikable Kulisse rekonstruiert; es gab nicht nur einen Dorfplatz samt Maibaum, sondern auf verschiedenen Niveaus auch Tennen und Ställe mit echten Kühen und Pferden. Bloß der Wolfgangsee fehlte. Von der Blechmusik über Operettenmelodien bis zu Cole Porter und Irving Berlin war alles geboten, und das Fest erreichte seinen Höhepunkt, als Kanzler Schuschnigg in Tiroler Tracht wie der *deus ex machina* in der Loge des Präsidenten erschien, unter dem frenetischen, ja hysterischen Applaus des versammelten Narrenvolks. Während der mehrere Minuten andauernden Ovation verbeugte sich Schuschnigg, dessen Brillengläser im Licht der auf ihn gerichteten Bühnenlampen blitzten, wiederholt in seiner steifen, mechanischen Art.[25]
So wurde der ›Kirtag in St. Gilgen‹ des Jahres 1938, der gro-

ße Kulissenschwindel eines von Grund auf verfälschten und misappropriierten Heimatgefühls, der vorläufig letzte Akt der österreichischen Haupt- und Staatsaktion, denn weder der Staat noch die Heimat überlebten diese zwischen Tragödie und Farce hin und her taumelnde Tour de Force. Die Auflösung Österreichs war bereits anberaumt. Ob Améry auf dem ›Kirtag von St. Gilgen‹ gewesen ist, mag mit Fug bezweifelt werden. Daß er aber den Tag des ›Anschlusses‹ als die unwiderrufliche Zerstörung seiner Heimat empfand, das hat er ausdrücklich vermerkt. »Alles, was mein Bewußtsein angefüllt hatte, von der Geschichte meines Landes, das nicht mehr meines war, bis zu den Landschaftsbildern, deren Erinnerung ich unterdrückte ..., (war) mir unleidlich geworden seit jenem Morgen des 12. März 1938, an dem sogar aus den Fenstern entlegener Bauernhöfe das blutrote Tuch mit der schwarzen Spinne auf weißem Grund geweht hatte.«[26] In ähnlicher Weise reflektierte Ingeborg Bachmann den Tag des Einmarsches von Hitlers Truppen in Klagenfurt als den Tag der Zertrümmerung ihrer Kindheit und des Aufkommens ihrer ersten Todesangst.[27] Und doch gibt es einen entscheidenden Unterschied. Für Améry war es nicht so sehr der Einmarsch der Hitlertruppen, der ihm die Heimat zerstörte, als vielmehr die Bereitwilligkeit, mit der das Land sich der Invasion auftat, mußte man doch die Fahnentücher eine gute Zeitlang schon parat gehabt haben. Eine weitere Differenz zur Aussage Bachmanns bestand für Améry darin, daß ihm am Tag des Anschlusses nicht nur Heimatland, Kindheit und Jugend zerstört wurden, sondern *de jure* bereits seine Person selbst, die nun nicht mehr Hanns Mayer, sondern Hanns Israel Mayer hieß. »Ich war ein Mensch, der nicht mehr ›wir‹ sagen konnte und darum nur noch gewohnheitsmäßig, aber nicht mehr im Gefühl vollen Selbstbesitzes ›ich‹ sagte.«[28] Das Schicksal des jüdischen Exilierten mit dem anderer Heimatvertriebener vergleichend, schreibt Améry: »Sie verloren ihren Besitz, Haus und Hof, Geschäft, Vermögen, oder auch nur einen bescheidenen Arbeitsplatz, dazu das Land, Wiesen und Hügel, einen Wald, eine Stadtsilhouette, die Kirche, in der man sie konfirmiert hatte. Wir verloren das auch, dazu aber noch die Menschen,

den Kameraden von der Schulbank, den Nachbarn, den Lehrer. Die waren Denunzianten oder Schläger geworden oder bestenfalls verlegene Abwarter.«[29]
Anzumerken wäre in diesem Zusammenhang noch, daß der Verrat, von dem in den eben zitierten Zeilen Amérys die Rede ist, nicht aus bloßem Opportunismus geschah, sondern aus dem geradezu perversen Ehrgeiz, den Deutschen in Sachen der Judenvertreibung ein Stück voraus zu sein. Beklagte ein österreichischer General in einer von Karl Kraus in den *Letzten Tagen der Menschheit* überlieferten Ansprache an seine Offiziere noch, den Österreichern fehle halt die Organisation, wohingegen die Deutschen, das müsse der Neid ihnen lassen, die Organisation halt hätten, so zeigten die Österreicher jetzt, daß der Wunsch des Generals, »Es müßte der Ehrgeiz von einem jeden von Ihnen sein, die Organisation bei uns einzuführen«[30], nicht vergebens ausgesprochen worden war. Fast Dreiviertel der 220 000 Wiener Juden waren in den 20 Monaten bis zum Dezember 1939 über die von dem Linzer Adolf Eichmann organisierte Deportationsfabrik in der Prinz-Eugen-Straße 22 abgeschoben worden, ein System, das Schule machen sollte und dem der Chef des Reichssicherhauptamts in Berlin, Reinhard Heydrich, seine Hochachtung nicht versagte.[31] Einer der gut 150 000 Abgeschobenen war Jean Améry, der Österreich gegen Ende des Jahres 1938 verließ. Die Umstände, unter denen das geschah, führten dazu, daß die Heimatliebe sich verwandelte in Heimathaß. Améry, der wußte, was Ressentiment bedeutet, wußte auch, daß der Haß auf die Heimat letzten Endes zum Selbsthaß wird und die Separation zur *déchirure*. Wo das, was man am meisten liebt, mit einem Tabu belegt werden muß, sind die Schäden irreparabel.
Amérys Ausführungen zum Nachleben seines Heimatgefühls, längst noch nachdem er sich bewußtermaßen losgesagt hatte von Österreich, geben Aufschluß über die Intensität der durch den Verlust ausgelösten Emotionen. In dem Essay ›Wieviel Heimat braucht der Mensch?‹ erzählt er, wie er, als ihm mitten in der furchtbarsten Zeit einmal ein polnischer Jude die Frage stellte ›V'n wie kimt Ihr?‹, keine rechte Antwort zu geben wußte. Wilna, das wäre ja vielleicht zu

verstehen gewesen oder Amsterdam. Aber was sollte ein polnischer Jude, »für den Wanderschaft und Vertreibung ebenso Familiengeschichte waren wie für mich eine sinnlos gewordene Seßhaftigkeit«[32], mit dem Hinweis auf Hohenems oder Ischl und Gmunden? Nicht einmal seinesgleichen konnte er ja klarmachen, was das für ihn gewesen war, Österreich. Das selbstverständlichste Territorium war zu einem unbegreiflicheren Referenzpunkt geworden als noch die ausländischste Gegend. Die Heimat war nun für ihn das Paradigma der Irrealität. Dennoch, schreibt Améry, war sie nicht loszuwerden; sie verfolgte einen und holte einen gelegentlich auch ein. Da gab es zum einen ganz konkrete, schockartige Situationen wie diejenige, in der ein SS-Mann, mit aufgeknöpfter Uniformjacke, wirrhaarig, eines Nachmittags vor der Tür der Brüssler Wohnung steht, in der Amérys Widerstandsgruppe Flugblätter herstellt. Ausgerechnet im Dialekt von Amérys engerer Heimat verlangt dieser Mensch Ruhe für sich und seine vom Nachtdienst übermüdeten Kameraden, so daß Améry »in einem paradoxen, beinahe perversen Gefühlszustand von schlotternder Angst und gleichzeitig aufwallender familiärer Herzlichkeit«[33] einen irrwitzigen Augenblick lang das Bedürfnis verspürt, ihm in seiner eigenen Sprache zu antworten. Aber nicht nur in solchen konkreten Konfrontationen rückte die Heimat einem zu Leibe, sondern auch in der diffusen Abstraktheit eines von allen möglichen Winzigkeiten ausgelösten ›mal du pays‹, das sich am ehesten vielleicht vergleichen läßt mit jenem reißenden Phantomschmerz in Gliedern, die schon amputiert worden sind. »Heimweh, ein übles, zehrendes Weh, das keinen volksliedhaft-traulichen, ja überhaupt keinen durch Gefühlskonventionen geheiligten Charakter hat und von dem man nicht sprechen kann im Eichendorff-Tonfall. Ich spürte es zum ersten Mal durchdringend«, schrieb Améry, »als ich mit fünfzehn Mark fünfzig am Wechselschalter in Antwerpen stand, und es hat mich so wenig verlassen wie die Erinnerung an Auschwitz oder an die Tortur oder an die Rückkehr aus dem Konzentrationslager, als ich mit fünfundvierzig Kilogramm Lebendgewicht und einem Zebra-Anzug wieder in der Welt stand.«[34] Und

am Heimweh hat Améry bis zu seinem Ende so schwer laboriert, daß für ihn — paradoxerweise, wie es manchem erscheinen mag — eine Rückkehr nicht möglich gewesen ist.
Améry nahm also das, was einmal das Laster des jüdischen Volkes genannt worden ist, das *être ailleurs,* auf sich und wurde ein gelernter Heimatloser.[35] Die Heimatlosigkeit aber steigerte er noch in der Extraterritorialität einer radikalen intellektuellen Position. Amérys moralische Kompromißlosigkeit, sein Festhalten an seinen begründeten Ressentiments, hatte etwas mit seinem Stolz und dieser etwas mit seinem Mut und dem Willen zum Widerstand zu tun, mit den besonderen und raren Qualitäten, die er in so hohem Maße besaß. Die dialektische Maxime, in der Améry sein Verhältnis zu seiner Heimat zusammenfaßte, lautete: »In a Wirtshaus, aus dem ma aussigschmissn worn is, geht ma nimmer eini.«[36] Das Heimweh freilich rumorte solch bewußter Stellungnahmen zum Trotz weiter, denn es ist einer jener emotionalen Impulse, mit denen die Vergangenheit zurückgeholt und gegen das Irreversible protestiert werden soll. Insofern war natürlich Amérys Heimweh konkordant mit seinem Wunsch nach einer Revision der Geschichte, einem Wunsch, der sich bei ihm je länger je mehr herausbildete. Sicher wußte Améry, als er zu Beginn des neununddreißiger Jahrs bei Kalterherberg — wann hätte je ein Ort einen ominöseren Namen gehabt — die Grenze ins Exil nach Belgien überquerte, noch nicht, wie schwer die Spannung zwischen der fremder stets werdenden Heimat und der immer vertrauter werdenden Fremde letztlich auszuhalten sein würde. Am Ende aber wußte er es. Daß Améry im Oktober 1978 eine Lesereise, die ihn über Hamburg, Kiel, Neumünster und Oldenburg nach Marburg geführt hatte und die über Mannheim, Heidelberg, Karlsruhe, die Frankfurter Buchmesse, Stuttgart und Schwäbisch Hall fortgesetzt werden sollte, scheinbar völlig unvermittelt abbrach, um nach Salzburg zu fahren, wo er sich dann im ›Österreichischen Hof‹ ums Leben brachte, diese in mancher Hinsicht demonstrative Art, den Weg ins Freie zu gehen, hatte nicht zuletzt auch etwas zu tun mit der Lösung des unlösbaren Konflikts

zwischen Heimat und Exil, oder, wie es bei Cioran einmal heißt, *entre le foyer et le lointain.*
Amérys Tod, über den natürlich viel geschrieben und geschmiert worden ist — er war selbstverständlich sogar für die BILD-Zeitung ein gefundenes Fressen, in der ein gewisser Gustav Jandeck unter der Schlagzeile ›Selbstmorddichter Améry lag tot im Hotel — vergiftet!‹ zu berichten wußte, daß Améry, bevor er sich das Leben nahm, dreiunddreißig Jahre lang an dem Buch *Hand an sich legen* gearbeitet habe[37] —, diesen Tod hat zuletzt ein anderer Salzburger, Thomas Bernhard, in einem in der Zeitschrift *Theater Heute* aus dem Wiener Ambassador kolportierten Gespräch kommentiert.[38] Bernhard erinnerte sich da inmitten seiner Suada, wie er 1975 mit ›dem Améry‹ in der Bar des ›Frankfurter Hofs‹ gesessen habe, weil ›der Améry‹ mit ihm über *Die Ursache* habe reden wollen, die gerade herausgekommen war. Améry habe, so Bernhard, ihm damals eine Predigt gehalten, daß man über Salzburg und die Salzburger so nicht schreiben dürfe, wie er das in der *Ursache* getan habe. Es seien, habe ›der Améry‹ gesagt, schließlich nicht alle Salzburger Nazis gewesen. Bernhard fährt dann mit seiner tatsächlich auf das schwungvollste mit seinen Erinnerungen verfahrenden Erzählung weiter und berichtet, wie er sich gerade noch wahnsinnig über Amérys Besprechung im *Merkur* geärgert habe, weil »der Améry nix, aber auch gar nix von der *Ursache* begriffen gehabt hat«[39], und wie er, also Bernhard, noch unmittelbar im Zusammenhang mit diesem seinem Ärger über eine, seines Erachtens, völlig verständnislose Kritik aus dem Fernsehen erfährt, daß ›der Améry‹ hergegangen sei und sich in Salzburg umgebracht habe. Es tut vielleicht nichts zur Sache, daß der eine Teil dieser Szene 1975, der andere 1978 spielt, und daß die beiden zeitlich weit auseinanderliegenden Ereignisse in der Erinnerung Bernhards gewissermaßen synoptisch zusammengelegt wurden; bemerkenswert ist aber, wie hier zwei Schriftsteller, jeweils auf die ambivalenteste Art, die sich denken läßt, an ihre Heimat gebunden sind, und wie keiner für die Position des andern Verständnis aufbringen kann. Bernhard, in seiner wie immer auf die grandiose Übertreibung bedachten

Ausfälligkeit, empfand Amérys, wie er meinte, vorsätzliche Rückkehr nach Salzburg offensichtlich geradezu als einen Akt der Indezenz, wo nicht der Usurpation. Vom Standpunkt Amérys allerdings wird diese Geschichte mit einiger Gewißheit anders ausgesehen haben. Wer die Verhältnisse vollends begriffe, die hier zwischen einem Ort und zwei Schriftstellern, einem Moralisten und einem Amoralisten, bestanden, der wüßte etwas von der inneren Dynamik der Literatur. Sehr österreichisch war die Konstellation in jedem Fall; ja österreichischer hätte die Geschichte gar nicht ausgehen können, weshalb auch das letzte Wirtshaus, in das Améry nach einer ausgedehnten Winterreise endlich einkehren durfte, ein Ehrengrab ist auf dem Wiener Zentralfriedhof.

In einer wildfremden Gegend — Zu Gerhard Roths Romanwerk *Landläufiger Tod*

> Wenn unser körperliches Leben — ein Verbrennen ist, so ist wohl auch unser geistiges Leben eine Kombustion (oder ist dies gerade umgekehrt?). Der Tod also vielleicht eine Veränderung der Kapazität.
>
> Novalis, *Fragmente*

Der Erzähler Gerhard Roth hat seine Figuren immer wieder die Flucht aus der Umwelt, die unser Bewußtsein ausmacht, probieren lassen. Die Winterreise des Schullehrers Nagl, die nach schwermütigen erotischen Exkursionen hinauf in den hohen Norden, bis nach Fairbanks, Alaska, führte, war ein solcher Fall. Doch sind derlei Geschichten, einer überall deutlich spürbaren, weitausholenden Sehnsucht zum Trotz, einer durchaus konventionellen Erzählhaltung verhaftet geblieben, die den Autor bisweilen zum Kulissenschieber seiner eigenen Phantasien degradierte. In dem Roman *Der stille Ozean* mehren sich aber schon die Anzeichen, daß es Roth darum zu tun ist, die Grenzen des Beschreibungsrealismus zu sprengen. Ascher, der Arzt, dessen berufliche Existenz aufgrund eines Fehltritts in Frage gestellt ist, zieht hinaus aufs Land, wo er sich nach und nach den Auswirkungen des Zerfalls überläßt. Jetzt, da er über sein Mikroskop gebeugt versucht, hinter die Natur der Dinge zu kommen, geht ihm die Fremdheit und Intransigenz des Lebens auf, auch seines eigenen. Aber erst in dem Romanwerk *Landläufiger Tod,* in dem Ascher als eine bereits verlorene Randfigur wiederkehrt, gelingt es Roth vollends, durch ein neues Verfahren die Rückseite der Bilder sichtbar zu machen und damit das aufzudecken, was an Geheimnissen gewissermaßen abgeflacht unter dem Blick der Erkenntnis zerstreut liegt.[1] Das neue Verfahren besteht in der Dissolution der (erzählerischen) Vernunft durch die Intensität poetischer Imagination. Roth zeigt, wie eine gesteigerte Erlebnisfähigkeit

die Bahn, auf der Ascher sich bewegt, abzieht vom Gravitationszentrum der von der Vernunft legitimierten Wirklichkeit. Mit geschlossenen Augen im Bett liegend, stundenlang, kann Ascher sich alles vorstellen, jede Einzelheit des Hauses, kann wie eine Fledermaus durch die Räume schwirren oder in ihnen verweilen, als wäre er selbst ein Gegenstand — Einübungen in die Entäußerung oder Versuche, durch eine sympathetische Praxis die alles entscheidenden Grenzen zu transzendieren. Ein Arzt steht vor dem Körper eines plötzlich verstorbenen Kindes. Völlig entkleidet liegt es auf dem Küchentisch. Niemand will es wahrhaben. Und die Angehörigen flehen, man möge nichts unversucht lassen. Also nimmt der Arzt — schon dies, wie der Erwekkungsversuch, den Lenz unternimmt, ein Zeichen des Derangements — das tote Kind in der Instrumententasche mit nach Hause, legt es auf sein Bett und versteht, je länger er es anschaut, umso weniger, weshalb es ihm nicht gelingen sollte, es noch einmal zurückzuholen. Sowie er angesichts der unbeweglichen Kehrseite des Lebens die prinzipielle Unmöglichkeit des eigenen Daseins begreift, eliminiert er sich aus dem Leben und nähert sich der Vorstellung des Todes, den er sich selber bald zufügen wird.
Mit Ascher tritt die letzte Erzählfigur Roths ab, die im herkömmlichen Sinne Identifikationen zwischen dem Autor und seinem Stellvertreter zuließ. An den freigewordenen Platz tritt der stumme Sohn des Bienenzüchters, aus dessen, am Normalverstand gemessen, viel fremderen Bewußtsein Roths großer Roman sich entwickelt. Daß er nichts sagen kann, aber alles aufschreibt, was sich in seinem Kopf zuträgt an Gedankensprüngen und Wahrnehmungen, hebt seine Geschichte auf eine Ebene, wo dem bloß Literarischen die Luft ausgehen muß, und wo, wie Jean Paul es von inspirierter Prosa verlangte, das tatsächlich ungeheure Gefühl zum Tragen kommt, »womit der stille Geist in der wilden Riesenmühle des Weltalls betäubt steht und einsam«[2]. An der Sinnfigur der Verstörung, die Roth in seinem stummen Protagonisten geschaffen hat, wird der Leser der Differenz inne zwischen der tautologischen Wahrheit der sogenannten Wirklichkeit und dem, was mit dieser nicht übereinstimmt. »Es

gibt Menschen«, so nochmals Jean Paul, »die mit gebrochenen, verworrenen Sprachorganen sich quälen und etwas anderes sagen, als sie wollen.«[3] Sie tragen, wie der Sohn des Bienenzüchters in der Anstalt erfährt, jeder eine lange Geschichte in sich und gehören, wie er selbst auch, zur überfälligen Gattung der Wald- und Nachtmenschen oder passiven Genies, denen, wie die *Vorschule der Ästhetik* vermerkt, das Verhängnis die Sprache abgeschlagen hat. Wenn nun aber der stumme Sohn im Irrenhaus und mit ihm der, der ihm seine Worte leiht, anschreibt gegen das Verhängnis, das Vergessenwerden und die Einsamkeit, weil er die Oberhand über die Stimmen gewinnen und wieder ins Dorf zurückkehren will,[4] so geschieht das konsequenterweise in einer Sprache, die die Suche nach dem Sinn in den Unsinn verlagert. Die Aufzeichnungen, die solchermaßen zustandekommen, bestehen zu einem großen Teil aus langen Listen höchst eigenartiger axiomatischer Feststellungen, wie, um nur eines aus vielen Hunderten von Beispielen zu nennen, daß am Tag des Hirschen das Gewitter mit einer bestickten Fahne geehrt wird.[5] Viele dieser Grund-sätze sind trotz ihrer hermetischen Konstruktion von beträchtlicher Suggestionskraft, und oft kommt es einem vor, als ließe sich, verstünde man nur, was da gesagt wird, aus jedem von ihnen ein neues Weltbild, wo nicht gar eine neue Welt entwickeln, eine Welt, in der, um beim zitierten Beispiel zu bleiben, der Hirsch, das gejagte Tier, die Jagd, die Jäger, die Fahne des Schützenvereins und die atmosphärischen Erscheinungen in einem völlig anderen Verhältnis zueinander stünden, als sie das in einer von der Logik diskursiver Sprache bestimmten Ordnung tun. Aufgrund dieser Diskrepanz muß auch jeder Versuch, Traumbilder zu deuten, unweigerlich zu ihrer Entstellung führen, wie der Sohn des Bienenzüchters gegenüber dem ihn behandelnden Arzt betont. Einzig im Traum selbst könnte er, wenn er es vermöchte, das Geträumte aufschreiben. Alles andere, jede im Wachzustand vollzogene Rekapitulation, sei schon ein Schwindel, denn indem man den Traum in Worte fasse, biege man ihn bereits zurecht, im Sinne jener Gesetze eben, ohne die es die Menschen, die an dieser Stelle als Universaljuristen apostrophiert werden, nicht aushalten könn-

ten. Die Abgrenzung der autonomen Bedeutung der Träume von unseren desperaten Versuchen der Sinngebung, die Roth in dem hier in Rede stehenden, ›Traumlogik‹ überschriebenen Abschnitt[6] vornimmt, ist die zentrale Determinante der Strategie seiner Erzählungen, geht es ihm doch darum, soweit wie nur irgend möglich hinter die Schule nicht nur der Psychologie, sondern des zivilisierten Denkens überhaupt zurückzulaufen. Das Verfahren, dessen er sich bedient, um dorthin zu gelangen, »wo die Tore um den ganzen Horizont der Wirklichkeit die ganze Nacht offen stehen, ohne daß man weiß, welche fremde Gestalten dadurch einfliegen«[7], ist das einer Destrukturierung des eigenen Bewußtseins, nicht im Sinne einer Aufhebung des Sprachvermögens, sondern im Sinne einer Regenerierung der Sprachsubstanz, konkordant also mit dem, was einzig im paradoxalen Bereich kreativer Arbeit ins Werk gesetzt werden kann.
Die Kataloge schwerverständlicher, bisweilen unverständlicher Sätze, die der Sohn des Bienenzüchters zu Papier bringt — allein die Abteilung ›Das Alter der Zeit‹ umfaßt 697 derartige Bildaphorismen —, sind so zugleich Etüden, die gegenläufig zum System des Schreibens und der syntaktischen Anordnung potentiell sinnfälliger Elemente die Dezentralisierung der Sprache durch Dissoziation und Dislokation einzuleiten versuchen. Dem entsetzlichen Armutszeugnis der Sprache, das in dem Satz gipfelt, daß man über das, worüber man nicht sprechen kann, schweigen müsse, diesem abstinenten Puritanismus, der aus Wittgenstein den geheimnisvollsten aller Philosophen gemacht hat,[8] setzt Roth den Versuch entgegen, die Sprache für sich selber reden und murmeln zu lassen, um ihr dann auf ihren wahrhaft endlosen Umwegen zu folgen. Hat Roth in seinen früheren Romanen meist nur beschrieben, was er in New York oder Neapel oder Venedig erfahren hatte — der Autor als Reiseführer macht dabei oft eine schlechte Figur —, so gelangt er jetzt, und wir mit ihm, unversehens in Gegenden, wo zuvor noch keiner gewesen ist, wo im Stall die erfrorenen Kaninchen über das Gedächtnis der Kinder wachen und die Braut den Schleier erst ablegt, wenn der Blinde die Schuppen der Freitagsfische vom Dach streut.[9] Das Wunderbare dieser aus der

schwarzen Kiste hervorgezauberten Denk- und Votivsprüche besteht darin, daß sie, obschon sie jeder Teleologie widersprechen, doch die besten aller Wegweiser sind in dem unentdeckten Land, das Roth in seinem großen Heimatroman vor uns ausbreitet, denn die unwillkürliche Präzision der quasi vorsprachlichen linguistischen Reflexe — Kurzschlüsse des Sinns zwischen den disparatesten Worten — konnte sich nur aus einem ans Phantastische grenzenden und über sehr lange Zeit hinweg erarbeiteten Wissen über die Lebensbedingungen in einem natürlichen und sozialen Umfeld ergeben, das in der neueren Literatur nicht leicht seinesgleichen hat.

Das mythopoetische Verfahren Roths hat schon insofern einen Zug ins Archaische, als es offensichtlich von einer Sammlertätigkeit bestimmt wird, die jedes gefundene Objekt, jedes Fragment der Natur und jedes Bruchstück zertrümmerter Geschichte, das dem Autor unter die Hände kommt, als Baumaterial in den Prozeß der Rekonstruktion eines in zunehmendem Maß im Verschwinden begriffenen Lebens einbringt. Der Roman wird derart zu einem Laboratorium der seltsamsten Formen und Deformationen, wo zwar nichts kategorisiert und geordnet ist, wo aber der scheinbar wertloseste Gegenstand jeder Zeit zur Weiselzelle einer poetischen Evolution werden kann, die in dem Augenblick einsetzt, in dem zwei völlig disparate Elemente mit einem Gleichheitszeichen zum ersten Glied einer endlosen, alles miteinander verbindenden Kette verbunden werden. Nicht anders als das von Lévi-Strauss beschriebene wilde Denken verfolgt der schöpferische Instinkt, der hier am Werk ist, das Ziel, auf möglichst kurzem Weg zu einem allgemeinen Verständnis des Universums zu gelangen. Wie in der mythischen Weltsicht der Hase mit der gespaltenen Lippe und das Zwillingskind, der Südwind und der Drachenfisch miteinander verschwistert sind, so nicht anders in dem orbis, den Roth uns eröffnet. Wie käme er sonst zu dem Satz, daß das Nebelmeer den Störchen als Jenseits dient oder daß der Gendarm die geschwollenen Kämme der Hähne beschützt?[10] Die Erfindungskraft, die sich in derlei Fusionen beweist, entdeckt die unserem angelernten Wissen nicht zugänglichen qualitativen Aspekte der Wirklichkeit; was sonst getrennt voneinander da ist, verbindet sich in binären, seriellen Operationen nach dem Prinzip, eines ergibt immer das andere und dieses ein drittes, zu ebenso unglaublichen wie einleuchtenden Zusammenhängen. So reflektiert der Sohn des Bienenzüchters die Frage, ob er das Bienenmagazin öffnen soll, indem er sich die von dieser Handlung ausgelöste Kettenreaktion vorstellt. »Öffne ich das Bienenmagazin, beginnt die Katze zu träumen, mit dem Traum der Katze regt sich der Fötus im Bauch der jungen Frau, mit den Zuckungen des Fötus fängt es an zu regnen, durch den Regen fällt die Brille der Greisin zu Boden und zerbricht, durch das Zersplittern des Brillenglases löst sich ein Blatt vom Kastanienbaum, durch das Herabschweben des Blattes stirbt ein Dorfbewohner, beim letzten Atemzug des Sterbenden bleibt dessen Pendeluhr stehen, der Stillstand des Uhrwerks läßt den Seiltänzer das Gleichgewicht verlieren ...«[11] und so weiter und so fort bis zu den Erinnerungen des Generals, die den Mesner zum Beten veranlassen, wodurch H., der sich Frauenkleider angelegt hat, das Glied schwillt, was dazu führt, daß sich ein Ziegel auf dem Dach eines Hauses lokkert. Der Ziegel aber, der scheinbar ohne äußeren Anlaß vom Dach fällt, erschlägt ... Hier bricht die Gedankenkette ab und mündet in die Frage: »Soll ich das Bienenmagazin wirklich öffnen?«[12] Die hypothetische Exploration der Folgen unserer Handlungen tendiert offensichtlich zu einem prononcierten Skrupulantismus, einem der Psychiatrie durchaus vertrauten pathologischen Phänomen, das freilich, einmal anders gesehen, den Rückschluß erlaubt, daß wir alle viel zu wenig Befürchtungen hegen, viel zu hemmungslos wirtschaften und allzu leicht das prekäre Gleichgewicht stören, dem wir unser Dasein verdanken. Roths Geschichten, die auf die Resensibilisierung einer längst verschütteten Perzeptionsfähigkeit ausgerichtet sind, verstehen sich als Demonstrationen der These, daß es weniger darauf ankommt, Problemkomplexe reduktionistisch auf einen Begriff zu bringen, als sich ein Denkbild von ihnen zu machen. Die Kunst, die zu diesem Zweck gelernt werden muß, ist die eines kontinuierlichen Wechsels der Perspektive, eine Technik, vermittels derer beispielsweise ein Apfel zum Subjekt einer didaktischen Erzählung werden kann. »Einem Apfel«, heißt es im 49. der von den »Gebrüdern Franz und Franz Lindner« aufgezeichneten Märchen, »war es auf dem Baum zu langweilig geworden, er warf sein Leben weg und fand sich im Gras wieder. Da fühlte er neue Kräfte in sich entstehen. Er mußte nun nicht mehr alles von oben sehen und mit den übrigen Äpfeln besprechen. Und der Wind weckte ihn nicht mehr am Morgen, und Blätter nahmen ihm nicht mehr die Sicht. Er sah jetzt den Hasen, die Hauskatze, die Ameisen, und er sah auch das Kind aus der Nähe, und nachts konnte er zum Himmel hinaufblicken und sich vorstellen, dieser wäre ein leuchtender Apfelbaum.«[13] Die Lehre vom Leben und Sterben, die im weiteren Fortgang dieses Märchens von der Metamorphose des Apfels vorgetragen wird, ist ein Teilstück einer Mythologie, die allem, was da ist, das gleiche Recht einräumt und die den Begriff der Herrschaft und Hierarchie aufgibt zugunsten einer Vision der Versöhnung. Unter dem Aspekt, den das Erzählen damit annimmt, haben noch die abwegigsten und abstrusesten Geschichten den gleichen Stellenwert wie das Gesamtkonzept des Romans, das sich überhaupt erst aus den in beständiger kaleidoskopischer Bewegung befindlichen Legenden konstituiert. Zudem macht, wie Lévi-Strauss immer wieder betont hat, im mythischen Erzählen auch das, was uns ›falsch‹ dünkt, die verborgene Wirklichkeit transparent, und zwar in umso eindringlicherer Form, je ›falscher‹ die Erzählung zunächst zu sein scheint.[14] Analog wird in den exzentrischen Proliferationen der Erzählungen Roths die Abweichung zur Agentur einer neuartigen Erkenntnis, die dann den Romantext auch dort noch affiziert, wo er sich realistischer narrativer Muster bedient. Die Destrukturierung der Sprache, die Roth — paradoxerweise — schreibend gelingt, erschließt ihm unerhörte Ausdrucksmöglichkeiten. Zahllos sind die Beispiele in diesem Buch, wo die Wörter genau an der richtigen Stelle, schön und lupenrein, auftauchen, so unvermutet, als wären sie eben erst erfunden und daß einem beim Lesen ein Schauer über den Rücken rinnt, weil man sich, aufgrund ihres Auftauchens, auf einmal alles so bildhaft vorstellen kann.

Als der Freund des Erzählers, nachdem er die Nachricht vom Tod des Vaters erhalten hat, ins Dorf zurückkehrt, wartet schon der Onkel mit einem schwarzen Samthut unter dem Apfelbaum im Hof. »Mein Vater«, so die Schilderung weiter, »lag im Arbeitszimmer auf einem Bett, das man vom Dachboden geholt und mit einem Leintuch überzogen hatte. Er trug einen schwarzen Anzug und eine dunkle Krawatte, und das Leintuch reichte bis zum Boden, so daß er wie eine schwebende Figur in einem Zauberkunststück aussah. Seine Wangen waren blaß und eingefallen, und die Nase stach scharfkantig und streng aus dem Gesicht hervor, als habe er noch unmittelbar vor seinem Tod in Widerspruch zu jemandem gestanden. Ein Paar glänzender Lackschuhe waren vor das Bett hingestellt, und in seinen verschränkten Händen hielt er einen kleinen Strauß Primeln. Mein Onkel hatte den Hut vom Kopf genommen, als wir das Zimmer betreten hatten, und legte ihn auf den Schreibtisch neben dem Fenster. Aus Gründen, die ich nicht erklären kann, erleichterte mich das.«[15] Die absolute Stimmigkeit der Details und der Gefühlsbewegungen des Erzählers, die den surrealen Saum der Wirklichkeit sichtbar machen, entspricht dem unausgesprochenen Grundsatz der mythopoetischen Technik, die, wie Lévi-Strauss vermerkte, »nie darauf wartet, daß die transzendentale Deduktion eingreift« — und das wären im Roman sinnstiftende Interventionen des Autors, wie sie in den früheren Werken Roths mit irritierender Regelmäßigkeit noch vorkamen —, sondern in den poetischen Bildern selbst die Algorithmen einer empirischen Deduktion liefert, aus deren elementaren Teilen sich die immense kombinatorische Maschine eines jeden mythischen Systems zusammensetzt.[16]

Die steirische Provinz, über die das erzählerische System des *Landläufigen Todes* seinen gestirnten Himmel spannt, grenzt als ein mythisches Territorium unmittelbar an die Ewigkeit. In vielem erinnert sie an die seltsame Gegend, die Bruno Schulz in der *Republik der Träume* beschrieben hat. Wie ein Krater oder ausgetrockneter See liegt sie, beherrscht von der Stille, dort, wo die Karte des Landes schon sehr südlich wird, und allein und einsam, voller unerforschter Wege, hat sie sich zu einem Mikrokosmos abgeschlossen, der auf eigene Faust versucht, Welt zu sein.[17] Die Bewohner dieser in der Weite des Universums suspendierten Heimat tragen, ganz wie ein indianischer Stamm, einen totemistischen Namen. Sie heißen Gelbfüßler, weil es in ihrer Gegend eine Hühnergattung gibt, nach deren gelber Fußfarbe man sie nennt.[18] Wie das Federvieh im Zirkus, welches während der Vorstellung vom Direktor hypnotisiert wird und am anderen Morgen, als sei nichts gewesen, wieder auf der Wiese nach Nahrung sucht, wissen auch sie kaum, was sich über ihren Köpfen vollzieht. Wir aber verstehen beim Lesen bald schon, daß sie von der Idylle ländlicher Existenz, die es ohnehin nie gegeben hat, nicht nur Lichtjahre entfernt, sondern vielmehr vom Aussterben bedroht sind und in ihrer gefährdeten kollektiven Existenz ein anthropologisches Paradigma vom Ende der Menschheitsgeschichte repräsentieren. Zum falschen Bewußtsein der Betroffenen, das wir als ihren Mythus entziffern sollen, gehört bezeichnenderweise auch die Erinnerung an überstandene Katastrophen, aus der sie keine Lehre zu ziehen vermögen, es sei denn die von *unserer* Kultur stets verdrängte, daß auch die nächste Katastrophe ohne jede Vorwarnung kommen wird, nicht anders als damals das Erdbeben, bei dem die Eier in der Tischlade zerbrochen und Gläser und Krüge auf dem Fußboden zersplittert sind, so daß die Menschen ins Freie hinausstürzten, wo sie einen Augenblick lang die Landschaft schaukeln sahen, als hätten sie sich auf einem riesigen, auf den grollenden Horizont zuschwimmenden Schiff befunden.[19] Furchtbar war auch das Nordlicht im Sommer des Jahres 1939, als ein rotes Gewölk hinter den Bergkuppen aufstieg und im Rot des Himmels verdampfte. »Unsere Gesichter und Hände«, erinnert sich die Tante des Sohns des Bienenzüchters, »schienen von Blut zu triefen, das rote Licht färbte Felder, Wiesen, Häuser, Vögel und Hunde, wir blickten uns an wie Verursacher eines Verbrechens.« Ein Brand, glaubte man, sei ausgebrochen, der die Wälder vernichte, und die Feuerwehren »saßen stumm und mit aufgerissenen Augen in den dahinrasenden Fahrzeugen«[20]. Völlig ungesichert erscheint so das Leben der Menschen, denn von einem Tag auf den andern kann alles in Flammen aufgegangen, das Land auseinandergebrochen, im Schnee ertrunken oder mit Krieg überzogen sein, wobei es letzten Endes keinen Unterschied macht, ob die Katastrophe von der Natur ausgeht oder vom Verlauf der Geschichte, der nicht anders als Feuer oder Wasser alles verzehrt und überschwemmt. Es gehört zu den durchgängigen Konjekturen von Roths Roman, daß er die Geschichte der Menschheit nur als eine besonders virulente und vielleicht die letzte Phase der Naturgeschichte begreift: das ohnehin stets schwankende Gleichgewicht wird in eben dem Maß weiter gestört, in dem die Menschen sich ins kollektive Unglück stürzen, dadurch, daß sie etwas Großes organisieren, das noch auf die entlegensten Landstriche übergreift und, von dort aus gesehen, genauso aus dem Blauen kommt wie nur je ein Unwetter aus dem heiteren Himmel. Zwar wird versucht, aus den rekurrenten Mustern der Katastrophenverläufe gewisse Erfahrungswerte abzuleiten, wie etwa, daß jeweils bei Kriegsende in der Ziegelfabrik Erschießungen stattfinden,[21] aber diese hoffnungslos punktuellen Einsichten in die Regelmäßigkeiten des Debakels vermögen nichts auszurichten gegen die fortlaufenden Prozesse der Dissolution. Die Schilderungen vom Ausgang des Kriegs werden so zum Exempel der Verhaltensform einer hoffnungslos destabilisierten Spezies. Flüchtende versuchen überall in den Trümmern voranzukommen, zuoberst auf den Schubwagen sitzen Kinder, die alten Menschen gleichen, und am anderen Ende des Dorfes sieht man schon den Pfarrer mit einem kleinen schwarzen Koffer auf den Wald zueilen.[22] Die Umzüge, Prozessionen, Wallfahrten und Flurumgänge, die zu Friedenszeiten veranstaltet werden, sind nur ein anderer Ausdruck der Triebstruktur einer Art, deren Verhältnis zur Natur von einer prinzipiellen, durch nichts auszugleichenden Gestörtheit bestimmt ist und deren inneres Defizit in fortwährender Akkumulation sich vergrößert.

Roths Roman, in dem Zerstörungs- und Selbstzerstörungsvorgänge, Schlachtungen, Selbstmorde, Amokläufe und die verschiedensten Formen des Irrsinns zur Symptomatologie einer omnipräsenten Krankheit zusammengetragen werden, zeigt, wie gerade die exzentrischsten Aktionen Versuche sind, das verlorene Gleichgewicht wiederzugewinnen. Was aber wäre eine exzentrischere Aktion als ein solcher Roman, der, indem er aufs kunstvollste präparierte Effigien der Natur — Fische und Vögel und Weinlaub und Kukuruz und das ganze Unwesen der Menschen — unter einem Glassturz als ein Abbild des Lebens zur Anschauung bringt, ein homöostatisches Modell zu erretten oder zu kreieren sucht, das der in unserer Zivilisation endemisch gewordenen ruinösen Tendenz zumindest in der Idee überhoben wäre. Die Konstruktion eines derartigen Modells geht weit über das hinaus, was man gemeinhin als Kunstverstand bezeichnet. Sie ist eine absolut passionierte Bastelarbeit, die ihre Anleitung aus den Hieroglyphen versunkener Geschichten bezieht, wie sie, beispielsweise, in mikroskopischen Totpräparaten aufscheinen;[23] bewegt also von der längst und zu Unrecht in Mißkredit geratenen naturphilosophischen Hoffnung, daß sich aus dem farnkrautähnlichen Fraßbild der Larven des Borkenkäfers, aus den Verzweigungen der Eisblumen oder der Verteilung der Feilspäne im Magnetfeld lebenswichtige Botschaften ablesen lassen. Also sitzt der Autor wie der Schullehrer hinter geschlossenen Vorhängen, »eine Lupe vor dem Auge über den Kristallformen des Mooses und murmelt lateinische Bezeichnungen«[24], in völliger Hingabe, weil er weiß, daß es im Bereich der Natur keinen Unterschied gibt zwischen dem kleinsten und dem größten Geheimnis. Dementsprechend nimmt es uns dann auch nicht wunder, wenn in der Nähe von Untergreith ein Stern vom Nachthimmel stürzt und sich tief in den Waldboden gräbt. Der Stern, zu dem, wie der verrückte Seismologe erzählt, bald alles hinwandert, um die in ihn eingeschlossenen Gebilde zu bestaunen, fremde Pflanzen und Tiere in Formen und Farben, wie es sie auf der Erde nicht gab, enthält gewissermaßen den Katalog eines vergangenen Lebens, und nicht anders enthält das wunderbare Buch, in dem diese Geschichte berichtet wird, in der Synchronizität der Erzählzeit das gesamte diachronische Spektrum der menschlichen Imaginations- und Denkarbeit von der mythopoetisch-animistischen Weltsicht über die wissenschaftlichen Spekulationen bis auf den

Punkt, an dem wir uns heute befinden, an dem auch unsere Wissenschaft nicht mehr auszulangen scheint. Die Rekapitulation der Naturgeschichte des menschlichen Denkens fördert vieles zutage, das dann als ein erratisches Phänomen vor uns liegt wie das Schiffswrack, das der Gletscher eines Tags freigibt und in dem die Offiziere, eingefroren in einen riesigen Eisblock, noch beim Frühstück sitzen, so wie sie das Unglück vor hundert Jahren überrascht hat. Der spezifische Schock, den diese Geschichten Roths vermitteln, ist der der Einsicht in das Alter der Zeit und in ein Leben, das sich selbst überlebt hat. Vielleicht, so läßt Roth eine seiner Figuren sinnieren, wäre alles weniger schlimm, »wenn die Menschen nicht älter würden als zwanzig Jahre«[25]. Im Gegensatz zu einer solchen utopischen Vorstellung von einer reduzierten und damit harmloseren Präsenz des Menschen in der Welt, erhalten wir uns aber durch die Fähigkeit des Denkens weit über unsere Frist hinaus am Leben, verwenden, je älter wir werden, desto mehr unsere Erfahrungen zum eigenen Vorteil und zur Ausnützung anderer, hindern uns selbst systematisch daran, auf und in die Natur einzugehen, und gleichen insofern, als einzelne wie auch als Gattung, dem weit über hundertjährigen General von Kniefall, dessen körperliche Hülle sich schon so weitgehend aufgelöst beziehungsweise mit seiner prunkvollen Uniform verbunden hat, daß zuletzt nichts anderes mehr von ihm vorhanden ist als sein eigenes Futteral.
Die Denkfähigkeit ist als das Instrument des Überlebens der Zwang, unter dem wir kontinuierlich stehen, und birgt, ihrer eigenen Funktion entsprechend, die Gefahr des Auswachsens in sich; ja, die hypertrophische Reflexion, die Unruhe am Rande der Paralyse, ist tatsächlich der dem Menschen spezifische Zustand — und wer wüßte da besser Bescheid als der Autor. Wahrscheinlich steht deshalb eines Tages der Brandstifter in der Stube des Bienenzüchters und behauptet, daß das menschliche Gehirn sich so weit entwickelt habe, daß es sich selbst nicht mehr ertragen könne.[26] Und in der Tat ist es schwer, sich beim Lesen der Geschichten vom *Landläufigen Tod* des Eindrucks zu erwehren, daß die Ätiologie der zahllosen Gewalttaten, die in ihnen vorkommen, ei-

ne Art Entzündung des Gehirns beschreiben müßte, die in dieser Gegend wie die Tollwut grassiert. Es ist eine Krankheit des Kopfes, die die Menschen dazu treibt, im Tod den Ausweg aus den ins immer Unerträglichere hinein sich fortpflanzenden Fehlkalkulationen des Lebens zu suchen. Der Sohn des Bienenzüchters weiß jedoch, daß unsere Rechnungen auch im Tod nicht aufgehen werden. Es sei zwar richtig, so sagt er zu seinem Vater, daß nur der Tod für Momente eine völlige Genauigkeit, ja Übereinstimmung vortäusche, doch fange dann sofort »jenes entgegengesetzt gerichtete Leben an, das Leben nach dem Nullpunkt gewissermaßen, in dem sich ein anderer Mechanismus in Bewegung setzt und diese Genauigkeit gründlich zerstört«[27]. Damit ist die Alternative des Todes diskreditiert als das Trugbild, das auch Kafka im Sinn hatte, als er schrieb: »Unsere Rettung ist der Tod, aber nicht dieser.«[28] Denn sanft gleitet nicht das Leben hinüber in die Stille des Todes, sondern mit brachialer Gewalt verbreitet der Tod sich mitten im Leben. Davon gibt es in Roths Roman viele Parabeln. So liegt am Ende die blutige Leiche Korradows, des russischen Matrosen mit dem vollkommenen Gedächtnis, den es im ersten Krieg in das Dorf verschlagen hat, zwischen den erschossenen Hühnern im Schnee. Zweifelhaft scheint es, ob es ihm nun besser ergeht als zu seinen Lebzeiten, da er sich oft schon am Grunde des Meeres wähnte. Korradow wird von seinen Mördern, die das unerhörte Erinnerungsvermögen dieses Mannes als eine Provokation empfanden, hinter dem Viehstall verscharrt. Dort findet ein betrunkener Totengräber zehn Jahre darauf das Skelett, das der Obmann des Veteranenbundes auf den Dachboden stellt. Kurz vor dem zweiten Krieg gelangt es in die Schule und dient den Kindern im Naturkundeunterricht — die Geschichte eines Todes somit als eine Allegorie von Friedlosigkeit und unbeschwichtigter Schuld.[29] Auch der Lebenslauf des Karl Gockel, der, obschon einer der ärmsten und unscheinbarsten Bewohner des Dorfes, als junger Mann in das Räderwerk der Geschichte und schließlich ins Lager Mauthausen gerät, widerspricht der Utopie des Todes, denn die Zerstörung der Strafgefangenen in den Granitsteinbrüchen ist ein Exempel jener dystopischen Sym-

biose, über welche der Tod in das Leben eingeht, nicht aber das Leben in den Tod.
Daß Roth im vollen Bewußtsein dieser antimetaphysischen Erkenntnis die metaphysische Spekulation nicht aufgibt, sondern vielmehr auf ihr beharrt, ist einer der sowohl im ethischen als auch im ästhetischen Sinn produktivsten Widersprüche seines Romanwerks. Die metaphysische Erfahrung ist dabei zumeist eine, die sich über ein ganz und gar selbstvergessenes Schauen ergibt. Die Tante des Sohns des Bienenzüchters erzählt, daß sie, obgleich sie doch drei Kinder zur Welt gebracht habe, niemals so ergriffen gewesen sei wie damals, als sie mit dem Onkel — das erstemal aus der engen Heimat heraus — auf dem Schneeberg gestanden und lange Zeit in die tiefen Täler hinuntergeschaut habe. »Noch oft habe ich davon geträumt«, ruft sie, »wie wir auf dem Gipfel des Schneebergs stehen und über dem Schauen alles vergessen.«[30] Der metaphysische Augen- und Überblick entspringt einer profunden Faszination, in welcher sich eine Zeitlang unser Verhältnis zur Welt verkehrt. Im Schauen spüren wir, wie die Dinge uns ansehn, verstehen, daß wir nicht da sind, um das Universum zu durchdringen, sondern um von ihm durchdrungen zu sein.[31] Zu den Voraussetzungen einer solchen Erfahrung gehört, wie aus dem Bericht der Tante über die Rast auf dem Schneeberg hervorgeht, die Fähigkeit, sich selbst und gar alles vergessen zu können, die Entfernung des Subjekts also, im Schauen, aus der Welt, denn wenn man nur einen genügenden Abstand nimmt, dann erscheint, nach einer These von Lévi-Strauss, das mythische Feld, über dessen verwirrende und verstörende Einzelheiten man sich den Kopf zerbricht, vollständig leer und kann alles beliebige bedeuten.[32] Das Medium, aus dem dann das metaphyische Panorama auftaucht, ist das der Farben, ihr Raunen die Ouvertüre zu einer anderen Welt. Darum macht der Sohn des Bienenzüchters in sein Tagebuch unter der Ziffer 1374 auch den folgenden Eintrag: »Was mich am meisten beschäftigt, sind die Farben. Stundenlang schaue ich aus dem Fenster in den gelben Himmel, auf dem schwarze Wolken stehen, die Löcher zu sein scheinen (durch welche man möglicherweise in den Kosmos eindringen

kann).«[33] Die hier zur Sprache gebrachte pathetische Sehnsucht nach einem Durchbrechen des unguten heimatlichen Horizonts, die der Tagebuchschreiber selbst mit dem Nachsatz ›sofern man einen Regenschirm dabeihat‹ durchlöchert, ist der Reflex eines ungeheuren Bedauerns, daß nichts so sein kann, wie wir es uns wünschen. Den Grund dieser prinzipiellen Inkongruenz entdeckt die radikalste aller metaphysischen Hypothesen im Dasein des Menschen. Darum sind die transzendentalen Landschaften, wie die von Jean Paul beschriebenen Ebenen von Baku, über die nachts ein blaues Feuer läuft, das nicht verletzt und nicht zündet, während am Himmel dunkel die Gebirge stehen,[34] immer menschenleer, woraus sich, wie aus vielen Passagen Roths, in denen Menschen im Anschauen vergehen, die Frage ableiten läßt, ob es nicht eine Natur gibt, »welche nur dann ist, wenn der Mensch nicht ist, und die er antizipiert?« — »Wenn z. B.«, so spekuliert Jean Paul an dieser Stelle weiter, »der Sterbende schon in jene finstere Wüste allein hingelegt ist, um welche die Lebendigen, am Horizont, wie tiefe Wölkchen, wie eingesunkene Lichter stehen, und er in der Wüste einsam lebt und stirbt: dann erfahren wir nichts von seinen letzten Gedanken und Erscheinungen — — Aber die Poesie zieht wie ein weißer Strahl in die tiefe Wüste, und wir sehen in die letzte Stunde des Einsamen hinein.«[35]
Die poetischen Bilder, die ausgeschickt werden als Sonden zur Erkundung des Sinns, der hinter dem Sinn liegt, den wir sonst der Welt einschreiben, entstehen aus dem Bewußtsein, daß das, was Saussure die anagrammatische Fähigkeit der signifikanten Ganzheit genannt hat, nicht auszuschöpfen ist, und bilden doch, wenn sie gelingen, ephemere Modelle eben dieses Potentials. Aus ihnen erhellt, wie aus vielen Formen des wilden, präszientifischen Denkens, daß es um die Natur der Dinge anders bestellt ist, als wir uns das gern einbilden. Die geheimnisvolle Autonomie der anderen Dinge, dessen, was wir nicht sind, erschließt sich demzufolge nur in dem Maß, in dem wir die Welt, in welcher wir leben, zu bewahren vermögen vor der von unserem Dasein ausgehenden Interferenz. Anhand der indianischen Mythen hat Lévi-Strauss dargetan, daß ihre Erfinder nichts so sehr fürchteten

wie die Infektion der Natur durch den Menschen. Das Weltverständnis, das daraus resultiert, beinhaltet als seine zentrale Lehre, daß es auf nichts mehr ankommt als darauf, die Spuren unseres Daseins zu verwischen. Es ist dies eine Lehre der Bescheidenheit, diametral entgegengesetzt derjenigen, die unsere Kultur sich vorgesetzt hat. Das idealtypische Werk unserer Kultur präsentiert sich immer noch im Format der monumentalen Größe, das des mythopoetischen Denkens als ein möglichst diminutives Experiment von allenfalls vorläufiger Gültigkeit. Während unsere unseligen Vorfahren, die Römer, wie wiederum Lévi-Strauss erläutert,[36] sich an der Proliferation multiplikatorischer Reihen berauschten und an Zukunftsperspektiven sich begeisterten, in denen sich Tage zu Monaten, Monate zu Jahren, Jahre zu Dezennien und Dezennien zu Jahrhunderten aufaddierten und an deren Ende unweigerlich die eschatologische Vision des Milleniums sich auftat, richtet sich das mythopoetische Kalkül gegen die Gewalt der großen Zahlen und sucht in der Relativierung und Zurücknahme des menschlichen Daseins das Heil. Elias Canetti, der als erster über das Unheil der springenden Zahlen nachgedacht hat, assoziiert die Möglichkeit der Erlösung mit der Fähigkeit, kleiner werden zu können. In einem verwandten Sinn hat das große Romankonzept Roths seine Wahrheit darin, daß es nirgends in megalomanische Phantasien ausufert, sondern in einer gänzlich unverwandten Treue zu jeder winzigsten Einzelheit sich bewährt. Die Moral, die damit verkündet wird, steht im Einklang mit der Moral der Mythen und widerspricht derjenigen, die unsere Zivilisation kolportiert. In einer Zeit, in der, wie Lévi-Strauss schreibt, »der Mensch danach trachtet, zahllose lebendige Formen zu zerstören ..., ist es notwendiger denn je zu sagen, wie die Mythen es tun, daß eine wohlgeordnete Humanität nicht mit sich selbst beginnt, sondern die Welt vor das Leben setzt, das Leben vor die Menschen und die Achtung vor anderen vor die Selbstliebe«[37]. Im Interesse dessen, was einer selbst nicht ist, hat, so scheint es mir, der Romanautor Roth, der sich früher so oft im Vordergrund seiner Werke aufhielt, sich im *Landläufigen Tod* so weit hintangesetzt wie nur möglich, ein Beispiel der Diskretion, das der Kunst des Schreibens viel von ihrer Würde zurückgibt, einer Würde, die damit zu tun hat, daß man standhaft an verlorenen Positionen festhält und sich seinen Aberglauben nicht nehmen läßt, ist doch in diesem nicht weniger Wissen als Glaubwürdigkeit an der Wissenschaft. So ist auch der Verfasser dieses Essays, der in seiner Kindheit noch seinen Großvater den Hut vor einem Hollerbuschen hat ziehen sehen und der es sich hier noch einmal erlaubt, mit Jean Paul zu reden, »für seine Person froh, daß er ... auf einem Dorfe jung gewesen und also in einigem Aberglauben erzogen worden, mit dessen Erinnerung er sich jetzo behilft«[38].

Jenseits der Grenze — Peter Handkes Erzählung *Die Wiederholung*

Die Fahrten des Menschen sollen dahin gehen, woher er gekommen ist.

Schlomo von Karlin

An wenigen Beispielen ist das Mißverhältnis von Kultur und Kulturbetrieb in den letzten Jahren deutlicher geworden als an dem Peter Handkes. Etwa bis zu seiner Heimkehr nach Österreich galt es für so gut wie ausgemacht, daß dieser Autor, der von Anfang an im Zentrum des öffentlichen Augenmerks gestanden hatte, die deutschsprachige Gegenwartsliteratur in vorderster Linie repräsentierte. Das spezifische Erzählgenre, das er sich erarbeitet hatte, bestach durch die völlig neuartige sprachliche und imaginative Genauigkeit, mit der in Geschichten wie der von der *Angst des Tormanns* oder vom *Wunschlosen Unglück* berichtet und nachgedacht wurde über die lautlosen Katastrophen, die kontinuierlich im Innern der Menschen sich zutragen. Bemerkenswert ist an diesen Geschichten in der Retrospektive besonders, wie sie, ohne als literarische Texte im geringsten sich etwas zu vergeben, den Erfordernissen des Marktes entsprachen. Das Geheimnis des Erfolgs, so vermute ich, bestand darin, daß Handkes ohne jeden Zweifel von hohem Kunstverstand und wahrer Empfindung geprägte Geschichten sich kaum dem widersetzten, was die Kritik unter Literatur zu verstehen bereit oder imstande war. Handkes Texte waren zugänglich; es konnten zu ihnen, nach flüchtigem Lesen schon, allerhand progressive Betrachtungen angestellt werden. Der Literaturwissenschaft legte Handke gleichfalls keine allzu großen Hindernisse in den Weg. In der kürzesten Zeit wurden zahlreiche Aufsätze, Untersuchungen und Monographien zusammengeschrieben[1] und das Werk Handkes systematisch dem Kanon einverleibt.

Zögernder aber wurde die Beschäftigung mit Handke bereits mit dem Erscheinen der vier Bücher der *Langsamen Heimkehr*.[2] Weit verschlossener, weit schwerer beschreibbar, scheinen mir diese auf eine andere Art in der Welt sich umsehenden Arbeiten fast konzipiert, um der Kritik und der Wissenschaft das Handwerk zu legen. Der Autor, der dadurch, sei es unwillkürlich, sei es mit Vorbedacht, seinen Schriften auch nach der Veröffentlichung das Anrecht auf eine gewisse Diskretion gesichert hat, zahlte bekanntlich einen hohen Preis für diese Anmaßung. Mehr als alles andere aber verunsicherte die Kritiker Handkes neuer, man könnte sagen programmatischer Entwurf von der Sichtbarmachung einer schöneren Welt kraft allein des Wortes. Bereits zu den vielen wirklich wundervoll gebauten Textbögen in der *Kindergeschichte* oder in der *Lehre der Sainte-Victoire* ist weder der Kritik noch der Wissenschaft viel mehr eingefallen, als sie zu deklarieren als Beispiele der dem Normalverständnis weitgehend sich entziehenden Extravaganz Handkes in seiner bislang letzten Schaffensphase. Inzwischen haben die Leser, wenn es denn um solche sich handelte, sich verzogen, die Wissenschaft hat, wenn ich recht sehe, ihre Interessen größtenteils liquidiert, und von den Kritikern, die, naturgemäß, am exponiertesten waren, fühlten sich einige sogar genötigt, in der Öffentlichkeit Handke das Vertrauen aufzukündigen.[3] In den letzten Jahren ist es vollends auf den Punkt gekommen, wo neue von Handke erscheinende Werke wohl zwar noch rezensiert werden, die Rezensionen in der Regel aber bestimmt sind von offener oder verhohlener Feindseligkeit und wo selbst die wenigen positiven Verlautbarungen einer seltsamen Ratlosigkeit und eines durchaus spürbaren Unbehagens nicht entbehren. Unerörtert geblieben ist bei alledem die in den neueren Büchern Handkes entwickelte Metaphysik, die das Gesehene und Wahrgenommene übertragen will in die Schrift. Es gibt offensichtlich heute kein Diskursverfahren mehr, in dem Metaphysik noch einen Platz beanspruchen dürfte. Und doch hat Kunst, wo und wann immer sie sich wirklich ereignet, zum Bereich der Metaphysik den engsten Bezug. Um diese Proximität zu erkunden, bedarf der Schriftsteller einer nicht zu unterschätzenden Tapferkeit, während es natürlich für die Kritik und Wissenschaft, die die Metaphysik nur mehr als eine Art Rumpelkammer ansehen, ein leichtes ist, mit dem allgemeinen Verweis sich zu begnügen, daß in den höheren Regionen die Luft dünn und die Absturzgefahr groß ist. Mir geht es nun im folgenden nicht darum, den Prozeß der Distanzierung von Peter Handke im einzelnen nachzuzeichnen, noch möchte ich der gar nicht geringen Versuchung nachgeben, einmal die Psychologie und Soziologie der parasitären Spezies zu umreißen, die an der Literatur ihr Wirtshaus hat; sondern ich will nur versuchsweise einiges ausführen zu dem Buch *Die Wiederholung,* das mir bereits bei der ersten Lektüre 1986 einen großen und, wie ich inzwischen weiß, nachhaltigen Eindruck gemacht hat.

Die Wiederholung ist der Bericht über eine Sommerreise ins Slowenische, die ein junger Mann namens Filip Kobal im Jahr 1960 oder 1961 auf den Spuren seines verschollenen älteren Bruders Gregor unternimmt. Der Berichterstatter und Erzähler ist Filip Kobal selber, der aus der Entfernung eines Vierteljahrhunderts auf die damalige Zeit zurückblickt. Soviel wir von ihm erfahren über den jungen Filip Kobal, so wenig ist der inzwischen in mittleren Jahren stehende Erzähler bereit, uns Aufschluß zu geben über seine jetzige Person. Beinahe ist es darum, als sei er, den wir einzig an seinen Worten erkennen können, der verschollene Bruder selber, dem nachzufolgen der junge Filip Kobal sich aufmacht. Die gute Wirkung, die für den Leser ausgeht von der von Handke beschriebenen Spurensuche, hat ihren Grund nicht zuletzt in dieser Konstellation: daß allerwegen der junge Kobal geleitet wird von dem älteren, den er sucht, daß Erzählfigur und Erzähler, getrennt voneinander durch nichts als die verflossene Zeit, zusammengehören wie die beiden Brüder, von denen Handkes Geschichte handelt.

Unmittelbar nach Absolvierung der letzten Schulprüfungen verläßt Filip Kobal sein Zuhause, den alten Vater, die kranke Mutter, die verwirrte Schwester, und fährt über die Grenze in das jenseits der Karawanken gelegene sagenhafte Land, aus dem die Kobals sich herschreiben und wo Gregor Mitte der dreißiger Jahre, ehe er in das deutsche Heer eingezogen wurde, auf die Landwirtschaftsschule von Maribor ging, um den Obstbau zu erlernen. Die Überquerung der Grenze eröffnet Filip ein neues Reich. Obgleich die Industriestadt Jesenice, die erste Station seiner Reise, »grau-grau wie sie war, in eine Talenge gezwängt, eingesperrt zwischen beschattenden Bergen«[4] in nichts der Vorstellung entspricht, die Filip von dem jenseitigen Reich sich gemacht hat als einer Ansammlung der farbenprächtigsten, in einer weiten Ebene sich ausbreitenden und bis an das Ufer des Meers hinuntergehenden Städte,[5] bewahrheitete sie doch, wie der Erzähler eigens vermerkt, »vollkommen das Vorausbild«[6]. Jesenice ist tatsächlich das Eingangstor zu einer neuen Welt. Es fällt Filip auf, wie die Scharen der Leute, die unterwegs sind, ganz anders als in den Kleinstädten der Heimat, ihn »zwar hin und wieder wahrnahmen, aber keinmal anstarrten«, und je länger er sich umsieht, desto gewisser wird er, »in einem großen Land zu sein«[7]. In der Bahnhofsgaststätte träumt er davon, aufgenommen zu werden unter die Bewohner dieses großen anderen Landes, unter ein Volk, das er sich »auf einer unablässigen, friedfertigen, abenteuerlichen, gelassenen Wanderung durch eine Nacht vorstellte, wo auch die Schläfer, die Kranken, die Sterbenden, ja sogar die Gestorbenen mitgenommen wurden«[8]. Das in diesem Passus von Dunkelheit durchtränkte, sonst aber zumeist lichtdurchflutete Reich, in das Filip Kobal sich eingehen sieht, ist qualitativ so weit wie überhaupt denkbar entfernt von der falschen Heimat, der er, so die Synopsis seines Vorlebens, »nach fast zwanzig Lebensjahren in einem ortlosen Staat, einem frostigen, unfreundschaftlichen, menschenfresserischen Gebilde«[9] entkommen ist. Durchaus konkret ist, wie der Erzähler vermerkt, für Filip Kobal das Gefühl der Befreiung, denn im Gegensatz zu seinem »sogenannten Geburtsland« beansprucht das Land, an dessen Schwelle er nun steht, ihn nicht »als einen Schulpflichtigen, als Wehr-, Ersatz- oder überhaupt Präsenzdiener«, sondern, so wiederum der Erzähler, es ließ sich, ganz im Gegenteil, von mir beanspruchen, »indem es das Land meiner Vorfahren, und so, mit all seiner Fremde, auch mein eigenes Land war«[10]. »Endlich«, ruft der Erzähler aus in der Rückerinnerung, »war ich staatenlos, endlich konnte ich, statt dauerpräsent sein zu müssen, sorglos abwesend sein.«[11] Die Fremde, das Land der Vorfahren und der Abwesenheit — seltsam berührt in diesen Textstellen die Koinzidenz von Freiheits- und Schattenreich, auf die man sich zunächst nicht leicht einen Reim machen kann. Doch hat es damit insofern seine Richtigkeit, als beide, das Reich der Freiheit und das der Schatten, Stätten der Erwartung sind, an denen kein Lebendiger noch gewesen ist. Der Erzähler erinnert, daß die Mutter, wenn von der slowenischen Heimat die Rede war, die Namen der Hauptorte Lipica, Temnica, Vipava, Doberdob, Tomaj, Tabor, Kopriva hersagen konnte, als seien es Ansiedlungen im »Land eines Friedens, wo wir, die Kobal-Familie, endlich und dauerhaft die sein konnten, die wir waren«[12]. Auch das dem Sohn wie der Mutter vorschwebende Land des Friedens ist sowohl ein metaphysischer als ein politischer Begriff. Zweifellos eignet der Metaphysik eines Jenseits, in das man zu den Vorfahren eingehen wird, ein resignativer Zug, demzufolge Befreiung immer nur eine Befreiung vom Leben sein kann; zugleich aber sind die vom Sohn erinnerten Aussagen der Mutter bestimmt von resolutem Widerstand gegen jeden Angleichungszwang und einem deutlich sich artikulierenden Ressentiment gegen Österreich. Die Rede von einer möglichen anderen Verfassung zielt also nicht nur auf ein stilles Ableben, sie hat auch einen durchaus realen gesellschaftlichen Stellenwert. Das von den schön klingenden slowenischen Namen heraufbeschworene Friedensland ist der absolute Gegensatz zu der unguten Heimat Österreich und zum Unwesen einer bündisch und vereinsmäßig organisierten Gesellschaft. Der Text macht das unmißverständlich klar. Das Wohltätige an der Menge, in der Filip Kobal in den Straßen der jugoslawischen Städte sich bewegt, ist für ihn zunächst, »was in ihr, verglichen mit der (ihm) bekannten, nicht vorkam, was fehlte: die Gamsbärte, die Hirschhornknöpfe, die Lodenanzüge, die Lederhosen, überhaupt jede Tracht«[13]. Es ist demnach weniger das resignative Aufgehen in einem anonymen anderen, das Filip Kobal in der Fremde, zwischen den Schattenpassanten von Jesenice, das Gefühl vermittelt, endlich unter seinesgleichen zu sein, als die Absenz alles Trachtlerischen, alles Abzeichenwesens, alles Überdeterminierten. Die dialektische Vermittlung von Metaphysik und Politik besorgt hier einen

Wechsel der Positionen. In dem Maß nämlich, in dem die gebeugten Schatten von Jesenice lebendig werden, gehen die Trachtler herum als böse, unerlöste und abgestorbene Seelen. Das Trachtlerische ist ja — dieser Kommentar sei erlaubt — keineswegs identisch mit einer auf die Bewahrung der Heimat ausgerichteten Einstellung; sondern es ist das untrügliche Indiz für einen Opportunismus, der die Propagierung des Heimatbegriffs ohne weiteres mit der Zerstörung der Heimat zu vereinbaren weiß. Darüber hinaus bedeutet das Trachtlerische in letzter Konsequenz auch die Negation jeden Auslands. Entwickelte sich die Vorstellung von der Heimat im 19. Jahrhundert an der immer unumgänglicher werdenden Erfahrung der Fremde, so läuft die gleichfalls von Verlustangst inspirierte Ideologisierung der Heimat im 20. Jahrhundert darauf hinaus, diese, die Heimat, möglichst weit und wenn nötig mit Gewalt und auf Kosten anderer Heimatländer auszudehnen. Das Wort Österreich als die Bezeichnung der nach der Dissolution des Imperiums übriggebliebenen Alpenrepublik ist geradezu ein Paradigma für diesen paranoiden Heimatbegriff, dessen grausige Konsequenzen bis weit in die Nachkriegszeit hineinreichen, in der Filip Kobal aufgewachsen ist. Als er am Ende seiner Wanderschaft durch den Karst nach Hause zurückkehrt, ist er, beflügelt vielleicht von der Hoffnung, die vielfältigen, in der Fremde gemachten Erfahrungen heimbringen zu können, zunächst froh, Österreich wiederzusehen. »Auf dem Weg vom Grenzbahnhof zur Stadt Bleiburg ... (gelobt) der Gehende, freundlich zu sein, so wie es sein Teil war, ohne Anspruch, ohne Erwartung, als jemand, der auch in seinem eigenen Geburtsland nur zu Gast war, und die Kronen der Bäume verbreiterten ihm die Schultern.«[14] Aber kaum in der Stadt mit dem ominösen Namen angelangt, betrifft ihn neuerdings die »geradezu schuldhafte, strafwürdige Häßlichkeit und Unförmigkeit«[15] seiner österreichischen Zeitgenossen, die, »adrett gekleidet, blinkende Abzeichen auf Hüten und in Knopflöchern«[16], ein scheeles Volk bilden, deren Seitenblikke in dem Zwanzigjährigen aufleben lassen, »wie in dieser Menge nicht wenige ihre Kreise zogen, die gefoltert und gemordet oder dazu wenigstens beifällig gelacht hatten, und

deren Abkömmlinge das Althergebrachte so treu wie bedenkenlos fortführen würden«[17]. Diese erinnerte Realisierung sowohl als das völlige Schweigen des Erzählers darüber, wie es ihm seither in seiner unwirtlichen Heimat ergangen ist, verdeutlichen, weshalb er die Ausreise aus Österreich, fünfundzwanzig Jahre nachdem er das Land zum erstenmal verließ, wiederholen mußte.
Der Aufbruch in die imaginierte, jenseits der Berge gelegene wahre Heimat ist ein Versuch nicht nur der Selbstbefreiung, sondern der Durchbrechung des Exils in der ganzen weittragenden Bedeutung dieses Begriffs. Die in vielem der Familie des Barnabas im Schloß-Roman Kafkas vergleichbare Familie der Kobal ist, obschon seit langem in Rinkenberg ansässig und von den Mitdörflern als einheimisch empfunden, mit eigener Obstinanz, so der Erzähler, ortsfremd geblieben.[18] Im Gegensatz nämlich zu den anderen Rinkenbergern besitzen und hüten sie die Erinnerung an eine würdigere Lebensform, als ihre gegenwärtige gedrückte unter dem korrumpierten Volk der Österreicher es ist. Daher denken der Vater und die Mutter unwillkürlich immer an die gewesene Vorzeit zurück, so eben, als seien sie beide, die von ihrer slowenischen Herkunft Abgeschnittenen, zu einem unfreiwilligen Dasein in Österreich verurteilt und also tatsächlich »Gefangene und Verbannte«[19]. Die auf einer, wie es heißt, historischen Begebenheit beruhende Hauslegende, in welcher die Geschichte von der Verbannung der Kobal aufgehoben ist, berichtet von einem Gregor Kobal, der Anführer des Tolminer Bauernaufstands gewesen war und dessen Nachkommenschaft man nach seiner Hinrichtung aus dem Isonzotal vertrieben hatte. Seit jener weit zurückliegenden Zeit waren die Kobal eine über ein großes Gebiet und bis nach Kärnten hinein verschlagene Sippe von Knechten und Waldarbeitern geworden. Der Text macht kein Geheimnis daraus, daß die mythologische Konjektur der Gedrückten von der Abstammung von einem aufständischen, dem schmachvollen Tod überantworteten Ahnen abzielt auf einen neuerlichen Aufstand gegen »Exil, Knechtschaft und Sprachverbot«[20]. Vorab der Vater ist es, der »mit allen Kräften, besonders mit der Kraft seiner Zähigkeit, auf Erlösung für sich und die Sei-

nen«[21] aus ist, obwohl er keine Vorstellung davon hat, »wie die Erlösung der Familie hier auf Erden denn aussehen konnte«[22]. Entsprechend dem mythologischen Muster fällt die Erlöserarbeit auch den Söhnen zu. Gregor, der verschollene Bruder, der den Namen des aufständischen Vorfahren trägt und der in den Erzählungen der Eltern auftritt gleich einem um seinen Thron betrogenen König,[23] war in den dreißiger Jahren als erster ausgezogen, um das Land im Süden neu zu entdecken, und nun ist es an dem jüngeren, bei der Mutter als der »rechtmäßige Thronfolger«[24] geltenden Bruder, die längst verlorene Sache wiederaufzunehmen und dorthin zu gehen, wo es Städte gibt, die ganz anders sind als »unser Klagenfurt«, Städte wie Görz, wo, nach der Erinnerung des Vaters, »Palmen in den Gärten wachsen und ein König begraben liegt in einer Klostergruft«[25]. Der Weg aus dem Exil ist der nach Jerusalem, und derjenige, der ihn gehen soll, der junge Filip Kobal, hat ein Unschuldiger zu sein. Im Gegensatz zu seinen Altersgenossen, die fast alle schon einen schweren Unfall überlebt, einen Finger, ein Ohr oder einen ganzen Arm verloren hatten, ist er noch ein Ungezeichneter, dem die Jugend im Internat »vergangen war, ohne daß (er) diese, auch nur einen Augenblick, erfahren hätte«[26]. Jetzt wird er, dieser reine Tor, der selber in den »Geisteskranken oder -schwachen (seine) Schutzheiligen«[27] erkennt, hinausgeschickt über das Unglück der Familie, um zu erkunden, ob es jenseits davon die andere Welt, die in den Träumen der Exilierten aufscheint, nicht auch in Wirklichkeit gibt.
Die geheime Königsfamilie der Kobal, das ist kaum zu übersehen, weist manche Züge auf, die aus Handkes eigener Familiengeschichte, so wie sie etwa in *Wunschloses Unglück* berichtet wird, bekannt sind. Die in der *Wiederholung* vorgenommenen fiktionalen Transpositionen lassen sich lesen als ebenso viele Erlösungswünsche des Autors. Das Entscheidende an der von Handke ins Werk gesetzten Umschreibung seines Familienromans ist nicht etwas, das sich in irgendeinem einfachen Sinn mit dem Begriff der Idealisierung fassen ließe — die Kobal-Familie ist ja in vielem eine ausgesprochen düstere, sich selber zugrunde richtende Ver-

einigung —, sondern es geht in der Umschreibung vielmehr um die Eliminierung eines ganz bestimmten Elements, um eine möglichst weitgehende Entfernung von der deutschen Abstammung väterlicherseits, die, so scheint es mir, zu den größten Beschwernissen in dem psychischen und moralischen Entwicklungsprozeß des Schriftstellers Peter Handke gehörte. Die Kobal haben mit den Deutschen nichts, nicht einmal mit den Österreichern haben sie im Grunde etwas gemeinsam. Ihr Privileg und Fürstenpatent ist es, die *anderen* zu sein, die keinen Teil hatten an der von der Angst der Väter ihren Ausgang nehmenden und über ganz Europa sich ausbreitenden Gewalt. Das Idealbild eines menschlicheren Zusammenlebens, das aus der Familienverbundenheit der Kobal, wo sie in ein helleres Licht gerückt erscheint, sich extrapolieren ließe, ist das einer Sozietät, in der die Väter allenfalls eine untergeordnete Rolle spielen. Der Traum der Mutter, berichtet der Erzähler, wäre es gewesen, »einen mächtigen Gasthof« zu führen, »mit den Bediensteten als ihren Untertanen«[28]. Das extensive Hauswesen dieses Traums ist, wie die der Erzählung insgesamt eingeschriebene Utopie, eindeutig matriarchalischer Natur. In der Erinnerung des Erzählers scheint es darum auch, als sei »die Stimme der Mutter die einer Rechtssprecherin«[29] gewesen, und die Maxime, die Filip Kobal sich zu eigen macht, nachdem er als eine Art Taglöhner bei seiner Kostgeberin auf dem Karstfeld eine Zeitlang in die Lehre gegangen ist, lautet: »Entfern dich vom Vater!«[30] Ist unter der patriarchalischen Ordnung ein jeder so allein, wie der Erzähler seiner besseren Einsicht ungeachtet sich offenbar stets noch fühlt, so wäre unter einem matriarchalischen Regime, in welchem die Verwandtschaftsverhältnisse viel lockerer und weitläufiger gewoben sind, ein jeder fast der Bruder des anderen. Etwas davon leuchtet auf in der Begegnung Filip Kobals mit anderen männlichen Figuren in der archaischen Landschaft des Karsts. Der ihm als Doppelgänger seiner selbst erscheinende junge Soldat von Vipava wäre hier ebenso zu nennen wie die Gestalt des Kellners aus der Wochein, in welcher Filip ein früheres Kleinhäuslerkind vermutet, wie er selber eines gewesen ist. Dieser Kellner, dessen Porträt mit größter Hinga-

be entworfen wird, ist eine veritable Imago des Ideals der Brüderlichkeit. Erfüllt von steter Aufmerksamkeit und nur »scheinbar in irgendeine Ferne träumend«, überblickt er in Wahrheit »den ganzen Bereich«[31].
Es gehört mit zum Schönsten in der deutschsprachigen Literatur des letzten Jahrzehnts, wie die Geschichte des Kellners auf drei, vier Seiten von Handke entwickelt wird. Zutiefst beeindruckt von diesem die wahre Zuvorkommenheit verkörpernden Menschen, der noch den Betrunkenen mit vollkommenem Ernst Feuer gibt, denkt Filip Kobal anderntags bald nur mehr an ihn. Er weiß, so der Erzähler, »daß das eine Art zu lieben war«[32], die ihn zwar nicht zu ihm, aber in seine Nähe zog. Die stillschweigende Begegnung zwischen den beiden jungen Männern — es wird tatsächlich kein einziges Wort gewechselt — nimmt am letzten Tag, den Filip Kobal in dem Gasthof ›Zur schwarzen Erde‹ verbringt, eine seltsame, überaus verwunderliche Wendung. Auf dem Weg in sein Zimmer hinauf, es ist gegen Mitternacht, kommt Filip Kobal an der offenen Küche vorbei und sieht »dort den Kellner vor einem Zuber voll Geschirr sitzen, das er abtrocknete, mit einem Tischtuch. Später«, so der Text weiter, »blickte ich oben aus dem Fenster, und er stand unten auf der Brücke des Sturzbachs, in Hose und Hemd. In der Beuge des rechten Arms hatte er einen Tellerstapel, von dem er Teller um Teller nahm und mit der Linken einen nach dem andern, gleichmäßig und elegant, wie eine Sammlung von Spielscheiben ins Wasser segeln ließ.«[33] Ohne jeden Kommentar bleibt diese Szene, wird einfach nur erzählt und in ihrem eigenen Recht belassen. Der auf die seltsamste Weise sein Tagwerk vollendende Kellner wird dank dieser Fraglosigkeit zu einer dem Leser tief sich einprägenden Gestalt. Und die ins Dunkel hinaussegelnden Teller werden wie die nicht minder schöne Bögen über einem finsteren Abgrund beschreibenden Satzgebilde des Erzählers Botschaften der Brüderlichkeit.
Zur Erzähltradition des Exils gehören die trostreichen Träume, die aus der unerlösten Welt eine lange Reihe messianischer Figuren hervorgehen sehen. Kaum eine Zeit, und sei es die schlimmste, in der nicht ein Gerechter irgendwo herum-

geht im Land. Die Aufgabe ist, ihn zu erkennen. Anders als die christliche heilsgeschichtliche Dogmatik, die die Mal für Mal virulent werdenden Erlösungshoffnungen systematisch unterband, beinhaltet der Messianismus jüdischer Provenienz, der in jedem Fremden und Unerkannten den ersehnten Befreier zu sehen bereit ist, neben dem theologischen auch ein politisches Potential. Selbst wenn der Vater nicht anzugeben weiß, »wie die Erlösung der Familie hier auf Erden aussehen konnte«[34], soviel ist doch klar, daß es um eine Erlösung im Diesseits und um die Erlösung einer ganzen Gemeinschaft sich wird handeln müssen. Nicht von ungefähr ist der mythische Vorfahr der exilierten Familie ein Aufrührer. Das Aufständische, die gegen alle Herrschaft ausgerichtete Gesinnung bestimmt von Grund auf die Dynamik der messianischen Phantasie; was aber nicht heißt, daß die Gestalt des Erlösers damit festgelegt wäre. Vielmehr ist es bezeichnend für die messianische Erlöserfigur, daß sie vielfacher Wandlung fähig ist. Gregor, der ältere Bruder, der Filip vorausgegangen ist in das andere Land, ist schon aufgrund seiner Einäugigkeit der König unter den Blinden des Exils. Er hat es zwar, wie der Erzähler uns mitteilt, »nie zum Empörer gebracht«[35], auch wenn er zumeist nur kurz davor stand, dafür aber verkörpert er einen Typus, von dem der Erzähler meint, daß er ihm sonst nur in ein paar Kindern begegnet sei, denen nämlich des Frommen.[36] Das durch die Kriegszeit bedingte Verschwinden dieses die Hoffnung der Familie Kobal lebendig haltenden Sohns, für den das Heilige, eines seiner Lieblingsworte, nicht verbunden war mit »irgendeinem entrückten Ort«[37], sondern mit den alltäglichen Verrichtungen und dem frühen Aufstehen am Morgen, dieser Verlust des Trägers der Hoffnung bedeutet für die Exilierten ein kaum zu verwindendes Trauma. Selbst »zwanzig Jahre nach dem Verschwinden meines Bruders« war, so erinnert der Erzähler, unser Haus »immer noch ein Trauerhaus«[38], in welchem der verschollene Bruder »den Angehörigen keine Ruhe ließ, sondern ihnen ... mit jedem Tag neuerlich wegstarb«[39]. Aus der ungestillten und unstillbaren Trauer erwächst der von dem ansonsten sehr getrennten Elternpaar gemeinsam genährte Wunschtraum von der Heim-

kunft des Sohns. So begeistert, heißt es in der Erzählung, verehrten die Eltern, jeder auf seine Weise, den verschollenen Sohn, »daß ihm die eine, auf die Nachricht von seinem Nahen, sofort ›das Gemach‹ bereitet, die Schwelle gewaschen und die Haustür umkränzt hätte, während der andre mit der blankgeputzten Kalesche, einen vom Nachbarn geborgten Schimmel davorgespannt, einen Freudentränentropfen an der Nase, ihm in den offenen Himmel entgegengejagt wäre«[40].
In der Familie der Kobal repräsentiert ist das hohe Selbstbewußtsein der Exilierten. In der Zukunft, »nach der Heimkehr und Auferstehung aus der tausendjährigen Leibeigenschaft«[41], dessen ist die Mutter sich sicher, wird der Ort Kobarid im Isonzotal, aus dem die Kobal der Überlieferung nach stammen, Kobalid genannt werden. Nicht mehr bedarf es zur messianischen Adjustierung der Welt als der winzigen Verschiebung um einen Zungenschlag. Daß das Dorf Kobarid im Deutschen Karfreit heißt, ist ein weiteres Zeichen für die Erlösermission seiner Söhne, in denen sich die Wandlung vollziehen soll von einem niedergedrückten Dasein in eine Haltung stolzer Unbeugsamkeit. Ihrer Familienmythologie zufolge sind die Kobal die ausersehenen Stellvertreter des slowenischen Volks, das wie das beispielhafte Exilvolk der Juden aus Menschen sich zusammensetzt, die »durch die Jahrhunderte Königlose, Staatenlose, Handlanger und Knechte gewesen waren«[42]. Als Filip sich auf den jugoslawischen Straßen unter diesem Volk bewegt, empfindet er, wie von dem anonymen Kollektiv, »das nie eine Regierung gestellt hat«[43], eine aller Herrschaft entgegengesetzte Kraft ausgeht. »Wir Finsterlinge«, so der Erzähler, indem er sich selbst in ihre Mitte einbezieht, strahlten »gemeinsam vor Schönheit, vor Selbstbewußtsein, vor Verwegenheit, vor Aufsässigkeit, vor Unabhängigkeitsdrang, jeder in dem Volk der Held des anderen.«[44] Die Exklusivität, die der Erzähler dem slowenischen Volk zuschreibt, ist eine Reflexion des sich wandelnden Bewußtseins Filip Kobals, der, wie die Amalia im Schloß-Roman, das aufgezwungene Schicksal des Exils als eine Auszeichnung zu tragen lernt. Zu den am wenigsten verstandenen Eigenschaften des jüdischen Volkes in

der Diaspora gehört, wie Hannah Arendt erklärte, die Tatsache, »daß die Juden weder je wirklich wußten, was Macht war, auch nicht, als sie sie fast in Händen hatten, noch je wirklich Interesse an Macht hatten«[45]. Ganz ähnliches wird in der *Wiederholung* von dem slowenischen Volk gesagt, das als ein machtloses Volk, »ohne Adel, ohne Marschtritt, ohne Ländereien«[46], unkorrumpiert geblieben sei und als einzigen König, wiederum fast wie das jüdische, jenen Sagenhelden kenne, der verkleidet umherschweife, sich kurz offenbare und wieder verschwinde.[47] In diese geheime Königsrolle einzutreten ist Filip Kobal wie dem Bruder vor ihm bestimmt. Seine messianische Verkleidung ist die des unvermutet die Schwelle des Hauses betretenden Gastes. Die Rolle wurde ihm früh schon zugeteilt von der Mutter und der Schwester, die, wenn er von der Schule heimkam, mit der den Frauen zur zweiten Natur gewordenen Dienstfertigkeit zum Beispiel eine Tasse vor ihn hinstellten, als sei er ein »unerwarteter herrschaftlicher Gast«[48]. Und auf der Wanderschaft wird der Häuslersohn, eigentlich »jemand ganz ohne Herkunft«[49], seiner großen Aufgabe vollends inne. So wie in einer frühen Fassung des Anfangs des Schloß-Romans das Fürstenzimmer für den im Dorf auftauchenden Wanderer K. hergerichtet ist, so findet Filip Kobal, daß ihm im Gasthaus ›Zur schwarzen Erde‹ ein großes Zimmer angeboten wird »mit vier Betten, bereitet wie für eine ganze Familie«[50]. Und wenn er am Abend in der Wirtschaft sitzt, fragt niemand, »nicht einmal die unaufhörlich rundendrehende Miliz, ... nach seinem Namen; bei allen hieß er nur ›der Gast‹«[51]. Filip, dem das Fahren und Unterwegssein schon während der letzten Schulzeit zu seiner wahren Heimstatt wurde und der auf der Wanderschaft nach Süden, auf die er mit seinem blauen Seesack und einem Haselstecken sich begibt, weiter sich einübt in den für ihn vorgesehenen Part, ist als der still dabeisitzende fremde Gast derjenige, von dem die Erlösung zu gewärtigen ist. Er selber braucht sehr lang, ein ganzes Vierteljahrhundert, ehe ihm die damals aufgetragene Aufgabe in der Wiederholung klar wird. Zunächst ist er ja nur auf der Suche nach seinem Bruder. Bezeichnenderweise aber vermag er, als er in einer Art Ahnenbeschwörung, für einen

Zeitsprung, wie es heißt, des Bildnisses des Bruders ansichtig wird, dieses nicht auszuhalten. Die halluzinatorische Erscheinung mit den so tief in den Höhlen liegenden Augen, »daß das Blinde, Weiße verborgen blieb«[52], überwältigt Filip vollkommen, und es bleibt ihm nichts, als den Ort der Erscheinung sogleich zu verlassen, in den Passantenstrom sich zu retten und den eigenen Weg wiederaufzunehmen. In der messianischen Tradition kommt es weniger darauf an, daß die Getrennten einander endlich in die Arme sinken, als darauf, daß die Anstrengung aufrechterhalten wird, daß der Jüngere die Nachfolge des Älteren antritt, daß der Schüler zum Lehrer und daß der fromme Erlösungswunsch, die von Gregor in einem seiner Frontbriefe ausgesprochene Hoffnung auf die gemeinsame Fahrt in der geschmückten Osterkalesche in das neunte Land, übertragen wird »in die irdische Erfüllung: die Schrift«[53].
Im Text der *Wiederholung* konstituiert sich diese Erfüllung. Das Buch ist die Osterkalesche, in der die einander abhanden gekommenen Mitglieder der Kobal-Familie noch einmal beisammensitzen. Das Schriftwerk ist somit alles andere als eine profane Angelegenheit. Der Erzähler ist sich der Schwierigkeit der ihm gestellten Aufgabe von vornherein bewußt. Er erinnert bezeichnenderweise, wie ihn die Mutter, »sooft er lang aus dem Haus gewesen war, in der Stadt, oder auch allein im Wald oder auf den Feldern, jedesmal gleich bedrängte mit ihrem ›Erzähl!‹«[54] und wie es ihm damals, jedenfalls vor ihrer Krankheit, nie gelungen sei, ihr zu erzählen. Daß die Krankheit der Mutter es ist, die ihm hilft, seine Erzählhemmung zu überwinden, läßt darauf schließen, daß eine der Hauptaufgaben des Erzählens, so wie es hier gemeint ist, die der Linderung ist. Zu den Voraussetzungen für die Ausübung einer derartigen, der ärztlichen verwandten Kunst gehört die Bereitschaft, die Nacht zu durchwachen. Schon für den Schüler Kobal ist das in der Finsternis »einzelne beleuchtete Fenster draußen am Lehrerhaus«[55] und nicht die flackernde Funzel am Altar das wahre ewige, die Möglichkeit der Erlösung nicht ausgehen lassende Licht. Lernen und Lehren sind im Werk Handkes Formen der Welterhaltung. Exemplifiziert wird das in der *Wiederholung* unter an-

derem an den slowenischen, vor allem vom Obstbau handelnden Werkheften des Bruders, die Filip auf seiner Wanderschaft mit sich führt und die ihm zum Lehrbuch seiner Lebensführung werden. Am Beispiel der Arbeiten seines Bruders erkennt er, daß von denjenigen, die »im Unterschied zu der Unmasse der Sprecher und Schreiber« begabt sind, »die Worte und durch sie die Dinge zu beleben«[56], und die bereit sind, stetig in dieser seltenen Kunst sich zu üben, eine heilsame Wirkung ausgehen kann. Das spurlose Verschwinden des Bruders im Weltkrieg verdeutlicht allerdings auch, wie grausam die sogenannten Verhältnisse fast unfehlbar das verkürzen, was in einem schön ausgearbeiteten Text als Möglichkeit angelegt ist. Die Angst des Erzählers, er könnte ähnlich ausgelöscht werden wie vor ihm der Bruder, durchgeistert als ein Ohnmachtsgefühl vielfach die von ihm niedergeschriebene Erinnerung. Immerhin ist aus der Zeitstruktur seines Berichts zu entnehmen, daß er eine gute Reihe von Jahren schon durchgehalten hat. Ein Vierteljahrhundert ist es her, seit der junge Filip Kobal den Erzähler in sich entdeckte. Zurückblickend auf jene Zeit wird dem jetzt Fünfundvierzigjährigen aber auch klar, daß er damals niemandem die Geschichte der Heimat hätte erzählen können. Langwierig ist der Prozeß der Gestation, der indifferente Fundstücke aus dem eigenen Leben verwandelt in bedenkenswerte Bilder; und selbst wenn die Fragmente der Vorzeit wieder zu sinnvollen Mustern versammelt scheinen, befallen den Erzähler nie ganz zu beschwichtigende Zweifel, ob es sich bei dem, was er nun in der Hand hält, nicht bloß »um die letzten Reste, Überbleibsel und Scherben von etwas (handelt), das unwiederbringlich verloren (ist) und durch keine Kunst der Welt wieder zusammengefügt werden (kann)«[57]. Daß es solcher Schwierigkeit und solcher Skrupel zum Trotz in der *Wiederholung* immer wieder Passagen gibt, die wie die bereits zitierte von dem mitternächtlichen Kellner fast ein Gefühl der Levitation vermitteln, ist ein Maß für die außergewöhnliche Qualität dieser Erzählung, deren insgeheimes Ideal, so scheint es mir, eines der Leichtigkeit ist. Nicht daß der Erzähler sorglos wäre oder unbeschwert; er wendet nur, statt von dem zu reden, was auf ihm lastet, seinen Sinn darauf, etwas herzustellen, was ihm und dem vielleicht gleichfalls trostbedürftigen Leser hilft, den Verlockungen der Schwermut standzuhalten. Das professionelle Vorbild, das Filip Kobal sich für seine erzählerische Arbeit ausgewählt hat, ist das des Wegmachers, dem in der Gemeinde die Instandhaltung der Wege obliegt und der, wie der Schriftsteller in seinem Gehäuse, in einem Einzimmerbauwerk lebt, das sich ausnimmt wie die Pförtnerloge zu einem Schloß, das es nirgendwo gibt.[58] Dieser Wegmacher, der Tag für Tag, so wie auch der Schreiber, seine mühselige Arbeit verrichtet, verwandelt sich gelegentlich unversehens in einen Schildermaler und steht zuoberst auf einer Leiter etwa über dem Gasthofeingang in der Dorfmitte. »Wenn ich«, so der Erzähler, »ihm zuschaute, wie er dem fertigen Buchstaben, mit einem äußerst langsamen Pinselstrich, noch einen Schattenbalken ansetzte, wie er die dicke Letter durch ein paar feine Haarlinien gleichsam lüftete und das nächste Zeichen, als sei es schon längst dagewesen und er ziehe es nur nach, aus der Leerfläche zauberte, erblickte ich in der entstehenden Schrift die Insignien eines verborgenen, unbenennbaren, dafür umso prächtigeren und vor allem grenzenlosen Weltreichs.«[59] Ich wüßte nicht, daß das insbesondere für die literarische Kunst so bezeichnende Zwangsverhältnis von schwerer Fron und luftigem Zauber je schöner gefaßt worden wäre wie auf dieser dem Wegmacher und Schildermaler gewidmeten Seite der *Wiederholung*. Wichtig ist überdies an der Arbeit des vom Erzähler zu seinem Präzeptor Erwählten, daß sie im Freien gemacht wird, daß sie nicht, wie sonst in der Kunst üblich, die Landschaft mit einer Umrahmung versieht, sondern — im Wegmachen und Schildermalen — der Landschaft sich angleicht. Die außergewöhnliche Offenheit des Textes der *Wiederholung* rührt daher, daß in ihm das Draußen ungleich wichtiger ist als das Drinnen. Dementsprechend ist das Modell für den wahren Ort des Erzählers, wie Filip Kobal in der Rückschau erkennt, der väterliche Feldunterstand gewesen, in dem er vormals, »von der Schule gleich zu den Seinigen auf den Acker gegangen, am Tisch bei seinen Aufgaben (saß)«[60]. Dieser Unterstand, weiß er nun, war und ist »die Mitte der Welt, wo in der bildstockkleinen

Höhlung seit jeher der Erzähler sitzt und erzählt«[61]. Die Feldhütte, die dem Erzähler hier vorschwebt, ist wie die Laubhütte einer anderen Tradition Raststatt auf dem Weg durch die Wüste und ihre periodische Wiedererrichtung inmitten der die Naturgemäßheit des Menschen immer schärfer eingrenzenden Zivilisation ein Ritual der Erinnerung an ein Leben im Freien. Und indem Handke in der *Wiederholung* das besondere, unter einem Blätterdach oder einer Zeltleinwand sich ausbreitende Licht zwischen den oft mit staunenswerter Umsicht und Genauigkeit gesetzten Worten aufschimmern läßt, gelingt es ihm, den Text selber zu einem Schutzort zu machen in den von Tag zu Tag auch im Kulturbetrieb weiter um sich greifenden ariden Zonen. Das Buch von der Wanderung durch den Karst, über den die berüchtigte Bora bläst, gleicht somit auch den unter dem Wind liegenden Senken oder Dolinen, die, umsäumt von gleichmäßig schrägstehenden Bäumen, in ihrem Grunde Inseln sind der Windstille, wo, wie der Erzähler berichtet, kaum das stopplige Gras zittert, kaum die Bohnenranken oder Kartoffelstauden schwanken, und auf deren Boden sich deshalb, »ohne Scheu voreinander, das Karstwild sammeln konnte, ein kleines gedrungenes Reh neben einem Hasen und einem Rudel dunkler Wildschweine«[62]. Diesem von einem Andenken an die Arche bewegten Bild friedfertiger Vereinigung ist die Hoffnung eingeschrieben, daß den ungünstigen herrschenden Bedingungen zum Trotz ein weniges von unserer natürlichen Heimat sich wird retten lassen.

ANMERKUNGEN

Einleitung

1 Cf. W.G. Sebald, *Die Beschreibung des Unglücks,* Salzburg 1985, S. 85.
2 Cf. PROFIL 22/1987, Interview mit Georg Pichler.

Ansichten aus der Neuen Welt — Über Charles Sealsfield

1 Cf. F. Sengle, *Biedermeierzeit,* Bd. III, Stuttgart 1980, S. 752 ff.
2 Ibid., S. 754.
3 Cf. hierzu Sengle, ibid.
4 Im Olms Verlag, Hildesheim/New York.
5 Sengle, op. cit., und W. Weiss, ›Der Zusammenhang zwischen Amerikathematik und Erzählkunst bei Charles Sealsfield‹, in: Jahrbuch der Görresgesellschaft, Neue Folge, Bd. 8 (1967).
6 Op. cit., S. 758.
7 Wohl des Grafen Lažanski. Cf. V. Klarwills Nachwort zu Ch. Sealsfield, *Österreich, wie es ist,* Wien 1919, S. 206.
8 Castles These, daß Postls Flucht durch freimaurerische Verbindungen ermöglicht wurde, ist in jeder Beziehung einleuchtend. Postl hätte sich anders die für die Reise nötigen, nicht unbedeutenden Mittel kaum beschaffen können. Die freimaurerische Diskretion erklärt auch weitgehend, weshalb Postl in späteren Jahren über seine Flucht aus Österreich so wenig verlauten ließ.
9 Zitiert nach E. Castle, *Der große Unbekannte — Das Leben von Charles Sealsfield (Karl Postl),* Wien und München 1952, S. 137 f.
10 Sealsfield, *Das Cajütenbuch oder Nationale Charakteristiken,* Sämtl. Werke, Bd. 17, Hildesheim und New York 1977, S. 23.
11 Sealsfield, *The Indian Chief or Tokeah and the White Rose,* Sämtl. Werke, Bd. 5, Hildesheim und New York 1972, S. 110 f.
12 Stuttgart 1827, Sämtl. Werke, Bd. I, Hildesheim und New York 1972.
13 Cf. hierzu G. Winter, Einiges Neue über Charles Sealsfield, in: Beiträge zur neueren Geschichte Österreichs, Mai 1907, nachgedruckt in: Sealsfield, *Austria as it is,* Sämtl. Werke, Bd. 3, Hildesheim und New York 1972, insbes. S. LVI passim. Bemerkenswert ist, daß keine der zu Sealsfield erschienenen literaturwissenschaftlichen Schriften versucht, diesen Lapsus in einen Bezug zu den inhärenten Qualitäten der Schriften Sealsfields zu bringen.
14 Der peinlichste Ausrutscher ist wohl die Anrede ›Serene Higness‹ (sic), die Postl zum Schluß des Briefs nochmals in dieser Form wiederholt. Cf. ibid., S. LXI.
15 Freiherr von Neumann, der im Auftrag von Metternich in Wiesbaden mit Postl zusammentraf, war jedenfalls der Auffassung »que cet indi-

vidu était un aventurier cherchant à nous ... extorquer de l'argent«. Ibid., S. LXVI.

16 Cf. E. Castle (Hg.), *Das Geheimnis des Großen Unbekannten Charles Sealsfield — Carl Postl. Die Quellenschriften,* Wien 1943, S. 436.

17 Cf. Castle, *Der große Unbekannte,* S. 413 ff.

18 Cf. ibid., S. 336.

19 Der Band selbst trägt 1828 als das Jahr der Drucklegung.

20 Sealsfield, *Österreich, wie es ist,* Sämtl. Werke, Bd. 3, S. 5.

21 Das Reisegeld von Frankfurt nach London mußte Postl sich borgen. Cf. hierzu G. Winter, op. cit., S. XXVI f., wo es heißt, daß Postl in London »14 Tage das Kostgeld schuldig bleiben mußte und eine Landkarte nicht an Cotta senden konnte, da er das Porto nicht besaß«.

22 Sealsfield, *Österreich, wie es ist,* S. 21.

23 Ibid., S. 42 und S. 45.

24 Ibid., S. 46.

25 Ibid., S. 67.

26 Ibid., S. 89.

27 Ibid., S. 19.

28 Cf. ibid., S. 90.

29 Cf. ibid., S. 146.

30 Ibid., S. 131.

31 Ibid., S. 84.

32 Zitiert nach R. Gottschall, *Literarische Charakterköpfe* (Leipzig 1870), nachgedruckt in: T. Ostwald (Hg.), *Charles Sealsfield,* Braunschweig 1976, S. 81.

33 Cf. Castle, *Der große Unbekannte,* S. 479.

34 Ehrhard war Sealsfields Verleger in Stuttgart.

35 Zitiert nach Castle, *Der große Unbekannte,* S. 513 f.

36 Ibid., S. 517.

37 Die Diagnose stammt von dem liberalen Literaturhistoriker Julian Schmidt. Zitiert hier nach Castle, ibid., S. 574.

38 Cf. Castle, ibid., S. 356.

39 Sealsfield, *Das Cajütenbuch,* Sämtl. Werke, Bd. 17, S. 378.

40 »d'une blancheur éclatante«, F.R. de Chateaubriand *Œuvres romanesques et voyages,* Bd. I, Paris 1969, S. 40.

41 »statue de la virginité endormie«, ibid., S. 89.

42 H. B. Stowe, *Three Novels,* New York 1982, S. 486.

43 Chateaubriand, op. cit., S. 71.

44 Ibid., S. 68.

45 Sealsfield, *Tokeah,* Sämtl. Werke, Bd. 4, S. 75.

46 Sealsfield, *Tokeah,* Sämtl. Werke, Bd. 5, S. 200 f.

47 Ch. Darwin, Gesammelte Werke, Bd. 5, Stuttgart 1899, S. 174.

48 Cf. D. Sternberger, *Panorama oder Ansichten vom 19. Jahrhundert,* Frankfurt 1974, S. 88.

49 Cf. *Tokeah,* Sämtl. Werke, Bd. 5, S. 104.

50 Op. cit., S. 84.

51 Ibid.
52 Ibid.
53 Castle, *Der große Unbekannte,* S. 249.
54 Cf. ibid., S. 356.
55 Op. cit., S. 87.
56 Castle, *Das Geheimnis des Großen Unbekannten,* S. 134.
57 Sealsfield, *Cajütenbuch,* Sämtl. Werke, Bd. 16, S. 27.
58 Op. cit. S. 767.
59 Zitiert nach Castle, *Der große Unbekannte,* S. 476.
60 F. Kürnberger, *Der Amerikamüde,* Frankfurt 1986, S. 169 ff.
61 Zitiert nach Castle, *Der große Unbekannte,* S. 359.
62 Cf. ibid., S. 361.
63 Cf. hierzu H. St. Foote, *Texas and the Texans; or, Advance of the Anglo-Americans to the South West,* Philadelphia 1841, und Hermann Ehrenberg, *Texas und seine Revolution,* Leipzig 1843.
64 *Cajütenbuch,* Sämtl. Werke, Bd. 16, S. 8.
65 Ibid., S. 275.
66 *Cajütenbuch,* Sämtl. Werke, Bd. 17, S. 101.
67 Ibid., S. 113.
68 Ibid., S. 115.
69 Ibid.
70 *Cajütenbuch,* Sämtl. Werke, Bd. 16, S. 42 f.
71 Ibid., S. 57 f.
72 Ibid.
73 Ibid. S. 84.
74 Sämtl. Werke, Bd. 5, S. 65.
75 *Cajütenbuch,* Sämtl. Werke, Bd. 16, S. 23 ff.
76 Stephan Gutzwiller, der von Postl sogenannte basellandschaftliche Washington, hat diesen Charakterzug an Postl schon in den fünfziger Jahren bemerkt. Cf. Castle, *Der große Unbekannte,* S. 551 f.
77 M. Brod, *Der Prager Kreis,* Stuttgart 1966, S. 24.
78 *Der große Unbekannte,* S. 368 f. und 566 f.
79 Ibid., S. 611.
80 Ibid., S. 581.
81 Brüssel und Leipzig 1864.

Westwärts — Ostwärts: Aporien deutschsprachiger Ghettogeschichten

1 Cf. W. Iggers (Hg.), *Die Juden in Böhmen und Mähren,* München 1986, S. 148.
2 St. Hock, Einleitung zu L. Kompert, *Sämtliche Werke,* Bd. I, Leipzig 1906, S. XXXVI.
3 Cf. Kompert, *Sämtl. Werke,* Bd. 2, Leipzig 1906, S. 27.
4 Ibid., S. 32.
5 Ibid., S. 21.
6 Ibid., S. 22.

7 Kompert, *Sämtl. Werke,* Bd. I, S. 130 f.
8 Cf. *On Photography,* Harmondsworth 1979, S. 80.
9 Cf. Kompert, *Sämtl. Werke,* Bd. I., S. 158.
10 Ibid., S. 93.
11 Ibid., S. 96 f.
12 F. Kafka, *Sämtl. Erzählungen,* Frankfurt 1961, S. 9.
13 Kompert, *Sämtl. Werke,* Bd. I, S. 221.
14 M.H. Friedländer, *Tiferet Jisrael — Schilderungen aus dem inneren Leben der Juden in Mähren in vormärzlichen Zeiten,* Brünn 1878, S. 54.
15 Franzos, *Die Juden von Barnow,* Leipzig 1880, S. 258.
16 Ibid., S. 12.
17 Cf. ibid., S. 310.
18 Ibid., S. VIII.
19 Ibid.
20 Franzos, *Aus Halb-Asien — Kulturbilder aus Galizien, der Bukowina, Südrußland und Rumänien,* Bd. I, Stuttgart und Berlin 1901, S. 183.
21 Franzos, *Vom Don zur Donau,* zitiert nach dem Auswahlband *Halb-Asien,* hg. von E.J. Görlich, Graz und Wien 1958, S. 75.
22 Franzos, *Die Juden von Barnow,* S. 53.
23 Ibid., S. 185.
24 Ibid., S. 38.
25 ›Schiller in Barnow‹, zitiert nach dem Auswahlband *Halb-Asien,* S. 38.
26 Cf. L. von Sacher-Masoch, *Jüdisches Leben,* Mannheim 1892, S. 105 passim.
27 Franzos, *Halb-Asien,* Bd. I., S. 102 und S. 185.
28 ›Die kk. Reaktion in Halb-Asien‹, ibid. S. 85—127, in welchem Text Franzos das österreichische Regime als eine Mischung von Trauerspiel und Posse charakterisiert.
29 Ibid., S. 102.
30 Cf., beispielsweise, Franzos, *Die Juden von Barnow,* S. 41, S. 58 und S. 318.
31 Ibid., S. 258.
32 Ibid., S. 289.
33 Cf. ›Sur la peinture de Chagall‹ in *Structures mentales et création culturelle,* Paris 1976, S. 419.
34 Franzos, *Die Juden von Barnow,* S. 296.
35 Ibid., S. 301.
36 Ibid.
37 Ibid.
38 Ibid., S. 297.
39 Cf. Sacher-Masoch, *Souvenirs,* München 1985, S. 15 ff.
40 Ibid., S. 16.
41 Cf. M. Farin, ›Sacher-Masochs *Jüdisches Leben*‹, in: Sacher-Masoch, *Jüdisches Leben,* Dortmund 1985 (Reprint der Ausgabe Mannheim 1892), S. 357 f.

42 *Jüdisches Leben*, S. 12.
43 Cf. ›Galizien‹, in: *Souvenirs*, S. 32 f.
44 Publiziert als *Das Vermächtnis Kains*, Stuttgart 1870.
45 Cf. F. Kürnberger, ›Vorrede zum Don Juan von Kolomea‹, in: Sacher-Masoch, *Don Juan von Kolomea — Galizische Geschichten*, hg. von M. Farin, Bonn 1985, S. 188 f.
46 Ibid., S. 191 f.
47 *Jüdisches Leben*, S. 362.
48 Ibid., S. 14.
49 Cf. ibid., S. 197.

50 *Das falsche Gewicht*, Reinbek 1981, S. 5 f.
51 Ibid., S. 14.
52 Ibid., S. 64 und S. 32.
53 Ibid., S. 83.
54 Ibid., S. 120.
55 Ibid.
56 R. Vishniak, *Die verschwundene Welt*, München 1984.
57 *La chambre claire*, Paris 1984, Abt. 40.

Peter Altenberg — Le Paysan de Vienne

1 Altenberg, *Mein Lebensabend*, Berlin 1919, S. 150.
2 Th. W. Adorno, *Mahler*, Frankfurt 1969, S. 190 f.
3 Cf. hierzu ibid., S. 209.
4 Cf. *Wie ich es sehe*, 16.—18. Aufl., Berlin 1922.
5 Altenberg, *Mein Lebensabend*, S. 237.
6 Altenberg, *Vita Ipsa*, Berlin 1918.
7 Altenberg, *Prodromos*, Berlin 1906, S. 126.
8 Altenberg, *Mein Lebensabend*, S. 237.
9 Ibid., S. 262 f.
10 Œuvres, Bd. 2, Paris 1931/1932, S. 536 (übersetzt von W. Benjamin).

11 *Mein Lebensabend,* S. 237.
12 C. Schaefer, *Peter Altenberg,* Wien 1980, S. 28.
13 Altenberg, *Prodromos,* S. 177.
14 Ibid., S. 178.
15 *Nachfechsung,* 10. Aufl., Berlin 1919, S. 304.
16 Cf. ibid., S. 284.
17 Cf. Altenberg, *Mein Lebensabend,* S. 225.
18 Cf. Altenberg, *Wie ich es sehe,* S. 231.
19 Cf. Altenberg, *Mein Lebensabend,* S. 275.
20 Zitiert nach Schaefer, S. 7.
21 Cf. Altenberg, *Vita Ipsa,* S. 204.
22 Altenberg, *Was der Tag mir zuträgt,* 7.—8. Aufl., Berlin 1919, S. 290.
23 *Ashantee,* in: *Wie ich es sehe,* S. 298 ff.
24 Ibid., S. 311.
25 Ibid.
26 Altenberg, *Mein Lebensabend,* S. 66.
27 Cf. Altenberg, *Wie ich es sehe,* S. 8, S. 60.
28 Cf. Benjamin, *Zentralpark,* Gesammelte Schriften, 1.2, Frankfurt 1971, S. 681.
29 H. Malmberg, *Widerhall des Herzens — Ein Peter Altenberg-Buch,* München 1961, S. 157.
30 Cf. op. cit., S. 75.
31 Altenberg, *Neues Altes,* Berlin 1911, S. 192.
32 Altenberg, *Prodromos,* S. 58.
33 Cf. Altenberg, *Vita Ipsa,* S. 198.
34 Altenberg, *Fechsung,* 5.—6. Aufl., Berlin 1918, S. 170.
35 Zit. nach Benjamin, op. cit. S. 689.
36 Altenberg, *Semmering, 1912,* Berlin 1913, S. 55.
37 Op. cit., S. 670.
38 Nachzulesen beispielsweise in den Tagebüchern Arthur Schnitzlers, der mit ziemlicher Regelmäßigkeit im Panorama gewesen ist.
39 Altenberg, *Neues Altes,* S. 183.
40 Ibid.
41 Cf. Benjamin, *Charles Baudelaire — Ein Lyriker im Zeitalter des Hochkapitalismus,* Gesammelte Schriften, 1.2, S. 543.
42 Cf. *Wiener Spaziergänge,* 2 Bde., Wien o.J.
43 G. Wysocki, *Peter Altenberg,* Frankfurt 1986, S. 54.
44 Altenberg, *Prodromos,* S. 87 f.
45 Altenberg, *Vita Ipsa,* S. 23.
46 Benjamin, op. cit., S. 550.
47 Cf. ibid., S. 621.
48 Cf. ibid., S. 550.
49 Nach Schaefer, op. cit., S. 89. Schnitzlers Verhältnis zu Altenberg war ausgesprochen ambivalent. Er findet in ihm »viel entzückendes, vielleicht genialisches«, hält ihn aber »in seiner Prophetenpose« für »im tiefsten unwahr und unrein«. (*Tagebücher 1913—1916,* Wien 1983, 15. III. 1916) Auch Kraus sieht in Altenberg sowohl ›den ersten Dich-

ter in der deutschen Sprache‹, als ›den letzten Schmierer‹. (Cf. Schaefer, op. cit., S. 10) Die so zum Ausdruck gebrachte Abneigung hat komplizierte Gründe. Altenberg verkörperte so etwas wie eine Travestie des Außenseitertums und führte den bürgerlichen Autoren gewissermaßen die Gefahren der Deklassierung vor Augen. Bezeichnender aber ist noch, daß mit den Urteilsbegriffen ›Schmierer‹ und ›unrein‹ Vokabeln ins Spiel kommen, die auf Ekelgefühle schließen lassen. Altenbergs Schnorrerei berührte Kraus und Schnitzler wahrscheinlich als ›jüdisch, allzu jüdisch‹; nicht weniger peinlich mag ihnen die Art gewesen sein, in der er seine erotischen Gefühle offen zu Markte trug. Interessant ist in diesem Zusammenhang eine Tagebuchnotiz Schnitzlers vom 1. VIII. 1914: »Brief vom Hofrath Zuckerkandl, ua, dass Oesterreich heuer für den literarischen Nobelpreis ausersehen, und dass man daran denke, ihn zwischen mir und Altenberg zu theilen, was Olga noch als viel ärgerlicher empfindet als ich — (nicht aus finanziellen Ursachen — sondern weil der literarische Nobelpreis noch *nie* getheilt worden).« Der Ton dieser Passage verrät, daß es, genaugenommen, auch nicht die Teilung des Preises, sondern die für Schnitzler peinliche Assoziation mit Altenberg gewesen ist, die ihn derart irritierte.

50 Cf. op. cit., S. 553.
51 Altenberg, *Nachfechsung*, S. 233.
52 Ibid.
53 Altenberg, *Mein Lebensabend*, S. 45.
54 Ibid. S. 46.
55 Zitiert nach H. Ch. Kosler (Hg.), *Peter Altenberg*, Frankfurt 1984, S. 130.
56 Ibid.
57 Altenberg, *Was der Tag mir zuträgt*, S. 137.
58 Zitiert nach Kosler, S. 20 f.
59 Adorno, *Mahler*, S. 51.
60 Cf. Wysocki, *Peter Altenberg*, S. 82.
61 K.E. Franzos, *Die Juden von Barnow*, Leipzig 1880, S. 64.
62 Op. cit. S. 192.
63 Cf. z.B. Peter Altenberg, *Der Nachlass*, Berlin 1925, S. 75.
64 Zitiert nach E. Randak, *Peter Altenberg*, Graz und Wien 1961, S. 160.
65 A. Schnitzler, *Tagebücher 1910—1913*, Wien 1981, 4. VII. 1910.
66 Altenberg, *Mein Lebensabend*, S. 5.
67 Ibid., S. 39.
68 Ibid., S. 284.
69 Op. cit., S. 39.
70 E. Friedell (Hg.), *Das Altenbergbuch*, Leipzig, Wien, Zürich 1921, S. 52.
71 Op. cit., S. 660.
72 Cf. Altenberg, *Märchen des Lebens*, Berlin 1908, S. 218.
73 Altenberg, *Semmering, 1912*, S. 114.
74 Altenberg, *Mein Lebensabend*, S. 353.

75 Cf. Altenberg, *Neues Altes,* S. 73 f.
76 Altenberg, *Prodromos,* S. 119 f.
77 Ibid., S. 118.
78 Altenberg, *Semmering, 1912,* S. 106.
79 Ibid., S. 107.
80 Altenberg, *Fechsung,* S. 27.
81 Altenberg, *Neues Altes,* S. 141.
82 Altenberg, *Mein Lebensabend,* S. 287.
83 Ibid., S. 356 f.
84 Altenberg, *Der Nachlass,* S. 140.
85 Ibid., S. 142.
86 Altenberg, *Wie ich es sehe,* S. 96.
87 Altenberg, *Semmering, 1912,* S. 245.
88 Altenberg, *Was der Tag mir zuträgt,* S. 51 f.

Das Gesetz der Schande — Macht, Messianismus und Exil in Kafkas *Schloß*

1 F. Kafka, *Das Schloß,* Frankfurt 1982, S. 82.
2 Ibid., S. 94.
3 Ibid., S. 262.
4 Ibid., S. 102.
5 Ibid., S. 456 f.
6 Chr. Enzensberger, *Größerer Versuch über den Schmutz,* München 1970, S. 49.
7 Ibid., S. 39.
8 Ibid., S. 51.
9 Cf. Kafka, *Hochzeitsvorbereitungen auf dem Lande,* Frankfurt 1966, S. 45.
10 M. Buber, *Die Erzählungen der Chassidim,* Zürich 1949, S. 418.
11 Cf. Kafka, *Das Schloß,* S. 10.
12 Cf. ibid., S. 291.
13 Cf. ibid., S. 12.
14 Ibid., S. 43.
15 Ibid., S. 241.
16 Ibid., S. 313.
17 Cf. Kafka, *Die Romane,* Frankfurt 1965, S. 764.
18 Ibid., S. 796.
19 Kafka, *Das Schloß,* S. 92 f.
20 Ibid., S. 39.
21 Cf. ibid., S. 44.
22 Ibid., S. 288.
23 Ibid., S. 360.
24 Kafka, *Die Romane,* S. 794.
25 Kafka, *Das Schloß,* S. 233.
26 Ibid., S. 237.
27 Ibid., S. 37.

28 Ibid., S. 494.
29 Ibid., S. 90.
30 Ibid.
31 Ibid., S. 56.
32 Kafka, *Die Romane,* S. 778 f.
33 Kafka, *Das Schloß,* S. 173.
34 Ibid., S. 446.
35 Ibid., S. 417.
36 Buber, op. cit., S. 201.
37 Kafka, *Das Schloß,* S. 20.
38 Ibid., S. 43.
39 Ibid., S. 425.
40 Kafka, *Das Schloß,* S. 55.
41 J. Wassermann, *Mein Weg als Deutscher Jude,* Berlin 1921, S. 36.
42 Kafka, *Hochzeitsvorbereitungen,* S. 67.
43 Cf. hierzu, G. Scholem, *Judaica 3,* Frankfurt 1973.
44 Cf. R. Sheppard, *On Kafka's Castle,* London 1973, S. 81 und S. 213.
45 Buber, op. cit., S. 365.
46 Kafka, *Die Romane,* S. 800.
47 Kafka, *Tagebücher,* Frankfurt 1965, S. 399.
48 A. Nemeth, *Kafka ou le mystère,* Paris 1947, S. 20.
49 J.F. Baer, *Galut,* Berlin 1936, S. 20.
50 G. Janouch, *Gespräche mit Kafka,* Frankfurt 1968, S. 153 f.
51 Kafka, *Das Schloß,* S. 39.
52 Cf. W. Benjamin, *Theologische Kritik* in: *Gesammelte Schriften,* Bd. III, Frankfurt 1972, S. 276.
53 Cf. *Beschreibung einer Form,* Frankfurt/Berlin 1972, S. 18.
54 Kafka, *Das Schloß,* S. 482.
55 P. Klee, *Tagebücher,* Köln 1957, S. 172.

Ein Kaddisch für Österreich — Über Joseph Roth

1 ›Die k. und k. Veteranen‹, zitiert nach D. Bronsen, *Joseph Roth,* Köln 1974, S. 21.
2 J. Roth, *Romane, Erzählungen, Aufsätze,* Köln 1964, S. 256.
3 Ibid., S. 257.
4 H. Cohen, *Schriften,* Bd. II, Berlin 1924, S. 45 f.
5 Op. cit., S. 45.
6 Roth, *Romane, Erzählungen, Aufsätze,* S. 561.
7 ›Halberstadt, Tannhäuser, Schach‹, in: Roth, *Werke,* Bd. III, Köln 1976, S. 697.
8 Op. cit., S. 421.
9 Roth, *Radetzkymarsch,* Reinbek 1967, S. 54.
10 Ibid., S. 119.
11 Ibid., S. 149.
12 Ibid., S. 234.
13 Ibid., S. 190.

14 Ibid., S. 27.
15 Roth, *Das falsche Gewicht,* Reinbek 1981, S. 7.
16 Roth, *Radetzkymarsch,* S. 93.
17 Ibid., S. 54.
18 Cf. W. Benjamin, *Ursprung des deutschen Trauerspiels,* Frankfurt 1963, S. 246.
19 Cf. Bronsen, op. cit., S. 177.
20 ›Der Erzähler‹, in: Benjamin, *Illuminationen,* Frankfurt 1961, S. 417.
21 Cf. ibid.
22 Cf. ›Joseph Roth‹, in: *Österreichische Porträts,* Bd. II, hg. v. J. Jung, Salzburg 1985, S. 375.
23 Roth, *Radetzkymarsch,* S. 168.
24 Bronsen, op. cit., S. 373.
25 Op. cit., S. 420 f.
26 Cf. Roth, *Radetzkymarsch,* S. 98.
27 Cf. ibid., S. 9.
28 Benjamin, op. cit., S. 424.
29 Cf. op. cit., S. 247.
30 Roth, *Werke,* Bd. IV, Köln 1976, S. 893 ff.
31 Ibid., S. 895.
32 Zitiert nach Bronsen, op. cit., S. 395.
33 Cf. ›unveröffentlichte autobiographische Notizen‹, zitiert bei Bronsen, op. cit., S. 138.
34 Roth, *Werke,* Bd. III, S. 281.
35 Cf. Bronsen, op. cit., S. 397.
36 Roth, *Romane, Erzählungen, Aufsätze,* S. 503.
37 Ibid., S. 509.
38 Cf. Bronsen, op. cit., S. 357.
39 Roth, *Werke,* Bd. III, S. 709.
40 Roth, *Der stumme Prophet,* Reinbek 1968, S. 129.
41 Roth, *Romane, Erzählungen, Aufsätze,* S. 595.
42 Ibid.

Una montagna bruna — Zum Bergroman Hermann Brochs

1 Cf. F. Stössingers Nachwort zu *Der Versucher,* Zürich 1953, S. 569. *Der Versucher* ist eine Kompilation der drei Fassungen des Bergromans. Meine Untersuchung nimmt als Textgrundlage die erste Fassung der 1969 in Frankfurt erschienenen vierbändigen kritischen Ausgabe, die von Frank Kress und Hans Albert Maier besorgt wurde.
2 Cf. hierzu A. Bowie, ›The Novel and the Limits of Abstraction: Hermann Broch's *Die Schlafwandler*‹, Journal of European Studies III, 1984. Bowie betont in dieser ausgezeichneten Arbeit, daß der Roman die Spaltung zwischen empirischer Erfahrung und konstruktivem Geschichtsbewußtsein streckenweise zwar aufs eindrucksvollste thematisiert, daß er aber selbst zum Opfer der Krise wird, die er behandelt.

3 Brief an Daniel Brody vom 19. Oktober 1934, zitiert nach *Brochs Verzauberung,* hg. von P. M. Lützeler, Frankfurt 1983, S. 38 f.
4 Ibid., S. 71.
5 Broch erörtert dieses ›Projekt‹ in den ersten Jahren seines Exils in den USA im Kreis einiger europäischer Emigranten, zu dem Thomas Mann, Giuseppe Antonio Borgese, Siegfried Marck und Hans Meisel gehörten.
6 Cf. hierzu Th. Koebner, Mythos und Zeitgeist, in: Lützeler, op. cit. S. 180.
7 Cf. hierzu F. Aspetsberger, *Literarisches Leben im Austrofaschismus,* Königstein 1980.
8 Cf. J. Strelka, ›Broch heute‹, in: *Broch heute,* hg. von J. Strelka, Bern 1978, S. 13.
9 Lützeler, op. cit. S. 48.
10 Ibid. S. 50.
11 H. Broch, *Bergroman,* S. 291 f.
12 Werkausgabe Hermann Broch, hg. von P. M. Lützeler, Frankfurt 1974—1981, Bd. 9/1, S. 41.
13 Broch, *Bergroman,* S. 425.
14 Sämtl. Beispiele ibid., S. 11 f.
15 Ibid., S. 220.
16 Ibid., S. 364.
17 Ibid., S. 96.
18 Ibid., S. 344 und S. 379.
19 Werkausgabe, Bd. 9/2, S. 94 f.
20 Broch, *Bergroman,* S. 422.
21 Gregory Bateson, *Mind and Nature,* London 1980, S. 28.
22 Broch, *Bergroman,* S. 247.
23 Cf. *Brochs Verzauberung,* S. 176.
24 Vor allem Lützeler hat hier im Sinne der Germanistik so Großartiges geleistet, daß man den Wald vor Bäumen nicht mehr sieht. Cf. *Brochs Verzauberung,* insbes. S. 259—274.
25 Th. Mann, *Das essayistische Werk — Schriften und Reden zur Literatur, Kunst und Philosophie,* Bd. I, Frankfurt 1968, S. 385.
26 H. Blumenberg, *Arbeit am Mythos,* Frankfurt 1981, S. 178.
27 Ibid., S. 77 f.
28 Ibid.
29 Ibid., S. 389.
30 Broch, *Bergroman,* S. 344.
31 Koebner, *Hermann Broch,* Bern und München 1965, S. 119.

Verlorenes Land — Jean Améry und Österreich

1 I. Bachmann, *Drei Wege zum See,* in: Werke 2, München/Zürich 1978, S. 421.
2 Die konkreten Details dieser Passage verdanken sich den biographischen Daten zu Améry, die F. Pfäflin in den Marbacher Beiträgen veröffentlicht hat.

3 J. Améry, *Örtlichkeiten,* Stuttgart 1980, S. 10.

4 F. Torberg, *Die Tante Jolesch oder der Untergang des Abendlandes in Anekdoten,* München 1975, S. 106. Zwischen dem Kapitel ›Sommerfrische‹ in diesem Buch und dem Kapitel ›Bad Ischl — Wien‹ in *Örtlichkeiten* gibt es übrigens einige Überschneidungen, die zeigen, daß Torbergs Text Améry beim Schreiben seiner Ischler Reminiszenzen gegenwärtig gewesen sein muß.

5 Cf. Améry, *Örtlichkeiten,* S. 13.

6 Ibid., S. 17.

7 Ibid., S. 23.

8 Ibid., S. 24.

9 Améry, *Unmeisterliche Wanderjahre,* Stuttgart 1971, S. 28.

10 *Österreichs Erneuerung. Die Reden des Bundeskanzlers Kurt von Schuschnigg,* hg. v. österreichischen Bundespressedienst, Bd. 2, Wien 1936, S. 154 f.

11 Améry, *Unmeisterliche Wanderjahre,* S. 11.

12 New York — Toronto 1938. Zitiert hier nach Friedbert Aspetsberger, *Literarisches Leben im Austrofaschismus,* Meisenheim 1980, S. 88.

13 Améry, *Örtlichkeiten,* S. 25.

14 Améry, *Unmeisterliche Wanderjahre,* S. 14.

15 Ibid.

16 Ibid.

17 Cf. ibid., S. 33.

18 Cf. ibid., S. 38.

19 Ibid., S. 48.

20 Ibid., S. 37 f.

21 Ibid., S. 10.

22 Ibid., S. 38.

23 Cf. Aspetsberger, op. cit., S. 112.

24 Améry, *Unmeisterliche Wanderjahre,* S. 47.

25 Cf. G. Clare, *Last Waltz in Vienna,* London 1982, S. 171 f.

26 Améry, *Jenseits von Schuld und Sühne,* Stuttgart 1977, S. 78.

27 »Es hat einen bestimmten Moment gegeben, der hat meine Kindheit zertrümmert. Der Einmarsch von Hitlers Truppen in Klagenfurt. Es war etwas so Entsetzliches, daß mit diesem Tag meine Erinnerung anfängt: durch einen zu frühen Schmerz, wie ich ihn in dieser Stärke vielleicht später überhaupt nie mehr hatte. Natürlich habe ich das alles nicht verstanden in dem Sinn, in dem es ein Erwachsener verstehen würde. Aber diese ungeheure Brutalität, die spürbar war, dieses Brüllen, Singen und Marschieren — das Aufkommen meiner ersten Todesangst ...« Zitiert aus einem Interview mit Gerda Bödefeld, nach A. Hapkemeyer (Hg.), *Ingeborg Bachmann — Bilder aus ihrem Leben,* München/Zürich 1983.

28 Améry, *Jenseits von Schuld und Sühne,* S. 78.

29 Ibid., S. 75 f.

30 K. Kraus, *Die letzten Tage der Menschheit,* München 1966, Bd. II, S. 27.

31 Cf. J. Riedl, ›Geht doch in die Donau — Über den österreichischen

Anteil am Holocaust‹, in: J. Riedl (Hg.), *Versunkene Welt,* Jewish Welcome Service, Wien 1984.
32 Améry, *Jenseits von Schuld und Sühne,* S. 78.
33 Ibid., S. 85.
34 Ibid., S. 76 f.
35 Cf. ibid., S. 92.
36 Améry, *Örtlichkeiten,* S. 89.
37 Cf. BILD-Zeitung, 19. X. 1978.
38 Cf. Theater Heute, Nr. 1, 1986.
39 Ibid., S. 1.

In einer wildfremden Gegend — Zu Gerhard Roths Romanwerk *Landläufiger Tod*

1 Lévi-Strauss umreißt eine ähnliche Problematik im Beschreibungsverfahren, wenn er erinnert, wie ein neues epistemologisches Modell, das des Strukturalismus, der es erlaubte, von dem notorischen philosophischen Subjekt zu abstrahieren, zu ungleich tieferen Einsichten führte. Cf. *Mythologica* IV/2, Frankfurt 1975, S. 808.
2 Jean Paul, *Vorschule der Ästhetik,* Werke, Bd. IX, München 1975, S. 96.
3 Ibid., S. 52.
4 Cf. G. Roth, *Landläufiger Tod,* Frankfurt 1984, S. 134.
5 Ibid., S. 141.
6 Ibid., S. 507 ff.
7 Jean Paul, op. cit., S. 97.
8 Denn was, so frägt man sich, ist wohl in seinem Kopf vorgegangen, wenn er sich in Cambridge in der ersten Reihe im Kino sitzend Wildwestfilme ansah und pork-pies dazu verzehrte.
9 Roth, op. cit., S. 190.
10 Ibid., S. 186 und 184.
11 Ibid., S. 206.
12 Ibid., S. 207.
13 Ibid., S. 716.
14 C. Lévi-Strauss, *Das wilde Denken,* Frankfurt 1968, S. 280.
15 Roth, op. cit., S. 203.
16 Cf. Lévi-Strauss, *Mythologica* IV/2, S. 654 f.
17 Cf. B. Schulz, *Die Republik der Träume,* München 1967, S. 17.
18 Roth, op. cit., S. 23.
19 Ibid., S. 92 f.
20 Ibid., S. 94 f.
21 Cf. ibid., S. 217.
22 Cf. ibid., S. 496.
23 Cf. ibid., S. 253.
24 Ibid., S. 283.
25 Ibid., S. 226.
26 Ibid., S. 227.

27 Ibid., S. 274.
28 F. Kafka, *Hochzeitsvorbereitungen auf dem Lande,* Frankfurt 1980, S. 90.
29 Cf. Roth, op. cit., S. 347 ff.
30 Ibid., S. 10 f.
31 Cf. hierzu M. Merleau-Ponty, *L'Œil et l'Esprit,* Paris 1964, S. 31.
32 Cf. *Mythologica* III, S. 206.
33 Roth, op. cit., S. 766 f.
34 Jean Paul, op. cit., S. 98.
35 Ibid., S. 40.
36 Cf. *Mythologica* III, S. 459.
37 Ibid., S. 546.
38 Jean Paul, op. cit., S. 95.

Jenseits der Grenze — Zu Peter Handkes Erzählung *Die Wiederholung*

1 Die Liste der Sekundärliteratur umfaßte 1982 bereits zirka 200 Einträge.
2 Der Strom der Sekundärschriften ist zwar auch in den achtziger Jahren nicht abgerissen, doch bezieht sich vieles von dem, was zu Handke im letzten Jahrzehnt veröffentlicht wurde, auf seine früheren Schriften. Dazu kommt, daß das, was über die neueren Werke Handkes publiziert wurde, zu einem beträchtlichen Teil polemischen Charakters ist. Von einer objektiven Auseinandersetzung mit einem der wichtigsten Schriftsteller der Gegenwart kann also bereits geraume Zeit schon nicht mehr die Rede sein. Cf. hierzu: J. Lohmann, Handke-Beschimpfung oder Der Stillstand der Kritik, in: Tintenfaß 1981, H. 2. Bezeichnend für die zunehmende Distanzierung der Literaturwissenschaft ist beispielsweise Manfred Durzaks 1982 in Stuttgart erschienene Arbeit über *Peter Handke und die deutsche Gegenwartsliteratur.* Offenbar nicht überzeugt von den Vorstellungen, die Handke in den vier Büchern der *Langsamen Heimkehr* entwickelt, moniert Durzak das Einzelgängerische, den mangelnden Bezug auf die gesellschaftliche Wirklichkeit und insbesondere den »stilistischen Pointillismus, der Details endlos und ohne einsehbare Notwendigkeit kompiliert und die Vision des zur Ganzheit zusammenschießenden poetischen Bildes vermissen läßt.« (Zitiert nach N. Honsza [Hg.], *Zu Peter Handke — Zwischen Experiment und Tradition,* Stuttgart 1982, S. 108.)
3 Cf. beispielsweise B. Heinrichs, Der Evangelimann. Glücksmärchen, Wanderpredigt, Lesefolter: *Die Wiederholung,* in: *Die Zeit,* 3. X. 1986.
4 P. Handke, *Die Wiederholung,* Frankfurt 1986, S. 126.
5 Cf. ibid.
6 Ibid.
7 Ibid., S. 12.
8 Ibid., S. 18.

9 Ibid., S. 119.
10 Ibid.
11 Ibid.
12 Ibid., S. 77.
13 Ibid., S. 131.
14 Ibid., S. 323.
15 Ibid., S. 325.
16 Ibid.
17 Ibid.
18 Cf. ibid., S. 67.
19 Ibid., S. 68.
20 Ibid., S. 71.
21 Ibid., S. 72.
22 Ibid.
23 Cf. ibid., S. 20.
24 Ibid.
25 Ibid., S. 77.
26 Ibid., S. 46.
27 Ibid., S. 53.
28 Ibid., S. 20.
29 Ibid., S. 40.
30 Ibid., S. 306.
31 Ibid., S. 228.
32 Ibid., S. 229.
33 Ibid., S. 231.
34 Ibid., S. 72.
35 Ibid., S. 181.
36 Cf. ibid.
37 Ibid., S. 182.
38 Ibid., S. 69.
39 Ibid.
40 Ibid., S. 185.
41 Ibid., S. 73.
42 Ibid., S. 132.
43 Ibid., S. 200.
44 Ibid., S. 132.
45 H. Arendt, *Elemente und Ursprünge totalitärer Herrschaft,* Bd. I: *Antisemitismus,* Frankfurt, Berlin, Wien 1975, S. 54.
46 Handke, *Die Wiederholung,* S. 201.
47 Cf. ibid.
48 Ibid., S. 56.
49 Ibid., S. 59.
50 Ibid., S. 150.
51 Ibid., S. 226 f.
52 Ibid., S. 127.
53 Ibid., S. 317.
54 Ibid., S. 15.

55 Ibid., S. 36.
56 Ibid., S. 215.
57 Ibid., S. 284.
58 Cf. ibid., S. 49.
59 Ibid., S. 50.
60 Ibid., S, 288.
61 Ibid., S. 289.
62 Ibid., S. 276.

NACHWEISE

Ansichten aus der neuen Welt — Über Charles Sealsfield, in: *Die Rampe,* Heft 1, 1988, S. 7—38.

Westwärts—Ostwärts: Aporien deutschsprachiger Ghettogeschichten, in: *Literatur & Kritik,* Heft 233/234, 1989, S. 161—178.

Peter Altenberg — Le Paysan de Vienne, in: *Die neue Rundschau,* Heft 1, 1989, S. 75—96.

Das Gesetz der Schande — Macht, Messianismus und Exil in Kafkas *Schloß,* in: *Manuskripte,* Heft 89/90, 1985, S. 117—124. Zuerst in englischer Sprache als The Law of Ignominy — Authority, Messianism and Exile in Kafka's *Castle,* in: *On Kafka — Semi-Centenary Perspectives,* hg. v. Franz Kuna, London 1976, S. 42—59.

Ein Kaddisch für Österreich — Über Joseph Roth, in: *Frankfurter Rundschau,* 27. Mai 1989.

Una montagna bruna — Zum Bergroman Hermann Brochs, unter dem Titel ›Es schweigt der Berg und manchmal spricht er‹, in: *Frankfurter Rundschau,* 1. November 1986.

Verlorenes Land — Jean Améry und Österreich, in: *Jean Améry,* hg. von Irene Heidelberger-Leonard, München 1988, S. 20—30.

In einer wildfremden Gegend — Gerhard Roths Romanwerk *Der landläufige Tod,* in: *Manuskripte,* Heft 92, 1986, S. 52—57.

Gerhard Roth

Der Berg

Roman

314 Seiten. Leinen

Viktor Gartner ist Journalist und gibt vor, einen Reisebericht über den Berg Athos dort schreiben zu wollen. Tatsächlich hat Gartner erfahren, dass sich im Kloster Chilandar der serbische Dichter Goran R. aufhält, den er während des Krieges in Bosnien kennen gelernt hatte. Goran R. soll unfreiwillig Zeuge eines Massakers geworden sein, wie es General Mladic in Srebrenica verübte. Seither ist R. unter getaucht aus Angst vor Nachstellungen, aber auch weil er nicht über das Massaker aussagen will. Gartners Suche nach Goran R. wird von erschreckenden und verwirrenden Zwischenfällen begleitet: Seinen ersten Informanten in Thessaloniki findet er ermordet auf, zwei weitere brechen den Kontakt zu ihm ab, als sie vom Zweck seiner Reise erfahren. Auf Athos wird er von einem Arzt und Athos-Kenner begleitet, der ihn aber eher von der Spur Goran R.'s abbringen zu wollen scheint. Der Roman ist Gerhard Roths Reise in das ›Herz der Finsternis‹ des Balkans.

S. Fischer

fi 2003 / 7

Gerhard Roth

Der See

Roman

Band 14049

Paul Eck ist Vertreter für pharmazeutische Produkte. Überraschend erhält er einen Brief von seinem Vater, den er seit der Scheidung seiner Eltern nicht gesehen, den er nie wirklich kennengelernt hat. Der Vater lädt ihn ein zu einem Besuch am Neusiedler See. Trotz großer Vorbehalte macht sich der Sohn auf die Reise. Doch am Tag seines Eintreffens verschwindet der Vater spurlos, bevor die beiden sich begegnen. Es wird ein Bootsunfall auf dem See vermutet, dessen eigentümliche meterologische und geographische Gegebenheiten berüchtigt sind. Der Sohn spürt seinem Vater nach und versucht, ihn – oder wenigstens seinen Leichnam – ausfindig zu machen. Er muß erkennen, daß sein Vater in allerlei dunkle Geschäfte und windige Vorhaben rund um den See verstrickt war. Bei den Anwohnern des Sees macht der Sohn sich mit den falschen Fragen zum falschen Zeitpunkt rasch unbeliebt, seine Suche wird keineswegs unterstützt, sondern nachdrücklich behindert. Gerhard Roths handlungsreicher und suggestiv erzählter Roman nimmt Elemente der klassischen Detektivgeschichte auf.

Fischer Taschenbuch Verlag

fi 2100 / 5

Gerhard Roth

Eine Reise in das Innere von Wien

Essays

Band 11407

Jahrelang durchforschte Gerhard Roth die licht abgewandten Bezirke Wiens. Auf seinen Streifzügen durch die Hauptstadt ließ er sich nicht vom Glanze der ehemaligen K. u. k. Residenzstadt blenden. Er suchte und fand deren realen und ihren seelischen Untergrund. In den Magazinen von FAZ und ZEIT publizierte Roth eine Serie mit seinen Erkundungen. Er berichtet darin vom ehemaligen Hetztheater (in dem Tiere so lange aufeinander gehetzt wurden, bis sie todwund verendeten), von den Katakomben in der Inneren Stadt, von den geistesverwirrten Künstlern in der psychiatrischen Anstalt Gugging, vom ehemaligen Judenviertel in der Leopoldstadt; Roth beschreibt das stadtbekannte Männerwohnheim in der Meldemannstraße, in dem Hitler knappe vier Jahre zugebracht hat, stattet dem so genannten Narrenturm und dem Heeresgeschichtlichen Museum Besuche ab. Unversehens gerät der Band zu einem Reiseführer durch die Abgründe der österreichischen Seele.

Fischer Taschenbuch Verlag

fi 2103 / 4

Gerhard Roth

Die Archive des Schweigens

Band 1: *Im tiefen Österreich*
Bildtextband. 212 Seiten mit 65 vierfarbigen und 125 schwarz-weiß Abbildungen. Leinen und als Band 11401

Band 2: *Der Stille Ozean*
Roman. 247 Seiten. Leinen und als Band 11402

Band 3: *Landläufiger Tod*
Roman. Illustriert von Günter Brus
795 Seiten. Leinen und als Band 11403

Band 4: *Am Abgrund*
Roman. 174 Seiten. Leinen und als Band 11404

Band 5: *Der Untersuchungsrichter*
Die Geschichte eines Entwurfs
Roman. 172 Seiten. Leinen und als Band 11405

Band 6: *Die Geschichte der Dunkelheit*
Ein Bericht. 159 Seiten. Leinen und als Band 11406

Band 7: *Eine Reise in das Innere von Wien*
Essays. 288 Seiten mit 20seitigem Bildteil. Leinen und als Band 11407

S. Fischer

fi 131 /13

Elias Canetti
Werke

Dreizehn Bände und ein Begleitband
Band 13050

Die Kassette wird nur geschlossen abgegeben. Sie enthält das kostenlose Beiheft ›Wortmasken. Texte zu Leben und Werk von Elias Canetti‹.

Band 1:
Das Augenspiel
Lebensgeschichte 1931-1937

Band 2:
Die Blendung
Roman

Band 3:
Dramen
Hochzeit/
Komödie der Eitelkeit/
Die Befristeten

Band 4:
Die Fackel im Ohr
Lebensgeschichte 1921-1931

Band 5:
Die Fliegenpein
Aufzeichnungen

Band 6:
Das Geheimherz der Uhr
Aufzeichnungen 1973-1985

Band 7:
Die gerettete Zunge
Geschichte einer Jugend

Band 8:
Das Gewissen der Worte
Essays

Band 9:
Masse und Macht

Band 10:
Nachträge aus Hampstead
Aufzeichnungen

Band 11:
Der Ohrenzeuge
Fünfzig Charaktere

Band 12:
Die Provinz des Menschen
Aufzeichnungen 1942-1972

Band 13:
Die Stimmen von Marrakesch
Aufzeichnungen nach einer Reise

Begleitband:
Wortmasken
Texte zu Leben und Werk von Elias Canetti

Fischer Taschenbuch Verlag

fi 2052 / 1

W. G. Sebald

Die Ausgewanderten

Vier lange Erzählungen

Band 12056

Melancholische Erzählungen der Trauer und Erinnerung, über Entwurzelung, Verzweiflung und Tod – Sebald bewegt sich in seinem vielgerühmten Meisterwerk am »Rand der Finsternis«. Mit großem Feingefühl schildert er die Lebens- und Leidensgeschichten von vier aus der europäischen Heimat vertriebenen Juden, die im Alter an ihrer Untröstlichkeit zerbrechen. Indem er die Vergangenheit eines früheren Vermieters, eines ehemaligen Dorfschullehrers, eines Großonkels und eines befreundeten Malers zu rekonstruieren versucht, erzählt Sebald indirekt aber auch von sich selbst – von seinem Schmerz über das Schicksal dieser Menschen, von seiner Trauer über die deutsche Vergangenheit. Entstanden ist eine ganz einzigartige, poetische Prosa, geheimnisvoll verwoben und trotz aller Bezüge und raffinierten Verunsicherungsstrategien doch bedrückend klar.

Fischer Taschenbuch Verlag

fi 2142 / 2

W. G. Sebald

Die Beschreibung des Unglücks

Zur österreichischen Literatur von Stifter bis Handke

Band 12151

In diesen aufschlußreichen sowie brillant formulierten Essays zu Werken von Stifter, Schnitzler, Hofmannsthal und Kafka, von Canetti, Bernhard, Handke, Ernst Herbeck und Gerhard Roth gelingt es dem Schriftsteller und Literaturwissenschaftler Sebald, einige bislang oft wenig beachtete Merkmale österreichischer Literatur ins Blickfeld zu rücken. Im Mittelpunkt seiner Analysen stehen die psychischen Voraussetzungen des Schreibens, insbesondere »das Unglück des schreibenden Subjekts«, mit dem Sebald die eigentümliche Schwermut in der österreichischen Literatur zu erklären versucht. Einfühlsam geht er der Frage nach, inwiefern persönliche Existenznöte, aber auch historische und politische Kalamitäten das Schreiben dieser österreichischen Autoren jeweils beeinflußt haben, und folgert: »Die Beschreibung des Unglücks schließt in sich die Möglichkeit zu seiner Überwindung ein.«

Fischer Taschenbuch Verlag

fi 2139 / 2

W. G. Sebald

Die Ringe des Saturn

Eine englische Wallfahrt

Band 13655

Ein Reisebericht besonderer Art. Zu Fuß ist Sebald in der englischen Grafschaft Suffolk unterwegs, einem nur dünn besiedelten Landstrich an der englischen Ostküste. Im August, ein Monat, der seit altersher unter dem Einfluß des Saturn stehen soll, wandert Sebald durch die violette Heidelandschaft, besichtigt verfallene Landschlösser, spricht mit alten Gutsbesitzern und stößt auf seinem Weg immer wieder auf die Spuren oft wundersamer Geschichten. So erzählt er von den Glanzzeiten viktorianischer Schlösser, berichtet aus dem Leben Joseph Conrads, erinnert an die unglaubliche Liebe des Vicomte de Chateaubriand oder spürt dem europäischen Seidenhandel bis China nach. Mit klarer und präziser Sprache protokolliert er jedoch auch die stillen Katastrophen, die sich mit dem gewaltsamen Eingriff der Menschen in diesen abgelegenen Landstrich vollzogen. So verwandelt sich der Fußmarsch letztlich in einen Gang durch eine Verfallsgeschichte von Kultur und Natur, die Sebald mit einer faszinierenden Wahrnehmungsfähigkeit nachzeichnet. Und ganz nebenbei entsteht eine liebevolle Hommage an den Typus des englischen Exzentrikers.

Fischer Taschenbuch Verlag

fi 2138 / 2

W. G. Sebald

Nach der Natur

Ein Elementargedicht

Band 12055

Der berühmte Meister des Isenheimer Altars Matthias Grünewald, der Naturforscher Georg Wilhelm Steller von der Beringschen Alaska-Expedition und der Autor selbst – was steckt dahinter, wenn Sebald diese unterschiedlichen Männer aus so weit auseinanderliegenden Jahrhunderten in einem »Elementargekeit von Natur und Gesellschaft, die unweigerlich eine »lautlose Katastrophe« heraufbeschwört: die Naturzerstörung, welche längst im Gange ist. Dem hellsichtigen, fortschrittskritischen Beobachter beschert sie ein einsames, gedrücktes Dasein sowie die Utopie einer Natur, die den Menschen letztlich besiegen wird, um den Elementen, Pflanzen und Tieren wieder eine Existenz in Schönheit und Frieden zu ermöglichen. Sebald hat mit seinem der Natur, im weiteren Wortsinn aber auch allem Wesentlichen zugewandten »Elementargedicht« gleichsam ein Triptychon geschaffen: ein hochpoetisches Sprachkunstwerk, das mit den Lebensläufen dreier Männer vertraut macht, die den Konflikt zwischen Mensch und Natur auf jeweils eigene Weise schmerzlich empfunden haben.

Fischer Taschenbuch Verlag

fi 2141 / 2

W. G. Sebald

Schwindel. Gefühle.

Band 12054

Schwindelartige Gefühle der Irritation – in den vier durch wiederkehrende Motive und literarische Anspielungen kunstvoll miteinander verwobenen, geheimnisvollen Geschichten überkommen sie den Erzähler immer dann, wenn sich zwischen Erinnerung und Wirklichkeit eine bedrohliche Kluft auftut. Neben dem französischen Romancier Henri Beyle alias Stendhal ist es vor allem Franz Kafka, dem sich der Autor über die literarische Bewunderung hinaus verbunden fühlt und dessen ruheloser, lebendigtoter Jäger Gracchus durch alle vier Geschichten geistert. Es ist die Melancholie, die Sebald an diesen beiden Autoren interessiert und seinen eigenen Erfahrungen gegenüberstellt, denn wie der Erzähler selbst wurden auch Stendhal und Kafka von Eingebungen getrieben, von Träumen, Ahnungen und – »Schwindelgefühlen« geplagt.

Fischer Taschenbuch Verlag

fi 2140 / 3

W. G. Sebald

Austerlitz
Band 14864

Die Ausgewanderten
Vier lange Erzählungen
Band 12056

Die Beschreibung des Unglücks
Zur österreichischen Literatur von Stifter bis Handke
Band 12151

Die Ringe des Saturn
Eine englische Wallfahrt
Band 13655

Logis in einem Landhaus
Über Gottfried Keller, Johann Peter Hebel, Robert Walser und andere
Band 14862

Luftkrieg und Literatur
Band 14863

Nach der Natur
Ein Elementargedicht
Band 12055

Schwindel. Gefühle
Erzählungen
Band 12054

Unheimliche Heimat
Essyas zur österreichischen Literatur
Band 12150